GEORGES DETHAN

MAZARIN et ses amis

étude sur la jeunesse du Cardinal
d'après ses papiers
conservés aux archives du Quai d'Orsay
suivie d'un

CHOIX DE LETTRES INÉDITES

BERGER-LEVRAULT
1968

A M. Georges Mongrédien

à qui ce livre doit d'être écrit

Portrait de Mazarin. Musée des Offices — Florence (Cl. Brogi-Giraudon)

INTRODUCTION

LA CORRESPONDANCE DE JEUNESSE DE MAZARIN

Nous ne savons pas assez que Mazarin fut un grand épistolier. Pourtant neuf volumes de ses lettres (plus de huit mille pages in-4°) ont été publiés à la fin du siècle dernier. Leur masse effraye l'amateur et leur présentation sévère et encombrante, dans la collection des « Documents inédits pour servir à l'histoire de France », en a limité l'usage aux chercheurs (très peu nombreux) qui ont essayé de compléter l'œuvre d'Adolphe Chéruel. Ce grand érudit a basé sur cette édition sa monumentale histoire du ministère de Mazarin. Et pourtant ce recueil, fruit d'un labeur immense, est incomplet. Certaines des lettres les plus significatives de Mazarin en sont absentes.

D'abord, parce qu'il ne s'agit que d'un choix, si considérable soit-il (un grand nombre de lettres n'étant que brièvement analysées à la fin de chaque volume), choix qui s'est opéré selon les préférences de Chéruel pour les affaires politiques, diplomatiques et militaires. La victime fut la correspondance italienne de Mazarin, qui constitue à peine un seizième de l'ensemble (moins de 200 lettres publiées pour plus de 3 000).

Mais le principal défaut de l'édition Chéruel est de ne commencer qu'avec la mort de Richelieu. Mazarin y naît cardinal et ministre, ayant dépassé les deux tiers de sa vie.

Bien sûr, de son enfance et même de sa première jeunesse aucun témoignage personnel ne nous est resté, et ses lettres de capitaine de vingt-quatre ans ne nous apprennent pas grand-chose sur son compte. Elles ouvrent toutefois la série bientôt très dense de sa correspondance avec la secrétairerie d'État pontificale et les deux cardinaux Barberini, neveux du pape Urbain VIII. Celles adressées au cardinal Francesco (d'importants fragments en ont été publiés par Victor Cousin et Augusto Bazzoni) concernent exclusivement les affaires politiques : elles sont déjà d'un maître diplomate, d'un écrivain en pleine possession de son style. Quant à celles, plus personnelles et diverses, réservées au frère du « cardinal Barberin », le cardinal Antoine, le cher « patron » de Mazarin, elles n'ont jamais été révélées. Je ne suis pas sûr d'avoir eu communication de toutes celles que peut renfermer le fonds des papiers Barberini qui, aux archives du Vatican, reste d'un accès difficile pour les chercheurs. Une prospection de collections privées italiennes permettrait sans doute de ramener à la lumière d'importantes correspondances originales : par exemple, ces lettres de Mazarin à sa famille que détiendrait jalousement l'actuel héritier des Martinozzi. Nous pouvons toutefois reconstituer cette correspondance d'après des copies et d'après les réponses des parents de Mazarin conservées au ministère des Affaires étrangères.

Les archives du Quai d'Orsay ont été, en effet, la source principale de cet ouvrage. Elles ont hérité de la plus grande partie des papiers personnels du cardinal : lettres originales de ses correspondants, copies et parfois minutes autographes de ses propres dépêches, auxquelles il faut ajouter les originaux des lettres adressées par le jeune Monsignore à Richelieu, à Servien et aux Bouthillier, dont les papiers ont aussi rejoint le dépôt des Affaires étrangères. Ce vaste matériel documentaire rédigé en italien est resté pour la plus grande part inédit.

C'est une singulière aubaine pour l'histoire de la vie privée dans la première moitié du XVIIe siècle que de retrouver ce qui a rempli une existence : les affections de famille comme les ambitions secrètes, les effusions religieuses et les passions profanes, l'aventure et la politique... On voudra donc nous excuser d'avoir donné tant de citations, retenu de si nombreux détails qui n'intéressent pas l'histoire générale, mais seulement celle des mœurs et des sentiments. « Il n'y a de force et de vérité que dans les détails », prétendait Stendhal. Et Michelet : « Ne nous amusons pas à ces portraits où pour concentrer les *grands traits*, on fait abstraction des détails nombreux et complexes où est justement la vie propre, l'intime individu. » L'historien ne doit pas hésiter à capter le passé lorsqu'il jaillit d'une source abondante et directe. Souvent, nous nous sommes contentés du rôle modeste d'un transcripteur de documents, croyant que l'on nous saurait gré de n'avoir laissé échapper aucune richesse, quitte à conserver de ces particularités minuscules, ces tours de style, ces redondances mêmes qui contribuent à caractériser un être. Il nous a fallu cependant être sévère dans notre choix, pour donner en moins de trois cents pages l'essentiel de milliers de lettres réparties dans des centaines de volumes. Nous sommes loin d'avoir parlé de tous les amis de Mazarin.

Selon quel ordre devions-nous étudier cette immense correspondance? Après son exubérance, sa première qualité est la variété. Elle est diverse comme divers sont ses destinataires. C'est donc d'après ceux-ci, groupés selon leur milieu, leurs affinités, le genre de leurs relations avec Mazarin, qu'il s'imposait de présenter ses lettres. Un classement strictement chronologique aurait permis sans doute un récit biographique plus suivi (1), évité certaines répétitions mais abouti à une confusion dont déjà n'ont pu, je le crains, entièrement préserver cet ouvrage les distinctions sommaires observées entre la famille de Mazarin, ses protecteurs et ses amis romains, ceux de France, de Savoie, d'Angleterre, d'Espagne... A chacun de ses correspondants, en effet, le futur cardinal découvre une face différente de son âme. Dans son désir passionné de sympathie, il cherche le joint par où il peut atteindre son interlocuteur, le trait de caractère, les façons de penser qu'ils ont en commun.

Ainsi Mazarin se trahit : à certains, il révélera ses grands desseins politiques, à d'autres, ses goûts d'artiste et d'amateur; avec celui-là, il se laissera aller à plaisanter librement, tandis qu'à cet autre, il n'hésitera pas à laisser apparaître le fonds religieux de sa nature. Il aura des confidents pour ses peines comme pour ses joies, et la correspondance prendra dans sa vie une place toujours croissante (n'a-t-on pas prétendu que le vieux ministre, ne dormant plus ou à peine, y consacrait dix-huit heures de ses longues journées?). Dès sa jeunesse au service du Saint-Siège, il employait des nuits entières à écrire de longs rapports. Était-ce passion pour les affaires, besoin fébrile d'activité? Sans doute, mais aussi désir de s'épancher, quête passionnée d'amitié. C'est au contact des êtres que Mazarin a voulu apprendre la vie. Lui qui réunira la

(1) On pourra le reconstituer grâce à l'Appendice qui donne un choix de lettres de jeunesse de Mazarin, selon l'ordre chronologique des événements de 1624 à 1642.

plus belle bibliothèque de son temps pour en faire profiter les savants, avait laissé à Rome ses livres d'étudiant, se contentant de les faire épousseter de temps en temps par les servantes de sa mère. Ils avaient fait leur temps (et même parmi eux le Machiavel dépareillé qui lui avait appris la subtilité politique). Il ne voulait plus connaître que d'expérience, et non pas tant les choses que les hommes.

Grâce à cette curiosité toujours en éveil, il n'est pas le seul que sa correspondance nous fasse connaître. Surtout lorsque nous possédons les réponses de ses amis. Ceux-ci furent souvent de curieux et séduisants personnages. Antoine Barberini ou Léon Bouthillier de Chavigny, Alexandre Bichi ou Walter Montagu, Elpidio Benedetti ou Pietro Mazarini, ces figures oubliées ont joué un rôle souvent pittoresque qui mérite d'être rappelé. Leur vie quotidienne, leurs propos familiers ou leurs aventures nous éclairent les divers milieux traversés par le jeune Giulio. Que dire lorsqu'il s'agit d'un Richelieu ou d'un père Joseph, sinon que découvrir ces hommes d'État par les yeux de Mazarin c'est jeter sur eux un regard neuf, celui d'un contemporain et d'un étranger, exempt des préjugés qui ont déformé le jugement des historiens.

Avant d'entreprendre le portrait de Mazarin à travers ses correspondants, il nous faut tenir compte de ce fait déjà signalé : le cardinal n'avait pas conservé les lettres reçues dans son adolescence et, sauf quelques documents d'intérêt secondaire des années 1625-1626, les siennes mêmes n'apparaissent qu'en 1629. Il est donc nécessaire de rappeler brièvement les antécédents de notre personnage.

Giulio Mazarini est un *Romano di Roma*, un vrai Romain de l'âge baroque. S'il est né dans les Abruzzes (à Pescina, le 14 juillet 1602) c'est par pur accident, sa mère ayant voulu se réfugier au frais de la montagne et au calme d'une propriété de famille. Toute son enfance et son adolescence se sont passées au cœur de la cité papale, dans le quartier de Trevi. Entré à sept ans au Collège romain, bastion de l'enseignement des jésuites, il s'y montra extrêmement doué, et ses maîtres s'efforcèrent de l'acquérir à leur Compagnie, tant ils étaient « charmés de son bel esprit, de sa capacité, de ses gracieuses manières ». Et qui ne l'aurait été?

« C'était, écrit un témoin de son enfance, un jeune homme d'un visage charmant, de manières agréables, gracieux, agile, vif, aimable, poli, d'un esprit pénétrant, d'une humeur enjouée, habile à dissimuler, en un mot apte à toutes choses... Il se montrait toujours facile, désintéressé, égal de caractère... Il dépensait l'argent grandement et il avait l'habitude de dire que le ciel est le trésor d'un homme généreux. »

Maxime du joueur effréné qu'il était devenu plutôt que d'un saint prodigue. Son père qui cherchait un moyen de l'enlever à cette vie désordonnée sut persuader le connétable Colonna de le donner comme compagnon de voyage à son fils Girolamo, qui partait achever ses études à Alcala de Henarès.

Ce voyage de deux ans en Espagne fut suivi par l'engagement de Giulio dans l'armée pontificale, d'où il passa dans la diplomatie vaticane. En 1629, il devint secrétaire de la nonciature à Milan. C'est d'alors que datent les plus anciennes lettres qu'il avait conservées : celles de son père, Pietro Mazarini. Elles nous font entrer dans le premier milieu qui entoura dès sa naissance Giulio Mazarini d'une atmosphère d'affection admirative : celui de sa famille, de sa chère *casa* romaine.

CHAPITRE I

LA « CASA »

Pietro Mazarini, né en 1576 à Palerme, était romain de longue date, s'étant établi jeune homme dans la cité des papes, à la suite d'un oncle jésuite, orateur fameux en son temps. Il était entré dans la clientèle du connétable Colonna qui le maria à une sienne filleule, de bonne noblesse ombrienne, Hortensia Bufalini, et « lui confia le gouvernement de nombreuses places de ses États ». Cette dernière assertion de Benedetti, secrétaire et biographe du cardinal, a été discutée et interprétée de façon différente : les historiens ont fait, selon leur fantaisie, du père de Mazarin un intendant, un homme d'affaires, un chambellan ou même un valet de chambre. Il faut entendre, semble-t-il, que Pietro Mazarini vécut sous la protection des Colonna, qui lui donnèrent à l'occasion des fiefs à gouverner ou la charge d'intérêts particuliers. Il était doué pour les affaires (du moins celles des autres), écrivait bien, était apprécié de ses puissants « patrons », mais son adresse et son dévouement semblent avoir été mal récompensés.

Ses lettres de 1629 à son fils nous peignent au vif la difficulté de sa situation. Le connétable Colonna était pour lui prodigue de bonnes paroles, mais, écrivait-il, « je ne vois jamais aucun fruit de cette bonne volonté ». Il en espérait quelque charge lucrative et, conscient de sa valeur, se permettait d'être un peu exigeant : « Je n'accepterai pas de gouvernement qui ne soit très honorable et utile, qui ne fournisse à mon propre entretien et ne me donne 300 écus pour la maison *(la casa)*. » Hélas, rien ne venait, ni des Colonna, ni des Sacchetti auxquels son fils l'avait recommandé.

Et pourtant « la casa » en avait bien besoin. Par ce mot qui revient comme un leitmotiv dans ses lettres, Pietro Mazarini entendait à la fois sa famille et sa demeure. Sa correspondance avec Giulio nous donne de l'une comme de l'autre de suggestives et désolantes nouvelles.

Au cours de la même année, le pauvre homme et les siens changèrent trois fois d'habitation. Tout en restant dans le même quartier de Trevi, au pied du Quirinal, ils devront quitter en juin la rue de la Fontaine de Trevi pour la rue dell'Olmo, et celle-ci en novembre pour la rue San Niccolo. La raison? le manque d'argent. Les lettres de Pietro à Giulio sont alors remplies de plaintes désolées de « ne pouvoir plus maintenir la casa en l'état dans lequel vous l'avez laissée ».

En effet, si Giulio vole maintenant de ses propres ailes, il n'en est pas de même de son cadet de cinq ans, Michel, parti faire des études chez les Dominicains de Bologne, auquel il a fallu donner 100 écus pour son voyage. Ni de ses quatre sœurs, les deux plus jeunes, Girolama et Cleria, restées au foyer, tandis que les aînées, Anna Maria et Margarita sont pensionnaires dans un couvent de Citta di Castello, près de leurs grands-parents maternels, oncles et tantes Bufalini. « La casa » comporte aussi une servante, la fidèle Livia, à laquelle dans les bons moments est adjoint un valet.

Les soucis de l'habitation sont encore autre chose : il en faudrait une, explique Pietro, « que l'on pourrait accroître de pièces avec l'opportunité du temps et qui fût proche de quelque église, pour la satisfaction de votre mère ». Celle qu'il trouve est « pauvre de pièces » mais a un jardin. Il emménage le 5 juin. Mais aussitôt son propriétaire, Cristoforo Caetano, prétend lui faire payer le loyer du semestre à venir. Le pauvre homme n'y parviendra pas : il lui restera une malheureuse dette de 50 écus pour laquelle Caetano ne cessera de le poursuivre et finira par obtenir un arrêt contre lui. Alors les appels à l'aide de Giulio se font de plus en plus pressants :

« Depuis dix-huit mois, j'ai dépensé plus de 1 400 écus, si bien qu'aujourd'hui je ne sais comment remédier aux nombreux besoins de la *casa*... (25 juin).

« J'attendais avec un désir impatient que vous m'ayez envoyé quelque secours... Je n'en puis plus. Dieu sait ce que je fais pour soutenir la *casa*, pourvoir aux besoins de mes filles qui sont au couvent et de Fra Michele qui me tourmente tous les jours pour avoir de l'argent. J'arrête de vous représenter la nécessité urgente qu'a la *casa* pour ne pas accroître votre peine, une peine que je me contente d'avoir seul (22 septembre).

« Je n'en peux plus ni ne sais où me tourner » (29 septembre)...

Giulio se laissera-t-il toucher? Auprès du nonce son patron, il se doit de faire « belle figure ». Or le Saint-Siège ne lui alloue que 150 écus par mois, en l'engageant de « vivre à l'étroit » et de « dépenser le moins qu'il peut ». D'autre part son frère Michel, de son couvent de Bologne, vient aussi crier misère : il ne reçoit rien de la maison et « sans argent, ce n'est pas possible ». Du moins, il ne s'agit que de petites sommes, ses dettes n'excèdent pas 6 écus. Giulio finit par envoyer à Rome l'argent dû à Caetano, et son père peut à nouveau... déménager.

La situation ne paraît guère s'améliorer les années suivantes. Pietro Mazarini est parti en Sicile, où il a gardé quelques terres dans la région de Palerme; en son absence Hortensia, sa femme, « se désespère parce qu'il ne lui remet pas d'argent ». Mais déjà la nouvelle des succès de Giulio se répand à Rome; lorsque par son infatigable action diplomatique, il parvient à faire lever le siège de Casal, son nom devient illustre. Ses sœurs commencent à être recherchées. Un certain Vigevene, riche mais de noblesse douteuse, est sur les rangs. L'affaire toutefois n'aboutira pas et les canonicats dont Giulio a été gratifié, en récompense (qu'il trouve maigre) de ses exploits, ne donnent jusqu'à présent aucun revenu; le jeune diplomate, toujours par monts et par vaux, n'a pu en prendre possession. Son père lui rendra ce service et, en attendant d'avoir part aux bénéfices, continuera ses lamentations habituelles : « A la maison, on dépense tellement que, si je vous le disais, vous ne le croiriez pas. » Toujours instable, il cherche une nouvelle habitation, qui soit, écrit-il à son fils, « à mon goût et au vôtre » (24 juillet 1632).

En effet, on annonce le retour du fils prodigue qui arrive à la fin de 1632. Ce sera pour s'avancer dans la faveur des Barberini, se faire nommer auditeur de la légation, et bientôt vice-légat d'Avignon. Mais avant de repartir, en août 1634, vers la Provence et bientôt Paris, Giulio a eu le temps de s'occuper des siens :

« J'ai marié deux de mes sœurs, écrit-il à son ami français Servien, avec à chacune une dot d'en tout 40 000 livres. L'une je l'ai donnée au fils unique de M. Vincenzo Martinozzi, très à son aise quant aux biens de fortune, bien né, de beaucoup d'esprit et en première place dans les bonnes grâces de M. le cardinal Antoine...

« J'ai donné l'autre à M. Lorenzo Mancini, très à son aise, de famille très estimée et connue dans cette ville, sa maison étant très ancienne. Je vous en donne part bien que les cérémonies habituelles n'aient pas été encore exécutées. »

La dot considérable de 40 000 livres (ou 10 000 écus) donnée à chacune de ses deux sœurs, Mazarin devait reconnaître par la suite en avoir l'obligation au pape, par l'intermédiaire sans doute du cardinal Antoine Barberini : « Sans les grâces que j'ai reçues de Sa Sainteté elles (mes sœurs) auraient dû s'accommoder comme elles auraient pu. » Cet argent ne fut d'ailleurs que partiellement versé; deux ans après le mariage, Giulio devait encore aux Martinozzi 4 000 écus, près de la moitié de sa dette. Le principal était que ses sœurs fussent casées.

Et bien casées. En épousant Geronimo Martinozzi, Margarita, l'aînée, semble-t-il, des demoiselles Mazarin (1) (*), se liait avec un jeune veuf, riche des biens de sa première femme; Vincenzo (2), son père, a vécu à la cour du dernier duc d'Urbin avant de devenir majordome du cardinal Antoine et le confident de Giulio. Margarita est une figure qui attire la sympathie, non seulement par les malheurs qui vont bientôt la frapper, mais aussi par le caractère sérieux, la douce résignation, le besoin d'affection dont témoignent ses lettres. Nous avons vu qu'elle avait été élevée dans un couvent de Citta di Castello, en même temps que sa sœur Anna Maria qui y restera religieuse. Elle-même avait pensé prendre le voile : en mars 1629 sa tante Bufalini en avait porté la nouvelle à Rome, affirmant que la vocation était solide : « C'est une vraie inspiration. » De cette

---

(*) Pour les notes, se reporter à la partie critique, à la fin du volume.

éducation religieuse, Margarita gardera non seulement une écriture et une orthographe plus régulières que n'eut jamais sa mère, la pauvre et quasi illisible Hortensia, mais elle tiendra surtout un abandon touchant à la Providence, bien dure pourtant envers elle ; ses filles seront les mieux élevées de la troupe des terribles Mazarinettes.

Margarita fut mariée le 16 juillet 1634 dans le palais des Barberini, les puissants neveux du pape, protecteurs (« padroni ») de son époux et de son beau-père aussi bien que de son frère Giulio. Moins d'un mois plus tard, ce fut le tour de sa cadette, Girolama qui, le 6 août, épousait Lorenzo Mancini ; une dispense avait été nécessaire, les deux fiancés étant proches parents. Lorenzo était le cousin germain, non pas de la jeune fille, mais de sa mère ; il est vrai que son père, Paolo Mancini, s'était marié assez tardivement, en 1600, avec Vittoria Capocci d'une illustre famille romaine, et Lorenzo ne devait pas être beaucoup plus âgé que Margarita, née en 1608. Les Mancini avaient à Rome une belle position et dans leur palais du Corso, près de la place de Venise, voisin de l'actuel palais Doria, se tenait régulièrement « l'Académie des Humoristes », que Paolo Mancini avait fondée en 1602 pour se délasser des travaux guerriers de la première partie de sa vie. C'est là que Lorenzo et Girolama échangèrent leurs promesses et vécurent désormais.

Des nouvelles de la « casa » pendant les années qui suivirent, nous n'en avons guère. Giulio était alors fort occupé par sa mission en France et lorsqu'il revint à Rome à la fin de 1636, délaissant la maison paternelle, il accepta l'hospitalité fastueuse du cardinal Antoine Barberini. Girolama faisait régulièrement des enfants à son époux : quatre avaient survécu lorsque Giulio quitta de nouveau Rome à la fin de 1639, cette fois-ci pour toujours. Margarita avait eu deux petites filles, Laura et Anna-Maria qui devait être son dernier enfant, Geronimo Martinozzi étant mort prématurément.

Ce premier deuil chez les Mazarin eut lieu au début de septembre 1639 et affligea sincèrement Giulio. Un an plus tard, Margarita s'en lamente encore avec son frère : « Les ennuis que j'avais auparavant étaient nombreux; il s'y est ajouté la douleur de la mort du seigneur Geronimo... O mon cher frère, je suis dans un tel tourment, que si Dieu ne m'aidait de sa grâce particulière, je deviendrais folle, je vous dis la vérité; la bonté qu'a pour moi mon beau-père (Vincenzo) est telle que mon père ne pourrait en avoir plus. Écrivez-lui le plus souvent que vous pouvez, car il se réjouit beaucoup de vos lettres. Pauvre père, il n'avait qu'un fils et il est mort. Consolez-le du mieux que vous pourrez... »

La mort de son mari place Margarita dans une situation assez difficile entre son beau-père, fort bon pour elle, et ses parents. Ceux-ci justement cherchent à nouveau à déménager. Le cardinal Antoine a offert aux époux Mazarini une petite maison *(casino)* contiguë à celle qu'il a déjà donnée à Martinozzi. Vincenzo aurait été disposé à leur concéder trois pièces supplémentaires « en abattant le mur de séparation » : du moins il l'écrit alors à Giulio, mais, plus tard, Pietro devait nier cette offre et regretter qu'elle n'ait pas eu lieu. Quoi qu'il en soit, elle n'aurait pu empêcher la séparation de fait qui s'accomplit alors entre Hortensia et Pietro : tandis que celui-ci s'installe avec joie *(grandissimo gusto)* dans le « casino » du cardinal Antoine le dernier jour de mai 1640, sa femme reste dans leur ancienne demeure. Et Pietro écrit à son fils ces lignes agacées et symptomatiques : « Votre mère n'a pas voulu aller avec moi au *casino* sous prétexte de l'air qui lui fait mal, bien qu'elle ne l'ait jamais éprouvé. On peut accepter qu'elle aille chez les Mancini demeurer avec sa fille, bien que cela ne plaise pas à tous. » C'est en effet ce qu'Hortensia se résigna à faire, un mois plus tard, sur le conseil de son plus jeune fils, le dominicain Michel. Et Giulio se déclarait « content » de cette décision.

L'espoir de réunir ses parents n'a-t-il pas toutefois joué son rôle dans le désir qu'il exprima alors et finit par remplir d'acquérir à Rome une demeure digne de ses ambitions? Certes à un moment où le roi de France réclamait pour lui le chapeau de cardinal, il importait que les siens eussent dans la Cité des papes un rang à la hauteur de sa propre position et que le petit peuple de la ville, en admirant le faste d'un palais Mazarini, apprît à répéter son nom. D'autre part, il fallait trouver un abri sûr pour ses affaires personnelles, livres, linge, joyaux confiés au fidèle secrétaire Elpidio Benedetti. Ce dernier, dès le début de juillet 1640, lui signalait que le palais des Bentivoglio sur la colline du Quirinal était à vendre. C'est un autre ami, quelque peu parent, Paolo Macarani, qui, avec Vincenzo Martinozzi et Pietro Mazarini, se chargea de la négociation. Les Bentivoglio, noble famille de Ferrare, à laquelle appartenait un cardinal, ancien protecteur de France et depuis longtemps lié avec Giulio, avaient besoin d'argent : ils étaient prêts à abandonner leur palais, avec sa galerie de tableaux, pour un prix avantageux. Et pourtant Vincenzo Martinozzi conseillait d'en retarder l'achat, par crainte du qu'en dira-t-on. « Ce palais est le plus beau de Rome, mais à vrai dire c'est plus celui d'un grand cardinal que celui d'un prélat, si plein de qualités soit-il. » Giulio ferait donc mieux d'attendre, pour l'acquérir, d'avoir obtenu le chapeau. « Je vous parle avec une liberté de père, concluait Vincenzo, car telle est l'affection que je vous porte... Depuis la mort de mon pauvre fils, je n'ai personne que j'aime et estime autant que vous. » Il n'y avait d'ailleurs aucun danger que le palais lui échappât : les Bentivoglio ne trouvaient nul autre acquéreur. Pietro Mazarini était du même avis.

En réalité, Giulio grillait d'envie d'avoir pignon sur rue dans sa cité natale. Et ce palais, il le connaissait bien. Enfant, il l'avait vu construire pour Scipion Borghese, le neveu du pape Paul V, qui désirait s'établir tout près de la résidence pontificale de Monte Cavallo (ainsi appelait-on alors l'antique colline du Quirinal). Il eut à peine la patience d'attendre que les neveux d'Urbain VIII, les deux cardinaux Barberini, lui eussent par lettre conseillé eux-mêmes cet achat, et au début de 1641 il en envoyait l'ordre : « J'estime moi-même extravagante la fantaisie que j'ai d'acheter le palais des Bentivoglio, confiait-il au cardinal Bichi, mais, servant un grand roi et jouissant de la protection de S. E. le cardinal-duc (Richelieu) je crois ne pas devoir entreprendre des choses ordinaires. Ajoutez à cette raison le désir fou *(la follia)* que j'ai toujours eu d'avoir avant de mourir un beau palais comme celui des Bentivoglio. »

L'acte de vente fut signé le 23 mars 1641 dans la maison de Martinozzi, aux conditions suivantes : 75 000 écus, dont 20 000 à payer comptant et 20 000 autres à verser avant la fin de l'année. Pour les régler, Giulio prétendait se couvrir de dettes. Au reste, il comptait sur l'avenir.

Le palais était superbe et son acquisition avait fait grand bruit à Rome. Tous les soirs, une foule venait l'admirer et se livrer dans la cour à de grandes parties de ballon. Il y avait des réparations à faire, mais dès juin 1641, Pietro Mazarini pouvait s'installer dans un pavillon dit « le palazzino du patriarche Biondi ». Hortensia refusa de l'y suivre et resta dans la maison des Mancini. Un modus vivendi s'établit toutefois

A. *Veduta uerso il Giardino del sontuoso Palazo dell Eminentissimo Seg.r*

B. *La facciata della gran Loggia del Giardino de i fiori doue e dipinta con esquisita bellezo*
uolgarmente chiamata Magna Napoli. F. Chiesa di S.t Vitale. G. Parte del Pa

Le Palais Mazarin à Rome — Gravure d'Israël Silvestre

entre les époux : tous les matins, Pietro envoyait à sa femme le lourd carrosse que lui avait laissé Giulio. Et plusieurs fois par jour, les chevaux montaient ou descendaient la pente qui du Corso mène à la colline du Quirinal, de la maison Mancini au palais dit désormais Mazarin. Comme on était loin des vicissitudes de l'humble *casa*, douze ans seulement auparavant ! Mais si elle était plus prospère, elle était aussi moins unie.

Désormais la famille Mazarin à Rome se partage entre les deux demeures : Pietro et les Martinozzi ont pendant plus d'un an été les hôtes du cardinal Antoine, et, lorsque le palais Mazarin sera aménagé, ils seront à nouveau réunis. « Votre père et moi sommes continuellement ensemble », écrit Vincenzo Martinozzi à Giulio à la fin de mai 1641. « Aujourd'hui, poursuit-il, nous allons nous rendre dans les jardins de votre palais où, en cette saison, nous jouissons des beautés des jardins, de l'odeur des fleurs d'oranger, des fontaines; tout doit être restauré car il a été abandonné des précédents propriétaires pendant huit mois. »

En attendant la fin des travaux, comme Margarita est toujours attristée de son veuvage et en médiocre santé, que ses toutes petites filles ont besoin d'air pur, Vincenzo Martinozzi les mène à la campagne. Il traverse un moment pénible, ayant perdu la faveur du cardinal Antoine, et ressent toujours plus, le poids de l'âge : « pour moi, la vieillesse croît tous les jours, et avec soixante-quatre ennemis, car ainsi peuvent s'appeler mes années séniles, je suis de plus en plus menacé », écrit-il à Giulio le 20 juillet 1641. Au début de septembre, il part donc avec sa belle-fille à Castel-Gandolfo au-dessus du lac d'Albano, où le marquis de

Bagni a mis sa *villa* à leur disposition, et pendant plus d'un mois, ils restent, loin des tracas de la ville, à jouir du merveilleux automne romain. Certes Margarita reste dolente, avec peu d'appétit; elle et ses filles ont pourtant profité de ce séjour agreste. « Quant à moi, ajoute Vincenzo, je ne pourrais dire avec quel plaisir et quel repos j'y ai demeuré. »

Bientôt la grande nouvelle impatiemment attendue de la promotion de Giulio au cardinalat, le 16 décembre, vient le remettre tout à fait. « Le signor Vincenzo, écrit Margarita à son frère, en est tout rajeuni et ravivé et, croyez-moi, ce contentement lui allongera la vie de plusieurs années. » Il ne pense plus désormais qu'à tout préparer, en accord avec Pietro, pour que le nouveau cardinal puisse venir prendre possession glorieusement de son chapeau.

Car toute la famille en est persuadée : Giulio ne peut manquer de saisir cette occasion pour revenir, ne serait-ce que quelques mois, auprès des siens. Il a bien cru en effet qu'il pourrait leur donner cette joie. Tout le début de 1642 se passe dans cette attente : le palais est lavé, débarrassé de la terre qui le recouvrait. Statues, tableaux sont achetés pour le décorer. Vincenzo se dépense sans compter, avance de son argent pour faire confectionner les livrées et les carrosses nécessaires pour l'entrée solennelle à Rome du nouveau prince de l'Église : ils seront superbes, l'un avec des miroirs et des cadres dorés, l'autre recouvert de velours noir, plus léger, qui pourra servir ensuite pour aller à la campagne... Mais Giulio est inquiet de la santé de Richelieu. S'il allait se trouver absent de France au moment de sa succession! Au début de mai, il semble cependant décidé à partir quand la découverte de la conjuration de Cinq-Mars vient le charger de nouvelles missions. Il renvoie son départ à la saison plus fraîche *(la rinfrescata)*.

Vincenzo en profite pour prendre ses quartiers d'été à Fano, sur l'Adriatique, berceau des Martinozzi : il y reçoit, fin novembre, la joie très grande d'une visite de son maître, le cardinal Antoine, qui reste plusieurs jours chez lui. A peine est-il parti, que Vincenzo, cédant aux instances de Margarita et de ses petites filles qui « brûlent du désir de revoir Rome », revient dans la grande ville.

Pour sa bru, il est un autre père et celle-ci s'est fortement attachée à lui : « Par la grâce de Dieu, écrit-elle à son frère devenu Premier ministre de la Reine-Régente, je me porte bien, mais j'ai les peines qu'ont les pauvres veuves. Patience, puisqu'il en a plu ainsi à Sa Divine Majesté. Je ne me pourrai réjouir que de vous voir. Consolez quelquefois M. Vincenzo qui a encore grande douleur de la perte de son fils. J'ai plus de douleur de ce pauvre vieillard que de moi-même. » Et comme la guerre qui sévit dans le Nord de l'Italie a ruiné les biens possédés par Martinozzi dans la région de Ferrare, elle supplie Giulio de lui donner un supplément de pension : « Il n'en a pas écrit car il en a honte... et je ne voudrais qu'il connaisse (ma requête)... Ses bontés envers moi sont telles que je ne saurais les dire et que je ne puis y répondre. »

C'est en janvier 1645 que les Martinozzi peuvent enfin s'installer au palais Mazarin. Pietro Mazarini leur a laissé le « casino » décoré par le Guide et certaines pièces de l'appartement du rez-de-chaussée, ce qui ne va pas d'ailleurs sans difficultés, car il trouve Vincenzo bien exigeant; il a des mots amers : certes Martinozzi est « un gentilhomme très aimable et bien élevé (*garbatissimo*), mais il s'estime plus qu'il ne vaut ». Mazarin met le holà et son père doit s'excuser; Vincenzo aura les pièces qu'il désire : « Il n'a jamais reçu de moi aucun déplaisir mais toujours amabilités et courtoisies. »

D'ailleurs il est tombé malade. Quelques jours après, Pietro annonce sa mort, survenue le 1er octobre 1645.

Avec lui, Mazarin perd un ami dévoué et fidèle. Margarita était désormais à sa charge. Éplorée, elle lui écrivait : « Il me semble être veuve de nouveau, Maintenant Votre Éminence m'est père, et frère et protecteur. »

Chez les Mancini, où s'était installée Hortensia, la vie continuait immuable. Les enfants naissaient à un rythme régulier, causant de « grandes souffrances » à leur mère.

Un voyage de Lorenzo Mancini en France n'avait pas interrompu la cadence de ces accouchements annuels. Sa parenté avec Giulio lui avait valu d'être choisi par les Barberini pour porter à la reine de France les félicitations du pape à l'occasion de sa seconde grossesse : une mission qui convenait bien à ce père de famille nombreuse. Il reçut à Paris, en avril-mai 1640 un accueil flatteur et put rapporter à Rome où il parvint le 30 juin d'encourageantes nouvelles de la faveur dont il avait vu jouir son beau-frère. Les siens l'attendaient avec impatience, car on l'aimait malgré ses bizarreries. Il se piquait d'astrologie, se gouvernait selon d'obscurs pressentiments et son humeur ombrageuse lui valait des affaires fâcheuses. Assez peu occupé, il n'était que trop porté à lever l'épée sous le moindre prétexte.

Quelques mois après son retour, en septembre, il se « prit de paroles » avec un certain Profino de Magistris; bientôt tous deux en vinrent aux mains. Lorenzo parvint à désarmer son adversaire : il lui laissa la vie, mais se vengea sur son carrosse qu'il larda de coups d'épée. Vincenzo Martinozzi, malgré son indulgente sympathie pour celui qu'il appelle « nostro Lorenzo », était inquiet des suites de cette altercation et priait Giulio de modérer son trop bouillant beau-frère.

Lorenzo n'était pas moins troublé. L'affaire n'avait pu être « accommodée », chacun des adversaires l'ayant racontée à sa manière. De Magistris avait dû quitter Rome, mais on pouvait craindre sa vengeance. Ce souci persistant fut-il la cause qui, à un an de là, obligea Lorenzo à s'aliter avec fièvre? Nul ne croyait à sa maladie et Vincenzo, devenu plus sévère, écrivait : « Les médecins n'ont aucune crainte mais lui a si peur que c'est une honte et, avec sa crainte, il rend son mal plus grave. » La fièvre cessa mais la peur resta, engendrant un état de nervosité morbide.

En mars 1644, De Magistris se montra de nouveau à Rome, bravant les foudres du pape alors moribond. Lorenzo, qui n'avait connu de soulagement à son trouble qu'en apprenant les succès de son beau-frère, écrivit alors à Mazarin, lui disant son « désir très ardent de venir le servir » en France : « Je n'ai pas d'empêchement qui puisse me retenir », expliquait-il. Sa descendance n'était-elle pas suffisante et Girolama n'avait-elle pas sa mère auprès d'elle pour lui tenir compagnie? Un mois plus tard, la mort d'Hortensia bouleversait ce beau projet, auquel d'ailleurs il semble que Mazarin n'ait prêté qu'une médiocre attention.

Nous avons peu parlé jusqu'ici de la mère de Mazarin. Nous avons dit les difficultés surgies dans son ménage, la séparation à l'amiable d'avec son mari. Une fois installée auprès de sa fille Mancini et malgré les pronostics peu favorables de Pietro, elle semble s'être fait apprécier de son entourage et avoir mené au milieu de ses petits-enfants une vie à sa convenance. Elle ne négligeait pas pour autant ses autres filles, rendant visite à Margarita et, nous le verrons bientôt, cherchant à établir sa benjamine, Cleria, qui, dans un couvent, attendait l'époux de ses rêves.

Toutefois sa médiocre santé autant que son attachement particulier aux Mancini, la famille à la fois de sa mère et de son gendre, la retenaient le plus souvent dans leur maison du Corso. Elle se plaisait à s'occuper de l'éducation de ses petits-enfants, en particulier de l'aîné des garçons, Paolo, dit Paoluccio, né en 1636. Celui-ci montrait de bonnes dispositions pour l'étude : à quatre ans, il parlait mieux le français que son père (on voit que les Mancini se préparaient déjà à de brillantes destinées outre-monts). Quand il en eut sept, on lui donna un maître qui sut l'instruire « dans les bonnes manières, les belles lettres et surtout la crainte de Dieu »; ainsi en jugeait Benedetti, secrétaire à Rome de Mazarin, qui prenait cette dépense à sa charge. En remerciant de sa main son oncle, le lointain cardinal, d'avoir ainsi pourvu à son éducation, l'enfant ajoutait : « Madame ma grand-mère *(la signora nonna)* me commande de supplier Votre Éminence de bien vouloir m'envoyer un chapeau de castor et une petite épée. » Hortensia désirait en effet que son petit-fils fût vêtu en gentilhomme et demandait l'aide de Giulio pour monter sa garde-robe, allant jusqu'à lui envoyer les mesures du garçonnet. Bien sûr, Mazarin avait à Paris d'autres préoccupations; il se contentait de pourvoir de temps en temps aux demandes d'argent, d'ailleurs fort modestes, de sa mère, ou de lui adresser à sa requête quelques pièces de coton ou de basin pour confectionner des draps et des mouchoirs : il lui faisait une petite pension mensuelle, qu'elle trouvait un peu maigre, réclamant souvent quelque supplément que son fils tardait à lui accorder. Dans les derniers mois de sa vie, s'étant endettée pour faire dire des messes en faveur du prompt retour à Rome de Giulio, elle réclamait avec insistance quarante écus. Elle aurait bien voulu d'autre part que son fils dédommageât son médecin, l'excellent signor Giovanni qui, avec une remarquable discrétion, la soignait gratuitement depuis quatre ans.

Sa santé était en effet précaire. Depuis son installation en juin 1640 chez les Mancini, des accès de goutte la clouaient souvent au lit. Plus tard, elle se plaignit de douleurs d'estomac. La tristesse surtout l'accablait d'être séparée de son fils Giulio.

Elle avait eu un grand espoir en décembre 1641 lorsqu'il avait été nommé cardinal. Elle avait alors reçu les visites de prélats et de grandes dames venus la féliciter, mais surtout elle s'était réjouie « parce que, écrivait-elle à son fils, bientôt il me sera permis de vous revoir et de jouir de vous ». Hélas ! elle dut se rendre à l'évidence : Giulio ne reviendrait pas et les honneurs reçus en terre étrangère le détourneraient de sa patrie et du chevet de sa mère. Lorsqu'on apprit à Rome qu'il succédait à Richelieu défunt, elle eut le cœur de se réjouir avec lui de sa « victoire », tout en revenant humblement à la charge : « Je désirerais savoir quand il me sera permis de vous revoir. Excusez-moi si cette question vous importune; l'amour ne me permet pas d'être respectueuse en cela. »

Peu après elle devait s'aliter pour ne guère se relever. En août 1643, Margarita Martinozzi donnait d'elle à son frère des nouvelles désolantes : « Depuis deux mois, elle va mal et maintenant plus que jamais elle a la goutte quasi tout le jour qui lui donne la fièvre et grande mélancolie. Elle ne se réjouit de rien. Son seul désir serait que Votre Éminence lui écrive deux lignes de sa main. Faites-le de grâce... consolez-la souvent; elle le mérite pour avoir fait beaucoup pour nous. Elle voudrait savoir que vous viendrez à Rome avant qu'elle ne meure. Croyez-moi, elle est fort mal. »

Giulio ne vint pas, mais il écrivit, adoucissant ainsi à sa mère l'amertume des derniers mois : ses lettres ne nous ont pas été conservées mais nous avons les réponses émouvantes qu'Hortensia dictait à son intention, ajoutant parfois d'une main déformée par la goutte quelques mots presque indéchiffrables :

« Je vous aime plus que ma propre vie et ne cesse de faire dire des prières pour votre conservation. » (22 septembre 1643).

« Par la grâce de Dieu, je me sens mieux. J'espère apprendre la même nouvelle de vous (Giulio en effet était alors malade)... Mon fils, soyez dévôt à la Madone... » (8 octobre).

« Chaque fois que je reçois des lettres ou un avis de Votre Éminence, il me semble que se prolongent pour moi dix ans de vie... Je vais déclinant un peu plus chaque jour. Voilà quasi un an que je suis toujours malade, et maintenant je me lève à peine. Dieu soit loué de tout événement » (29 décembre).

« M. Annibal m'a porté des nouvelles si heureuses de Votre Éminence que j'en suis restée toute consolée, particulièrement pour m'avoir dit de votre part que Votre Éminence veut me revoir avant que je parte de ce monde *(da questa luce)*... Même le corps en a reçu bénéfice : non seulement je me suis levée du lit, mais encore je marche et me sens bien, grâce à Dieu » (14 janvier 1644).

« Je vais assez bien par rapport au mal dont je souffrais il y a quelques jours : il m'avait reprise de telle sorte que je croyais terminer ma vie. Le Seigneur Dieu soit loué, qui veut les prolonger pour me permettre de jouir des fruits de la vieillesse avec les consolations qui me viennent de la bénignité de Votre Éminence » (26 mars).

Cette lettre est la dernière d'Hortensia. Le jour même où elle l'écrivait, le mal qu'elle croyait conjuré l'assaillait de nouveau avec plus de vigueur. Ce que furent ses derniers moments, pleins de résignation et de confiance en Dieu, Benedetti, qui aimait Hortensia et avait tout récemment plaidé en faveur des 40 écus, l'écrivit au cardinal en termes sobres, mais non dépourvus d'émotion :

« Le mal de la mère de Votre Éminence s'est tellement aggravé qu'aujourd'hui, qui est le quatorzième de sa dernière maladie, on tient des médecins qu'il reste peu d'espérance, ou même aucune. Elle garde une parfaite connaissance mais accompagnée d'une telle faiblesse que la nature apparaît entièrement consumée. Dès les premiers jours, elle s'est reconnue destinée à la mort et s'y est disposée avec cette franchise que pouvait lui donner la bonté de sa vie. Elle m'a recommandé son âme et chargé de vendre certain bassin pour la bouche et une corbeille d'argent que Votre Éminence lui a donnés afin de lui faire dire des messes. Elle m'a prié de vous recommander Livia sa servante... afin qu'après les bons et fidèles services qu'elle lui a rendus pendant tant d'années, elle n'ait pas besoin de gagner sa vie en d'autres places, d'autant qu'elle est en mauvaise santé.

Sa plus grande affliction est de mourir sans revoir Votre Éminence, mais même sur ce point, elle a montré son esprit viril, s'abandonnant totalement à la volonté de Dieu.

J'écris ces lignes les larmes aux yeux, car me navre le cœur la perte de cette dame, qui avait la bonté de m'aimer très tendrement et je considère combien sa mort sera sensible à Votre Éminence. Tant qu'elle garde le souffle, je veux pourtant espérer dans les bonnes prières qui se font pour elle et prier Sa Divine Majesté qu'Elle en dispose selon le bien de son âme. »

Dès le lendemain, 11 avril 1644, Benedetti devait reprendre la plume pour annoncer le dénouement : « Il a plu à Dieu appeler à lui ce matin, à 12 heures, Madame Hortensia (qu'elle soit au ciel !). Une sépulture honorable sera donnée à son corps dans l'église de la Minerve et en divers lieux se feront de nombreux services pour son âme. L'âme supérieure que Votre Éminence a toujours montrée dans tous les événements de sa vie lui fera, j'en suis sûr, supporter avec patience cette perte (3). »

Nous n'avons pu trouver les lettres que Mazarin dut écrire aux siens en cette triste circonstance. Aux condoléances officielles qui lui vinrent de partout, il répondit en termes généraux et banals. Toutefois à la duchesse Chrétienne de Savoie, à laquelle il était lié par une ancienne amitié, il ne chercha pas à dissimuler sa douleur : cette mort était pour lui « une des plus grandes pertes que je pouvais jamais faire ». Rien ne serait désormais capable de provoquer son retour à Rome, à lui qui avait refusé cette dernière joie à sa mère.

Un an avant de mourir, Hortensia avait eu la satisfaction d'établir sa plus jeune fille, Cleria. C'est une longue histoire à épisodes que celle de ce mariage. En 1640 la demoiselle avait trente et un ans et se morfondait de devoir garder sa vertu dans un couvent. Ses sœurs déjà établies étaient elles-mêmes « en grande peine » de la voir toujours sans époux. Mais des conciliabules familiaux tenus alors et rapportés à Mazarin, il ressortait que, « pour faire une bonne et noble alliance », il convenait d'attendre que la fortune de Giulio fût définitivement assurée (c'est-à-dire qu'il fût nommé cardinal). Le bruit se répandit toutefois à Rome que la plus jeune sœur du brillant Monsignore Mazarini, si bien vu à la cour de France, cherchait à s'établir. En août 1640 on proposa à Lorenzo Mancini l'alliance d'un Caffarelli : l'affaire n'eut pas de suite.

En avril 1641, alors que Mazarin attendait impatiemment le chapeau, les Barberini lui offrirent pour Cleria l'alliance d'un de leurs nobles parents florentins, Lorenzo Machiavelli. Le cardinal Antoine croyait ainsi faciliter auprès de son oncle, Urbain VIII, la promotion de son ancien protégé et toujours ami. Mais Mazarin n'accepta pas le marché : Lorenzo Machiavelli, ruiné et perdu de dettes, demandait une dot considérable. Il n'y avait pas de raison que Cleria reçût plus que n'avaient eu autrefois ses sœurs. D'ailleurs l'achat du palais Bentivoglio avait ruiné ses finances. On peut enfin supposer que c'est avec peu d'enthousiasme qu'il aurait vu entrer un Machiavel dans sa famille.

Bien qu'il eût été nommé cardinal à la fin de l'année, il ne perdit pas ce projet de vue. Il restait lié d'amitié avec Antoine Barberini et si les Machiavelli s'étaient contentés de 15 000 écus comptant, ce qui était déjà un beau denier, il leur aurait probablement donné Cleria. Son frère, le père dominicain Michel, alors dans les bonnes grâces d'Antoine, le poussait fort à cette union à laquelle travaillait aussi son ami français, Hugues de Lionne, en mission à Rome. Mais Machiavelli restait insatiable, et d'autre part Cleria et surtout Hortensia avaient leur idée personnelle sur la question.

Au début de 1642, Mazarin apprit en effet que Cleria ne se désolait pas trop de l'échec du projet Machiavelli et que d'autre part leur mère tenait pour un certain Muti dont la maison était mieux « accommodée » de biens que celle des Machiavelli. Ainsi Lionne présentait la chose et Michel Mazarin commentait l'attitude d'Hortensia en des termes un peu agacés : « Comme elle est inclinée à donner Cleria plus volontiers à tout autre qu'audit sieur Machiavelli, elle n'est pas très circonspecte en paroles et je ne peux la conseiller pour la raison que vous savez mieux que moi » (une raison que nous aimerions connaître et qui avait peut-être rapport à la désunion du ménage de Pietro). En réalité, Hortensia désirait marier sa fille non pas à un débauché coureur de dot mais à quelqu'un susceptible de la rendre heureuse : « Il faut la donner à qui la veut », écrivait-elle avec bon sens. « Il me semble que ce Muti est un bon parti et il la désire autant qu'il peut. »

Toutefois Mazarin restait hésitant : « J'approuve, écrivait-il à Michel en septembre 1642, l'alliance avec Muti, d'autant plus que vous êtes aussi de cet avis, mais me déplaît ce que vous m'écrivez de la misère avec laquelle on vit dans cette maison. » Il avait pensé pour sa sœur à l'un de ses cousins maternels, Giovanni Bufalini, mais le jeune homme fut tué au service de la France, à la tête du régiment italien formé par Mazarin à la demande de Richelieu. Il chercha quelque temps à acquérir l'alliance de l'illustre famille romaine des Cenci, mais sa mère trouvait Virgilio Cenci trop âgé et celui-ci ne montrait pas grand enthousiasme. Les trois Mazarini mâles, Pietro, Giulio et Michele se résignèrent donc au mariage de Cleria avec Pietro-Antonio Muti. Hortensia avait eu le dernier mot.

C'est en avril 1643 que Cleria entra dans la maison des Muti et chacun bientôt se déclara très satisfait. Un mois plus tard, Benedetti faisait savoir de la part de la nouvelle mariée qu'elle était « chaque jour plus contente de son établissement, à cause des copieuses démonstrations d'affection qu'elle reçoit de son époux et de ses beaux-frères » (Pietro-Antonio vivait en effet avec ses deux frères, Giovani-Paolo et Andrea). Et Pietro Mazarini, qui s'était laissé forcer la main par sa femme, reconnaissait volontiers : « Les Muti se comportent très bien avec Cleria et cette alliance a réussi bien mieux qu'on ne le pensait. » Ils étaient « d'illustre maison », et le désintéressement de Pietro-Antonio était remarquable : il acceptait que le paiement de la dot de 10 000 écus promise par le cardinal son beau-frère fût remis, à condition d'en percevoir les intérêts.

Du coup, Hortensia changea d'avis et commença à déchanter. Cleria aurait mal accueilli la croix de diamants et les pendentifs offerts par son frère en cadeau de noces : « Elle n'estime pas votre présent, peut-être parce qu'elle est dans une riche maison, qu'elle n'a pas besoin de vos cadeaux ou parce qu'elle a une nature ainsi faite. Il vaut mieux donner à qui en a plus besoin. » De même elle s'éleva contre la prétention des Muti de toucher les intérêts de la fraction non payée de la dot : « Je sais de façon sûre qu'ils n'en ont pas besoin, prêtant chaque année des milliers d'écus de leur revenu. » Ces remarques acrimonieuses d'Hortensia étaient-elles spontanées? Ne traduisent-elles pas certaines jalousies éprouvées chez les Mancini? Des lettres postérieures de Cleria à son frère le laissent supposer. Pourtant Pietro-Antonio Muti n'oubliait pas qu'il devait la main de Cleria à la constance de sa belle-mère; à la mort de celle-ci, il regretta vivement « qu'il ait plu au Seigneur de le priver d'une des choses majeures qu'il avait en ce monde et qui était la Signora Hortensia. »

Mazarin avait une quatrième sœur dont nous n'avons point parlé jusqu'à présent et qui sort de l'ombre peu après la mort de sa mère. Anna Maria avait été élevée en même temps que Margarita dans un couvent de Citta di Castello, la cité de sa famille maternelle, les Bufalini, et y était restée comme religieuse. A partir de la fin 1641, quelques lettres d'elle apparaissent dans les dossiers de correspondance de Mazarin : soigneusement écrites, volontiers bavardes, et gentiment quémandeuses. Les premières sont assez plaintives : sa santé n'est pas bonne, et, n'étant pas servie au couvent, elle doit demeurer chez ses cousins Bufalini. Ah! si elle avait une servante! (200 écus de gages par an, plus 25 à 30 écus pour la nourriture). Son frère n'est pas sourd à sa prière : il ne l'a pas oubliée et, à un moment où il pense revenir à Rome prendre possession de son chapeau, il lui propose de l'y faire mener. « Sor Anna Maria » ne cache pas sa joie, mais elle met avant tout « le service de Dieu et le salut de mon âme ». Or, un an plus tard, en août 1643, les religieuses de son couvent la prennent pour abbesse (« plus, je pense, écrit-elle à Giulio, pour honorer votre personne que pour mon mérite, me sachant très peu apte à cette charge, surtout à cause de ma mauvaise santé ») : la voilà donc liée plus étroitement à un séjour dont le climat ne lui convient pas « à cause des eaux mortes qui stagnent autour de la ville »; l'air pestilentiel s'ajoutant aux misères de la guerre (le duc de Parme ayant envahi les États de l'Église) a fait mourir des centaines de citadins. En ces temps troublés, les revenus du monastère ont beaucoup diminué et son rôle d'abbesse pèse à Anna Maria. Si bien qu'après avoir pris conseil de son directeur de conscience, elle accepte la proposition de son frère « d'obtenir de Sa Sainteté un bref pour changer ce monastère contre un autre à Rome ».

Urbain VIII ne saurait rien refuser à l'ancien protégé des Barberini devenu premier ministre en France. Au début de juin 1644, sa sœur Cleria Muti vient chercher Anna Maria à Citta di Castello. Celle-ci est heureuse de retrouver les siens, et pourtant, en quittant le couvent où elle réside depuis trente-quatre ans, ses oncles, tantes et cousins Bufalini, enfin « ce lieu où, écrit-elle, j'ai vécu depuis ma petite enfance », l'émotion la gagne. L'accueil empressé des religieuses du monastère de Santa Maria di Campo Marzo à Rome la rassérène : elle y vivra désormais dans une clôture peu sévère, y recevant les visites des puissants amis de son frère à la cour de Rome et se dévouant à sa famille retrouvée.

Mazarin semble lui avoir montré une particulière bienveillance. Il ne se fait pas trop prier pour lui accorder un petit revenu de 10 écus mensuels (porté par la suite à 25) et Anna Maria n'hésite pas à lui exposer ses besoins car, écrit-elle non sans humour, « mes parents qui me veulent religieuse parfaite ont un tel zèle de me faire conserver la pauvreté que, si je n'avais pas Votre Éminence, je me trouverais mendiante. » En revanche, elle s'inquiète de l'âme de son frère. Elle prie et fait prier pour lui « des âmes qui sont arrivées à l'union avec Dieu », afin que le Seigneur ne l'abandonne pas dans ses difficultés de ministre. Elle lui conseille de « prendre un peu de temps pour dire les répons de saint Antoine de Padoue qui sont brefs, et l'on en voit de grands miracles », et n'hésite pas (« excusez mon audace, l'amour en est cause ») à lui demander d'aider le Ciel : « Il faut que vous aussi jouiez votre rôle, car Dieu ne veut pas toujours faire des miracles pour Votre Éminence. » Que son frère méprise donc les choses terrestres, elle le lui demande au nom de « l'affection que je porte à votre âme »; elle n'ignore d'ailleurs pas que « Dieu vous a doué d'un esprit si perspicace que vous savez bien discerner le temporel et le céleste ». N'était-elle pas depuis longtemps la confidente spirituelle de Giulio? Certaine lettre de décembre 1645 nous le laisse penser, qui fait allusion à un événement intime, survenu vingt ans auparavant et dont Mazarin semble bien ne s'être ouvert à nul autre qu'à elle. Ces lignes de sa sœur jettent un jour nouveau sur la foi du cardinal et la profondeur de ses sentiments religieux :

« A l'approche du Noël de notre Rédemption, je passerai le saint Avent à supplier Sa Divine Majesté de bien vouloir remplir le cœur de Votre Éminence de Son Saint Amour, afin qu'elle puisse jouir en cette sainte nuit de ces douceurs de l'âme qu'elle éprouva en cette même nuit dans la Santa Casa de Lorette, quand elle était capitaine (4), ou de celles que ressentit le séraphique saint François. Comme je m'estime indigne d'obtenir une telle grâce, je fais faire par des personnes spirituelles de continuelles oraisons pour Votre Éminence... Je fais aussi dire dix-huit messes par mois pour les âmes des morts, les suppliant de vous garder de tout péril...; les autres sont riches en paroles mais les vrais secours, je ne les ai reçus de personne sinon de vous. »

L'abandon et l'affection que révèle cette lettre, Mazarin ne les a sans doute pas éprouvés au même degré envers l'autre membre de sa famille entré dans les ordres, son jeune frère, le dominicain Michel. Celui-ci, devenu cardinal de Sainte-Cécile et vice-roi de Catalogne, est un personnage connu et je ne m'attarderai pas à le décrire. On a cependant exagéré les dissentiments des deux frères. En réalité, après son départ de Rome à la fin de 1639, Giulio eut en Michel un correspondant régulier, dévoué à ses intérêts et tenant auprès du cardinal Antoine Barberini un rôle de confident sur lequel nous aurons à revenir. L'écriture du dominicain (alors père Provincial de la région de Rome) est désordonnée, inesthétique, très difficile à lire : elle traduit bien l'esprit brouillon, l'impatience et la susceptibilité maladives, l'ambition mal contrôlée de Michel qu'un contemporain, l'abbé Arnauld, qualifiait de « naturel chaud et turbulent, violent et emporté ». Les recommandations que lui faisait Giulio sont significatives : « Il faut s'accommoder au temps, qui d'ordinaire protège les hommes de bien et arrange les choses... Je pense beaucoup plus à vos intérêts que vous ne donnez à entendre... Calmez-vous avec l'assurance que si j'ai de la chance vous y participerez » (1er mars 1640).

C'est bien ce qui devait en effet arriver. Mais après pas mal de déceptions. Michel avait espéré en janvier 1642 être nommé « maître du Sacré Palais », une charge importante auprès du pape : un autre lui fut préféré. « Il faut se contenter de ce qui plaît à Sa Sainteté et je vous prie de ne point vous inquiéter, écrivit Giulio pour le réconforter... De toutes manières le roi et M. le cardinal-duc qui ont fait et établi ma fortune se plairont aussi à faire en quelque sorte la vôtre. Ne vous affligez donc point... » Quelques mois plus tard, le père Provincial, avec l'aide de son frère, était parvenu à se faire élire général de l'ordre dominicain. Mais l'élection s'était passée avec tant d'irrégularité et Michel avait montré tant de fougue et de maladresse, que son nouveau titre lui fut contesté par le Saint-Siège. Mazarin fit protester l'ambassadeur de France et soutint les prétentions de son frère, tout en le reprenant doucement dans une lettre privée (« A vous parler librement, je crois que le cardinal Antoine a eu quelque raison de se plaindre... »). Michel dut renoncer au généralat. Pour le consoler, Mazarin Premier ministre devait lui faire attribuer l'archevêché d'Aix (juillet 1645), et de haute lutte il enleva pour lui le chapeau de cardinal (novembre 1647). Michel n'en jouit pas longtemps, non plus que de la vice-royauté de Catalogne dont Giulio l'avait gratifié, étant mort à quarante et un ans lors d'un passage à Rome, le 31 août 1648.

Gabriel de Mun, qui a consacré à Michel Mazarin une étude particulière et porté sur lui un jugement fort dur, s'est étonné de l'indulgence de Giulio envers son cadet : il « agissait avec lui comme une mère trop faible avec un enfant gâté ». En réalité, Giulio s'était senti solidaire du destin de son frère à qui l'on faisait payer cher à Rome les jalousies suscitées par la fulgurante ascension de son aîné : « Vous ne pouvez vous imaginer, lui écrivait-il après l'échec de son généralat, combien m'est sensible la persécution que vous éprouvez et, sans rien exagérer, je vous assure que je ne serais pas aussi affligé si j'en étais moi-même la victime; mais je sais très bien que le mauvais vouloir contre moi est cause en grande partie de tout ce qu'on entreprend contre vous. »

Mais par la suite, le caractère difficile, l'insurbordination et l'ingratitude de son frère finirent par l'excéder. Il en était venu à écrire à leur père : « Je me trouve si ému et irrité de sa façon de procéder, sans respect pour la Reine, sans souci de sa réputation et sans amour pour moi, que je ne sais quelle résolution prendre. Puisque je ne puis pas ne pas être son frère, le mieux sera, je crois, que je ne sois plus son ami » (30 avril 1648).

Car pour Mazarin l'amitié était un sentiment plus fort et plus sacré que les liens du sang.

Que va devenir la *casa* au temps du triomphe de Giulio? L'avenir immédiat est assuré grâce à la fortune du cardinal, grâce aussi à la nombreuse descendance des Mancini et des Martinozzi. Mais le nom va-t-il s'éteindre, les deux fils ayant choisi l'état ecclésiastique? A nouveau les regards se portent sur l'humble fondateur de la *casa*, le besogneux Pietro Mazarini d'il y a quinze ans devenu l'hôte d'un fastueux palais. Maintenant qu'il a perdu sa femme Hortensia, c'est sur lui, malgré ses soixante-huit ans, que compte la famille pour donner une suite à la race des Mazarin.

Il a passé doucement les premières années quarante

du siècle, s'occupant quelque peu des affaires de son fils, veillant à l'entretien et à l'embellissement du palais, se distrayant à la chasse ou en parties de campagne en la noble compagnie de ses anciens patrons Colonna ou Caetani, et lorsque quelqu'objet de luxe lui fait défaut, chaussettes de soie, lunettes ou même nouveau carrosse, il n'hésite pas à les demander à son fils. S'il jouit ainsi d'une vie calme, il se déclare en médiocre santé et, peu après la mort d'Hortensia, se plaint à son tour de la goutte. Aussi accueille-t-il assez fraîchement les instances de ses enfants qui veulent remarier leur vieux père.

Les plus attachés à ce projet sont ses deux fils; quelques mois après la mort de sa mère, Michel reçoit la proposition du cardinal Theodoli, offrant pour le vieillard sa belle nièce de dix-sept ans. Giulio de son côté presse son père qui, en août 1644, finit par accepter le principe d'une nouvelle union, « pour l'établissement de la *casa* » et puisque « vous l'estimez bon et convenable ».

L'affaire ne traîne pas. Dès la fin octobre, Pietro était prêt à conclure alliance avec la jeune Portia, de la famille très noble (mais criblée de dettes) des Orsini : la demoiselle aurait espéré se rendre avec son vieux mari à la cour de France pour y jouir des grandeurs et du faste de son beau-fils (c'est du moins ce que prétend l'abbé Arnauld qui la vit à Rome en 1646). Elle écrivait à celui-ci à la fin de novembre : « Mes parents ont, ces jours-ci, traité et conclu mon mariage avec M. Pietro, le père de Votre Éminence... Je suis disposée à leur obéir par l'assurance qu'ils m'ont donnée des singulières prérogatives dudit Pietro et de la gloire incomparable de Votre Éminence, que je m'efforcerai toujours de servir avec promptitude. » Le 1er janvier 1645 elle fut cérémonieusement conduite au palais Mazarini. Ses futures belles-filles Martinozzi, Mancini et Muti s'étaient réjouies « infiniment » de cet événement, augurant à leur père « une nombreuse descendance qui permît de perpétuer la *casa* ».

Est-il besoin de dire que cet espoir fut déçu? Pourtant les bruits les plus alléchants coururent aussitôt : « L'Illustrissime Signor Pietro (ainsi l'appelait maintenant le fidèle Benedetti) passe bien son temps avec Madame son épouse et se comporte dit-on, en jeune homme. » Le même Benedetti crut pouvoir, en juin, pronostiquer un heureux événement. En fait, seule Girolama continuera à accroître la famille, mais elle perdra en juin 1649 une petite fille de deux ans : c'est « la première qui me soit morte à cet âge », constatait avec une ombre de tristesse cette mère féconde qui n'avait pu garder tous ses enfants.

Pour la *casa* Mazarini, la mort d'Hortensia a ouvert une suite impressionnante de deuils. Si la disparition de Vincenzo Martinozzi n'a guère affecté Pietro, peut-être jaloux de l'affection quasi filiale portée par Giulio au défunt, celle de Michel, qui a vécu longtemps près de lui et semble avoir été de son côté dans ses difficultés avec Hortensia, l'émeut profondément. Pour s'en lamenter, son style toujours châtié s'élève à une poésie mélancolique : « Alors que je croyais que le cardinal de Sainte-Cécile (tel était le titre de Michel) fût retourné à cette cour (de Rome) pour me fermer les yeux, c'est lui qui, prenant congé en hâte de cette vie, me les ouvre à l'amertume des pleurs.

Rien ne peut me consoler sinon la sainte fin qu'il a faite, en vrai serviteur de Dieu et avec une contrition et une résignation en Sa Divine Majesté au-dessus de toute croyance. »

Michel fut pleuré aussi sincèrement par sa jeune sœur Cleria, qui lui restait reconnaissante des efforts prodigués pour la marier. Elle n'était pas malheureuse chez les Muti : « Je ne pouvais entrer dans une maison meilleure que celle-ci, parce que tous m'aiment, malgré mon peu de mérite », avouait-elle. Certes, pendant la première année de leur union son mari n'avait cessé d'être malade. Elle-même, souvent indisposée et fébrile et n'ayant pas d'enfant, gémissait volontiers sur son sort. Elle paraît avoir hérité du tempérament quelque peu geignard d'Hortensia et se plaint souvent de ses sœurs. Dans sa correspondance avec Giulio apparaissent des allusions obscures à des contestations remontant à l'époque où les siens cherchaient à la caser : « Je suis abandonnée de tous et voudrais avoir perdu la mémoire de l'époque où je fus mariée, car me reviennent des souvenirs si pénibles que je ne veux les mettre sur le papier. S'il plaisait à Dieu que je puisse parler une fois à Votre Éminence, je lui en crèverais le cœur, mais je dois avoir patience, car ainsi il en a plu à Dieu. » Perdre le soutien de Michel lui fut très sensible : « J'en suis comme morte... La douleur nous est commune à tous, mais à moi elle est plus grande. Plaise à Dieu me permettre de mourir aussi résignée que lui. » Son désir devait être réalisé plus vite qu'elle ne pensait. Auparavant elle eut la douleur de voir disparaître un mari qu'elle aimait (mars 1649). Veuve à quarante ans, elle dut retourner chez son père. Le revenu de sa dot était mince (40 écus par mois), d'autant qu'elle avait déjà amputé celle-ci de mille écus, « pour me pourvoir de carrosse, chevaux, et autres choses dont j'avais nécessité ». Comme de juste, Giulio fut appelé au secours, avec de grandes lamentations : « Vous avez été un frère toujours si plein d'amour avec vos sœurs... Je n'ai personne pour moi, sauf Votre Éminence... ».

Giulio s'exécuta, mais la gémissante Cleria ne profita pas longtemps de sa libéralité. En juillet 1649, elle s'éteignit à son tour, entourée par ses sœurs et son père. Avant de mourir, et voulant disposer librement de son avoir, elle s'était ouvert de son intention à Benedetti : il lui avait conseillé de constituer comme héritier son frère, le cardinal, qui lui avait donné sa dot et saurait exécuter religieusement ses legs à des œuvres pies; ce que fit Cleria dans un premier testament, après avoir proclamé qu'elle mourrait désespérée si on ne lui laissait disposer de ses biens à sa guise. Mais son père, ayant eu connaissance de cet acte, la força à en signer un second en sa faveur. Plus tard, sur son propre lit de mort, le vieux Pietro eut des scrupules que des docteurs en droit surent apaiser : de toutes façons, les testaments de Cleria n'avaient, de par sa qualité de femme, aucune valeur juridique : en l'absence d'enfants, ses biens devaient revenir au chef de famille.

Chez les Mancini et auprès de Margarita Martinozzi, les enfants grandissaient, et bientôt l'oncle cardinal allait réclamer les aînés auprès de lui. C'est ainsi que Margarita dut en mai 1647 se séparer de la cadette de ses filles, Anna Maria, partie avec ses cousins Paolo, Vittoria et Olympia Mancini tenter une fortune qui devait être brillante. En réalité, la petite fille, fort timide et attachée à sa mère, avait dû être mise « de force » dans le carrosse qui l'emportait vers une nouvelle patrie. Margarita fut longue à se consoler de ce désespoir enfantin. Elle envoya de longues lettres affolées à son frère, jusqu'à ce qu'elle eût appris d'Anna Maria qu'elle était « très contente » et que le cardinal la traitait comme sa fille. Pendant le même temps, Girolama ne semble pas s'être troublée; ayant par la suite confié son second fils Filippo à Vittoria devenue duchesse de Mercœur, elle recommandait de faire donner au garçonnet une éducation rigoureuse car, expliquait-elle, au collège, à Rome, « il était très craintif de son maître et je désire qu'il conserve cette crainte ».

En fait, toutes deux souhaitaient revoir leurs enfants, surtout Margarita qui déclarait « ne pouvoir plus vivre depuis que je suis privée de ma chère fille ». Et comme elle ne voulait surtout pas quitter celle qui lui restait, Mazarin se décida en 1653, après les troubles de la Fronde, à faire venir en France avec leur progéniture ses deux sœurs maintenant veuves l'une et l'autre (5).

Depuis la mort du pape Urbain VIII, en 1644, et la chute de ses neveux, les cardinaux Barberini, Lorenzo Mancini qui, à la différence des Mazarini et des Martinozzi, n'avait pas fait partie de leur clientèle, avait fait sa cour au nouveau pape, Innocent X Pamphili : il fut bientôt gratifié de la charge de « maestro di strada » (quelque chose comme « grand voyer ») que, cinq ans auparavant, les Barberini avaient laissé espérer à Pietro Mazarini. Certes le nouveau Souverain Pontife était l'ennemi juré de Mazarin; mais le cardinal n'avait-il pas éludé l'offre de Lorenzo de le servir en France, et ne se montrait-il pas assez négligent envers lui? Ce n'est pas sans amertume que Mancini voyait son beau-père et les Muti recevoir régulièrement leur pension alors que la sienne lui était versée avec des années de retard. Le besogneux et oisif gentilhomme romain avait-il enfin trouvé un emploi susceptible de le faire jouir des faveurs pontificales, à défaut ou en complément de celles de son beau-frère?

Il ne l'occupa guère. A la fin d'octobre 1650, Mazarin reçut de Girolama une longue et touchante épître. A travers les larmes de sa veuve, Lorenzo apparaît dans toute la séduction de son étrange nature :

« Elle sera inattendue la nouvelle que je donne à Votre Éminence de la mort de mon cher seigneur Lorenzo. A quel point est arrivée ma douleur, je laisse à considérer Votre Éminence qui sait combien je l'aimais et combien il répondait à mon amour...

Son mal commença le 2 de septembre avec une petite fièvre que tous les médecins estimèrent de nulle conséquence, mais qu'il jugea mortelle, et personne ne pouvait le lui ôter de la tête... Depuis plusieurs mois, il répétait sans cesse : « Je ne passerai pas cette année. »

Enfin, après vingt et un jours de fièvre, les médecins dirent qu'il n'avait rien et le firent lever. Et il resta levé huit jours, mais il disait qu'il n'était pas guéri, qu'il se remettrait au lit et mourrait. Tant qu'il fut levé, il ne fit que penser à ses péchés et fit une confession générale avec grand sentiment.

Le dernier jour de septembre, il revint à la maison ayant très froid. Il se mit au lit en disant : « Maintenant, ils ne diront pas que je n'ai rien. » Il fit appeler M. Giovanni (le médecin qui avait soigné Hortensia) et celui-ci lui dit... qu'il n'avait pas d'autre mal que la mélancolie, qu'il s'était mis l'astrologie en tête. Et lui disait : « Je suis perdu (*spedito*)... ».

Je ne connus le péril où il se trouvait et ne crus ce qu'il disait qu'après douze jours. Le matin de mercredi, je dis au médecin : « Cela ne me plaît nullement. » Alors M. Giovanni me répondit : « Je commence à avoir peur. Qu'on appelle un autre médecin ! » Aussitôt fut appelé Jacomo, et quand il le vit, il le jugea aussitôt perdu. Le vendredi à 18 heures, il rendit l'esprit à son Créateur, parlant jusqu'au bout sans montrer aucun signe de déplaisir.

Je n'écris pas à mes filles pour leur donner cette cruelle nouvelle, laissant à Votre Éminence le soin de le faire avec la plus grande prudence... »

Parmi les enfants restés à Rome, il en était une près de sa tante Anna Maria, la religieuse : « En ma compagnie se trouve une des filles de notre Girolama, nommée Maria, qui a eu onze ans accomplis le jour de Saint Augustin. Elle a ressenti la mort de son père, mais non pas tant que je le croyais. »

Ainsi Marie Mancini, celle qui devait aimer Louis XIV d'une passion racinienne, faisait l'apprentissage des épreuves de la vie. Est-ce de son père qu'elle tint ce déséquilibre et ces bizarreries qui furent son lot comme celui de la plupart de ses sœurs?

La lettre de Girolama toucha vivement Mazarin, qui voulut oublier les légers différends surgis entre lui et son curieux beau-frère. Il tint à ne pas décevoir la veuve et les orphelins qui se confiaient à lui et promit à sa sœur de pourvoir désormais à tout : « Grande est la perte que nous avons faite, vous d'un mari qui vous aimait beaucoup et moi d'un beau-frère affectionné. Perdre ceux qui vous sont chers et si proches est une grande disgrâce, mais les perdre de façon inattendue alors qu'étant donné leur âge on pouvait espérer d'en jouir longtemps, ceci accroît beaucoup la douleur; moi qui la ressens, je me représente fort bien ce que vous devez éprouver et je vous croirais inconsolable si, vous connaissant si résignée en Dieu, je ne savais la consolation que doit vous apporter la mort chrétienne de votre mari. Pour ce qui regarde votre famille et vos enfants, vous ne devez pas vous faire de souci, car je vous assure que je leur tiendrai lieu de père et en prendrai le même soin que ferait Lorenzo s'il était en vie. Consolez-vous donc en Dieu et conservez-vous, car de votre consolation dépend aussi la mienne... Paris, 12 novembre 1650. »

La morale de ces deuils en chaîne, c'est Anna Maria qui de son âme chrétienne la tira pour son glorieux frère le cardinal. Au milieu de ses triomphes, ne convenait-il pas que de cruelles épreuves vinssent lui rappeler la vanité des satisfactions terrestres? « Dieu nous aime qui nous donne souvent de ces coups, tribulations et deuils; c'est ce que Sa Divine Majesté a coutume d'envoyer à qui il a destiné l'éternité du ciel... On dit que Dieu afflige les siens; ne regardons pas au dommage qu'il nous apporte en ce monde, mais à la récompense qui nous attend là haut! »

La triste série n'était pas terminée. Deux ans après son père, le gentil Paoluccio, qui avait charmé les dernières années d'Hortensia et que Mazarin aimait déjà comme un fils, mourait bravement, à quinze ans, dans les derniers combats de la Fronde, aux portes de Paris. A la fin de 1656 ce sera le tour de sa mère Girolama, deux mois plus tard, celui de sa sœur Vittoria, duchesse de Mercœur... Dans l'intervalle, à Rome, s'était éteint l'aïeul Pietro et avec lui l'espoir d'une prolongation de la race. La « casa » Mazarini disparaissait devant la gloire du cardinal Mazarin.

Les relations de Giulio avec son père n'avaient cessé d'être déférentes et cordiales. Petit à petit, le vieux Pietro était devenu une sorte de personnage, un représentant officieux de la France à Rome. Il avait, en 1643, participé avec Hugues de Lionne aux négociations entreprises avec les Barberini pour clore la guerre de Castro, et, peu avant sa mort, il était question de faire de lui un ambassadeur extraordinaire de Louis XIV. Religieux ou gentilhomme, nul ne quittait l'Italie pour chercher fortune à Paris sans lui demander une recommandation (6).

Son train de maison, en son palais du Quirinal, ne manquait pas de faste. « Il faut nourrir vingt bouches et quatre chevaux pour deux carrosses », écrivait-il à la veille de son remariage, demandant à son fils un relèvement de sa pension annuelle de 1 200 écus complétée par une autre (de 870 écus) due à la générosité du roi de France. A sa mort, dix ans plus tard, il avait à son service cochers, estaffiers, cuisiniers, jardiniers, servantes, secrétaire et même deux pages. Et pourtant il restait assez gémissant, se plaignait du « grand silence » de son fils : « Non seulement vous ne m'écrivez pas quatre ou cinq fois par an, mais vous ne me répondez pas ni ne faites ce que vous me signifiez et je reste très mortifié envers les personnes qui attendent les grâces justement promises. » Quand il donnait son opinion, il ajoutait aigrement : « si j'ai quelque chose à dire, mon avis n'étant pas recherché » et, un an avant sa mort, il déplorait amèrement d'avoir dû, sur les instructions de son fils, donner une partie de son palais (l'appartement du bas) à l'ambassadeur de France à Rome. En 1650, s'étant engagé à payer la lourde caution (5 000 écus) exigée pour sortir de prison un parent de sa première femme convaincu de meurtre, il sollicita l'aide de son fils en termes, à son habitude, un peu déclamatoires : « De grâce libérez-moi du plus grand souci et déplaisir que j'aie jamais eu en ma vie... Ne m'abandonnez pas en ce peu de jours que Dieu me concède. » La pension que lui versait Giulio atteignait alors 200 écus par mois, mais, écrivait Pietro, « j'en dépense plus de 500 entre Livia (l'ancienne servante d'Hortensia), le jardinier, la garde-robe, les travaux pour le jardin » (fontaines, canaux, escaliers de mosaïque dont l'entretien était ruineux). Ces réclamations revenaient souvent, accompagnées de plaintes contre Benedetti, le scrupuleux secrétaire de Mazarin à Rome, qui ne voulait rien débourser sans un ordre du cardinal.

Durant les années de la Fronde, Mazarin, toujours à court d'argent pour les affaires du royaume et qui ne savait plus faire le partage entre les revenus de l'État et sa propre fortune (parfois à son détriment), calmait les modestes exigences de son père avec de bonnes paroles : « Chaque fois que je lis dans vos lettres que je manque à l'assistance dont vous avez besoin, j'en rougis et je m'afflige à l'extrême, sachant bien qu'à vous comme à d'autres il pourra paraître étrange que mon affection et le poste que j'occupe ne me permettent pas de vous pourvoir abondamment. Mais, à dire vrai, je dispose de peu de commodité, car n'ayant pas d'autre objet que de travailler sans cesse au service du roi, j'y emploie tout ce que j'ai, en oubliant mon intérêt particulier. Que Votre Seigneurie souffre donc un peu et fasse comme elle peut pour ne se laisser manquer de rien, car je m'arrangerai bientôt pour qu'elle soit mieux assistée. »

C'est ce qui arriva et Pietro ne fut jamais laissé sans ressources; somme toute, ses dernières années furent heureuses, malgré les deuils et l'éloignement progressif des siens. Sa jeune femme restait près de lui, le soignant avec tendresse et dévouement, ainsi que sa fille Anna Maria, la religieuse. A mesure que l'âge s'affirmait, une piété plus vive s'emparait de son âme et le faisait rapporter à Dieu les succès inouïs de la « casa » jadis si modeste. Lorsqu'il apprit, en avril 1654, qu'Anna Maria Martinozzi, sa petite-fille, allait être unie à un prince du sang de France (Conti), il écrivit à Giulio :

« Il plaît à Dieu de consoler ma vieillesse avec des succès si heureux que, par son infinie miséricorde, Il départit sans cesse à notre maison *(casa)*... Ce sont là effets de Sa bonté... Qu'il lui plaise nous donner l'esprit de savoir en profiter pour l'éternité. »

Ces sentiments n'étaient pas nouveaux. Pietro avait eu l'occasion de les exprimer à un jésuite français établi à Rome, le père Duneau, qui venait souvent le voir pour le préparer doucement au grand passage.

« Depuis deux ans et demi, écrivait ce religieux au lendemain de la mort de Pietro, que j'ay eu l'honneur de le converser souvent, j'ay remarqué en luy des sentiments si généreux et si chrestiens que j'avoue en avoir esté non seulement édifié mais encore, lorsque je m'entretenais avec lui des pensées de l'éternité, d'en avoir tiré profit spirituel pour moy même. Il me dit un jour qu'il avait appréhendé quelquefois que Dieu ne l'eust récompensé en ce monde de quelques bonnes œuvres, luy ayant donné un fils tel que Votre Éminence, mais qu'il sentait son cœur si dégagé de toutes les grandeurs de la terre qu'il concevait une ferme espérance que Dieu luy voulait encore donner le Ciel. »

La mort en effet était proche, et les accidents de santé se multiplièrent à partir de l'été de 1654 : catarre, « érysipèle au visage avec fièvres spasmodiques »... Dès la mi-septembre, le prudent Benedetti, prévoyant un proche malheur, demandait à Mazarin où devrait être enterré son père.

Pietro dura encore deux mois, avec des alternatives de mieux qui donnaient l'espoir de le conserver. Mais au début de novembre, il tomba dans une inappétence totale, tout aliment lui donnant la nausée et causant de redoutables « coups de ventre ». Secoué d'un hoquet convulsif, brûlant de fièvre et de soif, il ne se soutenait qu'à force de juleps, potions dans lesquelles les médecins faisaient fondre, croyant à leur vertu magique, « des perles et des coraux ». Le mercredi 11, il fit venir un notaire et lui dicta son testament : « d'abord, pour commencer par l'âme, comme la chose la plus noble du corps », il la recommandait « en toute humilité et dévotion » à Dieu et à l'intercession de la Vierge et des saints. Il ordonnait que fussent dites en diverses églises mille messes pour son salut et, instituant le cardinal Mazarin comme son héritier universel, faisait divers legs à des religieux (200 écus aux Théatins de S. Silvestro, 100 écus aux Capucines) et à ses serviteurs; il demandait en outre que fussent rendus à sa femme les 4 000 écus de sa dot et payés les 14 000 écus de dettes laissées par Michel Mazarin. Il recommandait à son fils sa fille Anna Maria, son neveu Michele del Bene, et sa femme Portia dont il louait « la bonne compagnie qu'elle m'a faite en l'espace de tant d'années ». Il le priait enfin « de bien vouloir faire pour mon âme le bien qu'il ferait pour la sienne propre ». Ajoutons que Mazarin ne fit pas là un grand héritage, le passif et les obligations de la succession dépassant l'actif, qui fut alors évalué à 17 000 écus.

Pietro expira le vendredi 13 novembre, vers 9 heures du soir. Les témoins de son agonie sont d'accord pour louer la fermeté et l'élévation de ses derniers moments. Sa fille Anna Maria qui l'assista jusqu'à la fin assurait à Giulio : « Il a fait ce passage avec tous les sentiments et la disposition non d'un chrétien mais d'un saint, entièrement résigné à la volonté divine et parlant sans cesse de l'éternité. »

Mazarin ressentit vivement la mort d'un père « de tant de bonté et de mérite et qui, de son vivant a mérité l'approbation de tous » : « Dieu lui donne le repos éternel, écrivit-il à Benedetti, et à moi la grâce de l'imiter dans sa vie et dans sa mort. » Il voulut que sa sépulture, à l'église des Saints-Vincent et Anastase, place de Trevi, fût à la fois digne et simple, comme l'avait été la vie de ce « bon gentilhomme » : dignité et simplicité, telles étaient les vertus modestes dont il avait donné à Giulio un exemple qui fut suivi.

Seule désormais de la casa Mazarini, restait à Rome Anna Maria, vestale du foyer consumé. Son trouble et sa douleur étaient grands. Mais elle avait eu pour la visiter et la combler d'attentions exquises, pour veiller son père quatre jours de suite, se comporter avec lui « comme un fils », avec elle « comme un frère », elle avait et elle aurait toujours pour la soutenir dans l'épreuve et l'entourer dans sa solitude l'un des plus importants dignitaires de l'Église, neveu de pape, mécène incomparable, esprit vif et charmant, le cardinal Antonio Barberini, l'un des premiers « padroni » de Mazarin, et le plus cher survivant de la grande famille de ses amis.

CHAPITRE II

LES « PADRONI »

Les premiers patrons *(padroni)*, à la fois maîtres et protecteurs de Mazarin, furent ceux de son père : les Colonna. Cette très ancienne et puissante famille romaine était liée avec l'Espagne, et depuis un siècle la charge de grand connétable du royaume de Naples s'y transmettait de père en fils aîné. Celui qui l'avait le plus illustrée, Marc Antonio Colonna, l'un des vainqueurs de Lepante, était le grand-père du « patron » de Pietro Mazarini, Filippo Colonna. Giulio fut élevé avec les fils de ce dernier, qui avaient sensiblement son âge.

Lorsque le second des jeunes Colonna, Girolamo, destiné à l'Église, fut envoyé en Espagne pour y parfaire ses études à l'Université d'Alcala, Giulio l'accompagna, et bientôt devint son intime. Tous deux furent non seulement de studieux compagnons de travail, mais peut-être aussi de jeu et de plaisir, car Giulio s'éprit des « dames d'Espagne ». A son retour, il s'attacha de plus en plus aux Colonna. « J'étais, écrira-t-il, intime à Rome avec le duc de Palliano (le connétable) avec qui je me trouvais sans cesse. » En 1625, il accepta une charge de capitaine dans un régiment que levait pour défendre la Valteline un Colonna d'une autre branche, le prince de Palestrina. Il est vrai que c'était sous l'étendard du pape et que, depuis l'accession au trône pontifical de Maffeo Barberini (Urbain VIII), le connétable, moins entiché que jadis des Espagnols, entendait se lier plus étroitement au Saint-Siège. Il avait obtenu le chapeau pour Girolamo (cardinal à vingt-trois ans) et avait marié en 1628 sa fille Anna à l'un des neveux du pape, Taddeo Barberini, fait par son oncle « préfet de Rome ». De cette même année 1628, les papiers de Mazarin conservent des lettres amicales du connétable : il assure son jeune protégé de son appui auprès des Barberini et de l'estime de ceux-ci : « Les seigneurs patrons vous aiment et il n'y a pas deux jours qu'on a parlé de vous à ma grande satisfaction. »

Dans une autre lettre de novembre 1628, le connétable remercie Giulio du soin qu'il a pris de son quatrième fils Carlo, venu rejoindre en Lombardie l'armée espagnole. Ainsi devait naître une amitié, que les relations antérieures des deux jeunes gens ne semblent guère avoir préparée. Carlo Colonna, qu'on appelait le duc de Marsi, revint sur des préventions et se laissa séduire par le brillant capitaine pontifical devenu secrétaire de la nonciature de Milan. Lorsqu'il revint à Rome en mars 1629, il tint à mêler sa voix à celle de son frère, le cardinal Girolamo, pour chanter les louanges de Giulio. Le bon Pietro Mazarini en était tout étonné :

« Il m'a parlé de votre personne, écrivait-il à son fils, avec tant de sentiment et d'amour *(affetto e amore)*, en présence de plusieurs cavaliers, que j'en restai stupéfait puisqu'il avait vaincu sa propre nature, et encore plus quand il me fut rapporté qu'au dîner, avec M. le cardinal (Girolamo Colonna), il ne parla que de vos manières et de votre mérite, vous mettant au-dessus des cieux *(sopra i cieli)*, et disant que vous lui aviez rendu beaucoup de services ».

Les deux frères firent mieux : le lendemain, en compagnie de leur sœur Anna Barberini, ils se rendirent à l'audience du pape et Carlo reprit son éloge enthousiaste du secrétaire de la nonciature de Milan. Urbain VIII l'interrompit en souriant : « Vous devez l'aimer, parce qu'il continue à jouer. » Alors, à son tour, Girolamo prit la défense de son compagnon d'Espagne : « Saint Père, nous avons été élevés ensemble depuis la petite enfance *(da figlioli)*; ses qualités méritent votre grâce. » Et le pape dut convenir et promettre : « Il a grand esprit, nous voulons le pourvoir. »

Cette attitude si bienveillante, le duc de Marsi devait la conserver envers Giulio, d'autant plus que celui-ci allait lui donner de nouvelles preuves d'attachement. Le bouillant jeune homme (Carlo n'avait guère plus de vingt ans) ayant repris son service auprès des Espagnols, fut blessé grièvement à la main, et les siens, craignant son insouciance, s'inquiétèrent. Son frère Girolamo le suppliait d'obéir aux médecins : « ... et ne faites pas l'insupportable *(il fastidioso)*, selon votre habitude, car il y va de votre vie ! » Les Colonna se rassurèrent lorsqu'ils surent que Mazarin avait pris sur lui de faire transporter Carlo à l'infirmerie des pères jésuites de Gênes où il était soigné avec dévouement. En confiant à Giulio l'argent nécessaire pour dédommager les pères, le connétable reconnaissait que son fils lui devait son salut. Par la suite, lorsque le jeune homme guéri revint à Milan retrouver son bataillon *(terzo)*, il chargea Giulio de le surveiller et de l'obliger à contenir sa fougue imprudente : « Je suis sûr, lui écrivait-il en décembre 1629, que vous saurez, par inclination naturelle envers lui, le conseiller au moins pour son bien et sa conservation. »

Les événements devaient séparer les deux jeunes gens et les entraîner dans des camps différents. L'année 1630 s'ouvre pour Mazarin par sa première et mémorable entrevue avec Richelieu, qui décida de son orientation future : frappé d'admiration par la magistrale figure du grand ministre de Louis XIII, il va, tout en restant au service du Saint-Siège, favoriser les intérêts de la France en même temps que la cause de la paix; il devait parvenir à assurer celle-ci en arrêtant, le 26 octobre 1630, sous les murs de Casal (Montferrat), deux armées, française et espagnole, prêtes à en venir aux mains.

De ce haut fait qui rendit Mazarin célèbre en Europe, Carlo Colonna fut témoin. Grâce à la correspondance que Giulio conservait avec lui, il avait suivi les progrès de son action infatigable pour une suspension d'armes. Au début d'octobre, prêt à venir rejoindre avec son *terzo* le gros des forces espagnoles assiégeant Casal, il se réjouissait des premiers résultats obtenus auprès des belligérants par le cher *signor Giulio* et l'encourageait à poursuivre ses efforts : « De grâce, donnez-nous la paix... Ne vous laissez pas détourner des négociations par la gentillesse des dames de Casal ! »

Carlo Colonna n'allait pas oublier son affection envers le fils du majordome de son père, ni perdre la mémoire de l'action d'éclat de Casal. Nous conservons encore de lui, adressées à Mazarin, deux lettres qui témoignent, dans l'Europe divisée de la guerre de Trente Ans, d'une singulière compréhension entre combattants de causes adverses.

La première est datée de Namur, le 22 juin 1632. Carlo vient de se battre dans le Palatinat contre l'armée protestante de Gustave-Adolphe; parmi ses « valeureux hommes d'Italie », qui sous le drapeau espagnol ont combattu l'ennemi de la Chrétienté, se trouvait un cousin germain de Mazarin, Giovanni

Bufalini, qui « s'est toujours comporté comme un Mars » (il devait passer huit ans plus tard au service de la France). Carlo se repose maintenant dans les Pays-Bas espagnols, avant d'aller porter ses armes contre les Provinces-Unies : « *Signor mio*, écrit-il à Mazarin, dans vos grandeurs, les pauvres soldats ne se risquent pas à venir vous baiser les mains. Je le fais pourtant, moi qui vous suis serviteur de cœur et je me réjouis que vous soyez si bien vu de M. le cardinal de Richelieu... » Et il conclut : « Adieu, *signor Giulio*, j'espère que nous vous verrons à nouveau médiateur de la bataille que nous allons donner aux Hollandais, comme vous l'avez été de celle que nous voulions donner aux Français. Je vous baise chèrement les mains. »

La seconde lettre (Bruxelles, 6 décembre 1632) demande des nouvelles de Rome, sa « patrie abandonnée », où Giulio est de retour. Carlo apprend à son ami « la mort misérable du Suédois » Gustave-Adolphe et la victoire des Impériaux à Leipzig. Puis, en badinant, il lui fait savoir que sa maîtresse lui préfère le duc d'Orléans, alors révolté contre Richelieu et réfugié à Bruxelles auprès des Espagnols.

Cet aimable soudard, joueur et coureur, promis, semblait-il, par son imprudence guerrière, à une fin précoce, mourut très âgé, en 1686, et... sous l'habit bénédictin : il l'avait revêtu encore jeune, peu après la campagne de Corbie, puisque, dès 1643, le père Egidio (tel était son nom de religieux) était promu archevêque *in partibus infidelium* d'Amasie en Anatolie; il avait hérité, d'autre part, d'un frère cadet, mort en 1638, le titre de patriarche de Jérusalem. Le joyeux Carlo patriarche! Tels étaient les miracles de ce temps.

Ce n'est pas le nôtre et nous ne devons pas le juger d'après nos critères. Les sentiments de l'âge baroque nous déconcertent par leur outrance. Plus d'une fois, sans doute, le lecteur aura l'occasion de s'étonner de la chaleur de certaines expressions d'amitié, de la ferveur de certains attachements, d'autant plus exaltés que l'esprit seul et l'âme y avaient part. On a voulu récemment faire naître un soupçon de l'affectueuse liberté avec laquelle les deux frères Colonna appelaient leur compagnon depuis l'enfance *signor Giulio mio.* Les dames d'Espagne et de Casal courtisées par Giulio, la maîtresse flamande de Carlo, la gravité précoce de Girolamo sont là pour nous rassurer. Mais surtout il faut nous persuader que le XVIIe siècle en ses débuts n'avait pas la froideur compassée de l'époque de Louis XIV, que grandes dames ou cardinaux, bourgeois ou hommes de Dieu ne cherchaient pas à dissimuler leurs sentiments mais plutôt à les « exagérer », comme ils disaient eux-mêmes, sans mettre dans ce verbe de nuance péjorative, et que les âmes italiennes étaient d'un feu particulièrement ardent. La sincérité exacerbée qui éclate alors dans les correspondances, nous ne chercherons pas à l'affadir en adoucissant ou paraphrasant les textes : nous bornant à en éclairer le sens, nous les livrerons au lecteur tels qu'ils jaillirent de plumes enthousiastes.

Mazarin garda « une vive reconnaissance des obligations » contractées envers les Colonna. Mais, à Rome, leur protection lui devint bientôt à peu près inutile. Malgré leurs attaches avec l'Espagne, ils ne purent libérer leur ami du préjudice que lui portait dans la Curie l'hostilité des partisans des Habsbourg. Quant à la famille du pape, il n'avait plus besoin des Colonna pour en conquérir la faveur. D'autres intermédiaires lui avaient été cependant utiles pour obtenir la confiance des cardinaux Barberini et de leur oncle, Urbain VIII : les Sacchetti.

Les Sacchetti étaient d'une famille florentine qui avait fourni à la littérature italienne du XIVe siècle un agréable conteur dans la manière de Boccace. Leur origine toscane facilita sans doute leur promotion auprès d'Urbain VIII Barberini qui venait lui aussi des bords de l'Arno. Ils étaient quatre frères et Giulio avait connu l'un d'eux, Gian-Francesco, lorsqu'en avril 1626, capitaine dans le régiment de Francesco Colonna, prince de Palestrina, il avait quitté sa garnison de Lorette pour celle de Monza, près de Milan. Gian-Francesco Sacchetti était alors commissaire apostolique dans l'armée pontificale : c'est lui qui, peu à peu, fit du capitaine un diplomate, lui réservant certaines missions de confiance. Les troupes pontificales ayant été licenciées, Sacchetti garda près de lui Giulio; nommé bientôt nonce extraordinaire à Milan, il fit du jeune homme son secrétaire.

Sous sa direction, Mazarin apprit son nouveau métier et s'y rendit bientôt si habile qu'à la fin de juin 1629, son maître, rentrant à Rome, n'hésita pas à lui laisser la direction de la nonciature. Comment avait-il donc formé un tel élève? Certaines de ses lettres à Mazarin et des confidences de celui-ci nous permettent de le savoir. La première consigne était la discrétion, et Giulio devait se vanter par la suite de n'avoir alors écrit à son père (qui se désespérait de rester sans nouvelles) que « deux lettres sur (sa) santé ». Quant aux conseils : « Il faut être patient ! » *(Bisogna aver patienza)*. « Ne soyez pas si prolixe dans ce que vous écrivez » (à quoi Pietro Mazarini, sans doute inspiré, ajoutait : « Soignez votre écriture et faites un peu mieux votre signature que personne ne peut comprendre. ») Les autres frères Sacchetti prodiguaient aussi leurs avis à l'apprenti-secrétaire. Mazarin fut particulièrement lié avec l'un d'eux, Marcello, qui l'appelait aussi *signor Giulio mio!* et devait mourir prématurément en octobre 1629. Dans une de ses dernières lettres, Marcello lui faisait de graves recommandations : « Vivez dans l'espoir d'être porté par votre mérite : c'est le vrai moyen (de parvenir). Quant à nous (les frères Sacchetti), nous vous servirons chaque fois que nous le pourrons, de toute notre âme. »

On retrouve un écho de ces préceptes dans ceux que, sept ans plus tard, Mazarin adressait à son ami Zongo Ondedei, lui proposant, pour l'encourager, l'exemple de ses propres débuts :

« Je me rendis alors plus considérable par la pratique des affaires que par le poste même qui m'avait été donné, lequel ne consistait qu'à informer les « patrons » de ce qui se passait alors en Lombardie... Il faut, à force de savoir-faire, d'esprit et de labeur vous efforcer d'accommoder les différends... Ayez donc pour but de gagner par vos actions l'estime générale, car la bonne renommée est la vraie richesse et le véritable avantage pour une âme noble. »

Gian-Francesco Sacchetti continua à s'intéresser à la carrière du brillant sujet qu'il avait introduit dans la diplomatie : il s'employa à faire valoir ses actions auprès du pape et à lui obtenir un canonicat, bien que l'ancien capitaine continuât à vivre « en habit laïque ». Il lui versait une pension sur l'un de ses revenus ecclésiastiques, lui adressait de sages conseils, l'informait des réactions de la cour de Rome à ses lettres, lui confiait le fond de sa pensée politique : dans l'espoir de ramener la paix en Italie, il s'efforçait, en septembre 1629, de rétablir la confiance du pape envers les Impériaux et les Espagnols; mais ceux-ci ne répondaient pas à ses bonnes intentions. L'avis de Mazarin était plutôt de rechercher l'entente avec la France : son entrevue avec Richelieu en janvier 1630 devait le convaincre que telle était la voie à suivre par le Saint-Siège.

Un autre Sacchetti semble l'avoir alors mieux compris que Gian-Francesco : son frère Giulio, cardinal depuis 1626 (à trente-neuf ans, l'âge auquel Mazarin accéda lui-même à la pourpre), légat à Ferrare. En apprenant à la fin de 1629 que Louis XIII appelait Mazarin à Lyon, il lui écrivit pour saluer l'occasion offerte au jeune diplomate pontifical « de coopérer au salut de la Chrétienté en orientant les négociations vers la paix universelle » : « Je m'assure que les effets correspondront à nos désirs, d'autant que cela dépendra de vous et j'espère que le monde aura bientôt à se réjouir des grandeurs que la France destine et que la Cour romaine souhaite à votre mérite ».

Le cardinal Sacchetti fut bon prophète et n'eut pas à s'en repentir. Pour se ménager auprès des Barberini l'appui d'un personnage devenu influent, il envoyait à Mazarin en septembre 1633 de précieuses bouteilles de vin du Piémont et du Montferrat, qu'il estimait « breuvage digne de Sa Sainteté ». Plus tard, en 1640-1641, Richelieu eut envie de faire venir en France le grand peintre Pietro di Cortona : celui-ci dépendait du cardinal Sacchetti « à qui il doit tout et qui peut tout sur lui ». Les instances de son protecteur ne purent cependant le décider à faire le voyage de Paris.

La reconnaissance de Mazarin envers ses premiers protecteurs après les Colonna nous paraît quelque peu disproportionnée : par deux fois, il essaya de faire du cardinal Sacchetti un pape. Ce fut d'ailleurs parfaitement en vain : la « faction de France », unie à la « faction Barberine » ne réussit pas plus à imposer Sacchetti en 1644, pour succéder à Urbain VIII, que, dix ans plus tard, à la mort d'Innocent X. Dans les deux cas, les Barberini furent les premiers à se lasser de soutenir un candidat attaché, certes, à leur « maison », mais qui, au jugement de Retz, « n'avait effectivement qu'un fort médiocre talent ». Jugement sans doute injuste :

il faut convenir cependant que Sacchetti n'avait guère eu l'occasion de faire éclater son mérite. En dépit de Mazarin, le Saint-Esprit ne voulut pas se décider pour lui.

L'histoire des papes n'est guère connue en France. Est-ce survivance inconsciente du gallicanisme ou simple paresse d'esprit? Il est significatif que seuls les premiers volumes de l'œuvre classique de Pastor aient été traduits d'allemand en français : celui consacré au long pontificat d'Urbain VIII (1623-1644) et de son prédécesseur Grégoire XV (1621-1623) est pourtant un monument, qui, dans sa traduction italienne, compte plus de 1 100 pages. Mais que savent les étudiants français de Maffeo Barberini, dont le pontificat fut plus long que le ministère contemporain de Richelieu?

L'Église d'après le concile de Trente, l'esprit même de celui-ci sont aujourd'hui l'objet de vives critiques. Nous ne devons pas juger le passé selon des critères qui n'avaient pas cours autrefois. Après les désordres du XVIe siècle et le douloureux schisme protestant, l'Église catholique sentit le besoin d'une discipline intérieure, d'une doctrine assurée, mariant l'ascèse chrétienne à l'humanisme de la Renaissance. Les papes en effet avaient été des mécènes : plus que tous autres souverains, ils avaient, au XVIe siècle, favorisé l'essor des arts et des sciences. Urbain VIII qui, dans sa jeunesse, avait soutenu Galilée se crut obligé, par la suite, de le condamner, de même que l'Église rejettera l'œuvre de Descartes dont les débuts avaient été encouragés par le mystique cardinal de Bérulle. De ce temps date le divorce entre la science et la foi, dont l'écrivain agnostique Arthur Koestler a récemment décrit les

Le Pape Urbain VIII par Le Bernin.
Collection Prince Enrico Barberini — 1637 environ

étapes et déploré l'issue : « libérée du lest mystique, la Science put voguer à pleines voiles vers des terres nouvelles... Mais il fallut payer le prix : elle conduisit l'espèce au bord du suicide et dans une impasse spirituelle sans précédent (1) ».

Désormais, en effet, l'Histoire ne connaît plus qu'oppositions d'intérêts de nations ou de classes. Urbain VIII fut un des derniers qui s'efforcèrent d'empêcher les États d'Europe de se déchirer et de faire reconnaître aux puissants de la terre l'arbitrage du vicaire du Christ. Son échec est une tragédie.

Il ne fut pas total. Les papes du XVIIe siècle sont parvenus non sans mal à imposer aux nations catholiques l'œuvre salutaire du concile de Trente, à contraindre évêques et abbés à la résidence, à ouvrir des séminaires, à veiller sur la réforme morale du clergé, et leurs efforts furent couronnés par un admirable renouveau religieux. Purifiée dans ses mœurs, trouvant pour répandre sa doctrine d'émérites docteurs, connaissant un réveil mystique sans précédent, l'Église catholique fut cependant limitée dans son expansion. Ses tentatives de rapprochement avec les autres confessions chrétiennes se sont brisées (en particulier en Angleterre) sur les intransigeances nées des affrontements sanglants du siècle précédent que prolonge la guerre de Trente Ans. L'essor des missions si brillant au début du siècle, en Asie comme en Abyssinie, fut freiné par les divisions des grandes nations catholiques. Réduite au bastion occidental, attaquée de l'intérieur par l'évolution de la pensée philosophique et scientifique, l'Église doit alors maintenir un difficile équilibre entre ses diverses tendances et d'autre part les nations qui lui restent fidèles. Pontife sévère et à la fois délicat humaniste, Urbain VIII promulgue des règles strictes pour la canonisation des saints (aucun ne sera proclamé sous son pontificat) tout en condamnant la rigoureuse doctrine de Jansenius : il utilise ses dons de poète à récrire les hymnes du bréviaire romain, protège et encourage la renaissance baroque de l'art religieux. Sa politique de souverain temporel s'acharne à réconcilier les souverains catholiques Bourbon et Habsbourg et à promouvoir cette « paix entre les couronnes » qui permettrait aux forces chrétiennes de reprendre leur expansion menacée par la puissance turque.

Ces ambitions, que la mauvaise volonté d'un Richelieu et d'un Olivarès rend illusoires, apparaissent au naturel dans un entretien qu'Urbain VIII eut, en 1634, avec l'ambassadeur de France en Turquie, Marcheville, de passage à Rome. Le pape se disait certain qu'une fois ses vaisseaux joints à ceux de Louis XIII, du grand-duc de Toscane et de l'ordre de Malte, la flotte chrétienne de la Méditerranée pourrait se saisir des ports du Levant turc : « Tous les deniers qui étaient dans le château Saint-Ange étaient destinés à une telle entreprise »; il était prêt à y sacrifier tous ses biens « jusqu'à sa calotte, qu'il leva de dessus sa tête, faisant voir qu'elle était bien garnie de cheveux ».

Quant à la « brouillerie des affaires de la Chrétienté », il la résolvait aussi facilement. Il lui suffirait d'avoir Louis XIII « en une chambre à main droite et le roi d'Espagne en une autre à main gauche »; en quelques heures, il saurait les rendre « très bons amis » et apaiser leurs différends, créés de toutes pièces par des ministres ambitieux. Ainsi raisonnait Sa Sainteté dans l'innocence de son cœur!

Les choses n'étaient pas si simples ni d'ailleurs Urbain VIII à la hauteur d'une pareille tâche. Longtemps il voulut l'assumer lui-même et ses efforts ne furent pas tous vains : l'État pontifical, qui devait être le noyau de l'alliance catholique, fut agrandi (acquisition du duché d'Urbin), bonifié (premiers travaux d'assèchement des marais pontins), muni de solides forteresses et d'une flotte de guerre. Pour obtenir la paix de la Chrétienté, Urbain VIII envoyait ses messagers dans toute l'Europe. L'un d'eux, Mazarin, devait faire aboutir l'un des vœux les plus chers du pape, en ouvrant le congrès de Westphalie. Ses relations personnelles avec Urbain VIII dataient de loin : de l'époque où jeune capitaine, ayant quitté sans permission l'armée pontificale pour galoper jusqu'au chevet de sa mère malade, il s'était jeté aux pieds du nouveau pontife : celui-ci, ému et admirant « la spontanéité du jeune homme », lui avait pardonné son excès d'amour filial. Par la suite, il avait souvent fait connaître à l'apprenti diplomate la satisfaction qu'il avait de ses services. Son exploit de Casal l'enthousiasma et longtemps Mazarin put compter sur sa bienveillance : au retour de sa nonciature extraordinaire en France, il put se flatter d'avoir, en un mois, « parlé au pape trois fois » et se targuait de « la tendre affection » de Sa Sainteté envers lui. En mai 1637, il était encore reçu par Urbain VIII dans sa villa de Castel-Gandolfo, « avec tant de tendresse qu'il ne me restait pas à désirer davantage ». Mais bientôt l'hostilité à son égard du cardinal Francesco Barberini devait rendre inutile la sympathie du vieux pape.

Celui-ci en effet, si longtemps jaloux de son pouvoir, allait, durant les dernières années de son pontificat, plus ou moins abdiquer sa volonté entre les mains de ses neveux : le préfet de Rome, Taddeo Barberini, époux d'Anna Colonna, et les cardinaux Francesco et Antonio Barberini. Le premier le poussera à la désastreuse guerre de Castro contre le duc de Parme qui ruinera le trésor précieusement conservé au château Saint-Ange pour la lutte contre les Turcs. Les deux autres furent les patrons directs de Mazarin, puisque, dès les premières années de son pontificat,

Urbain VIII a placé Francesco à la tête de la diplomatie pontificale et que les circonstances, comme l'inclination ont, par la suite, attaché notre Giulio au cardinal Antoine.

Rien de plus dissemblable cependant que ces deux frères cardinaux. Dix années les séparaient, et le fait que l'aîné, Francesco, avait hérité de la plus grande partie des honneurs dont, par un népotisme abusif, Urbain VIII avait disposé en faveur des siens : le poste, fort lucratif, de vice-chancelier, quatre grosses abbayes, l'archiprêtrise de Sainte-Marie-Majeure et de Saint-Pierre, la garde de la bibliothèque vaticane... A tel point que les ambassadeurs de France lorsqu'ils parlaient du « cardinal Barberin », désignaient toujours Francesco. Pour son frère, si différent, ils ne le nommaient, avec familiarité, que par son prénom d'Antoine et nous ferons comme eux. Chacun à Rome parlait en souriant de ce prélat d'humeur facile, tandis que le triste et studieux Barberin ne suscitait guère d'attachement.

Il n'avait pas une tâche aisée, étant pris entre les exigences de son oncle, jaloux de son autorité, et les fredaines de son frère, qu'il s'efforçait de dissimuler au pape. Sa première mission diplomatique à Paris en 1625, pour y traiter de l'épineuse question de la Valteline, avait été un échec, tandis que les Espagnols l'avaient comblé de politesses et fait « protecteur » d'Aragon et de Portugal, d'où, de sa part, une certaine partialité envers les Habsbourg. Mais, outre qu'Urbain VIII ne lui laissait qu'une influence restreinte, Barberin était un médiocre politique, maladroit envers ses interlocuteurs, incertain et chimérique (« *inamorato* de l'impossible » écrit Retz). Avec cela fort érudit (il enrichira considérablement la bibliothèque vaticane), et à l'instar de son oncle et de son frère, protecteur des artistes, peintres, sculpteurs et musiciens, surtout lorsqu'ils mettaient leur art au service de la foi.

Car il était de mœurs irréprochables et Retz le libertin s'émerveillait de sa « vie angélique » : son innocent plaisir était de se rendre deux fois par semaine dans une petite propriété de campagne, sa « vigne », comme on disait alors, d'y manger à la paysanne, d'y voir faire le fromage, de s'y promener au milieu des vaches et des brebis : « Il dit sans cesse que cette vie simple est la bonne et que tout le reste s'accompagne de mille tracas et déplaisirs. »

Il faut croire qu'effectivement ce loisir champêtre lui convenait car Barberin mourut fort âgé pour l'époque, à quatre-vingt-deux ans. Pourtant, durant le pontificat de son oncle, il ne s'était guère ménagé : « il ne se repose ni jour ni nuit; c'est à peine s'il prend le temps de manger et de dormir; parfois le soir, il avale deux bouchées debout; il se couche très tard et se lève deux heures avant le jour ». Comment s'étonner, dans ces conditions, qu'il parût à tous fort mélancolique et souvent fastidieux à ceux qui dépendaient de lui?

Mazarin dans sa jeunesse eut l'occasion de s'en apercevoir. Le cardinal Barberin fut pour lui un maître difficile et changeant, auquel il eut directement affaire, à partir du moment où Gian-Francesco Sacchetti lui laissa la charge de la nonciature de Milan. En ce mois de juin 1629, s'ouvre entre eux une volumineuse correspondance qui, avec des interruptions, durera jusqu'au retour de France de Giulio à la fin de 1636 : à la Bibliothèque Vaticane ces lettres, extrêmement nombreuses et prolixes, de Mazarin (il lui arrivera d'en écrire neuf le même jour à son exigeant patron) ne remplissent pas moins de treize gros volumes reliés de parchemin. La différence des tempéraments éclate lorsqu'on compare les sèches instructions de Barberin, la plupart du temps dépassé par les événements et par l'activité fébrile de son correspondant, et les missives pleines de chaleur du disert envoyé du Saint-Siège. De celles-ci, Victor Cousin, qui a raconté dans un volume de six cents pages la suite compliquée des démarches de Mazarin en 1629-1630, a tiré cette impression : « On le sent désespéré de n'avoir autour de lui que des gens timides et médiocres : il ne trouve d'énergie, de résolution, de suite que dans la France et ses représentants. » La remarque peut s'appliquer à l'incertain et jaloux cardinal Barberin.

Celui-ci va contribuer à confirmer la forte impression faite sur Mazarin par des hommes tels que Richelieu, ou les maréchaux de Toiras et de Schomberg. Il envoie à Paris au début de 1631 le jeune secrétaire de nonciature avec le titre de « ministre de Sa Sainteté ». Nous reviendrons sur les liens que Mazarin eut alors l'occasion d'établir avec les ministres français et nous ne nous attarderons pas à raconter ses négociations d'alors pour le compte du Saint-Siège. 1631 et 1632 sont pour lui des années assez ingrates d'apprentissage diplomatique : le traité de Cherasco, qui a donné à l'Italie une paix que le Saint-Siège sait fragile, lui vaut la bénédiction paternelle d'Urbain VIII « pour toutes les peines qu'il s'est données », et de Barberin, après quelques félicitations, cet avis de vigilance : « Ne pensez pas trop au repos ni à rester immobile. » Les lettres suivantes du sourcilleux cardinal sont toutefois plus aimables : « Votre diligence plaît », « à la qualité des avis que vous avez communiqués correspond la satisfaction d'en avoir connaissance », « Votre Seigneurie agit prudemment », etc. Puis revient le ton rogue pour sommer Giulio, qui s'attarde à la cour de Savoie, de revenir sur le champ à Rome : « C'est l'ordre exprès de Notre Seigneur (le pape) que vous retourniez au plus tôt ici, car Sa Sainteté veut entendre de votre bouche toute la négociation avec la France... »

Cette lettre est du 2 octobre 1632 : à la fin du mois, Mazarin quittait Turin pour la Ville Éternelle. Après une absence de plusieurs années, pendant lesquelles il avait eu un rôle de premier plan et la satisfaction d'être amicalement reçu et fêté dans les cours étrangères, c'est avec des sentiments mêlés qu'il se rapprochait de sa chère « patrie », mais aussi de son morose patron, le cardinal Barberin.

C'est alors qu'un autre Barberin l'accueille, le frère cadet de Francesco, celui que les Français appellent « le cardinal Antoine ». En cette fin de 1632, le plus jeune neveu du pape a vingt-cinq ans et son oncle l'a déjà comblé de titres et de dignités : prieur de l'ordre de Malte, cardinal (à vingt ans !), abbé des Trois-Fontaines et de Nonantola, il a été chargé de légations à Bologne, Ferrare, Ravenne, Urbin... En réalité ces charges ne lui ont guère pesé et il se satisfait des apparences du pouvoir. Dernier fils de Carlo Barberini, le frère d'Urbain VIII, malingre et délicat dans ses premières années, élevé en enfant gâté, c'est un charmant garçon, insouciant et généreux, ami des plaisirs et très peu des affaires, le contraire en somme du triste cardinal Barberin, son aîné.

Tous l'aiment pour son abord riant, son caractère libéral, la spontanéité de sa jeunesse : c'est le sourire du pontificat, « les délices de Rome, qui a toujours conservé le souvenir de sa générosité et sa bonté ». Giulio, au début de sa carrière, a tenté en vain d'entrer à son service. Mais l'occasion se représente bientôt. A la fin de 1629, il apprend que le dernier neveu du pape, jaloux soudain des lauriers de son frère, s'est fait nommer par Urbain VIII légat pour la paix dans le Nord de l'Italie. Aussitôt, il accourt de Milan à Bologne, où s'est arrêté Antoine et, sous prétexte de lui exposer la situation, qu'il connaît en effet mieux que quiconque, il gagne la confiance et les bonnes grâces de l'aimable jeune homme.

Désireux d'échapper à la tutelle du cardinal Barberin pour passer sous la direction théorique d'un maître inexpérimenté et facile à gouverner, il s'efforce alors de piquer l'émulation d'Antoine, d'éveiller en lui une saine ambition et le zèle pour la mission de paix que lui a confiée le pape. « Le moment est venu pour le cardinal-légat, écrit-il à Rome, de quitter sa paisible résidence de Bologne et de paraître au milieu des princes, généraux et plénipotentiaires qui tiennent dans leurs mains le sort des peuples. » Il finit par décider Antoine à se rendre, au début d'avril 1630, auprès de Richelieu à Pignerol, que viennent de saisir les Français : le premier ministre de Louis XIII reçoit fort bien le neveu du pape... mais lui refuse de rendre la place au duc de Savoie, son légitime possesseur. Découragé, Antoine ne tarde pas à revenir à Rome pour y retrouver ses plaisirs habituels.

Ces premiers contacts entre les deux jeunes gens ne furent pas vains. Mazarin prit désormais l'habitude de tenir le cardinal Antoine, devenu son « patron », au courant de ses négociations, faisant appel à lui pour faciliter ses missions diplomatiques. Ce fut en effet très tôt une des maximes de l'habile Giulio que les petits cadeaux entretiennent l'amitié des gens en place, et comme ses moyens étaient limités, c'est à la libéralité d'Antoine qu'il recourait, pour gratifier d'objets d'art le duc de Savoie, et la duchesse sa femme d'huiles de toilette et de gants parfumés. La confiance entre eux devait croître à tel point que, dans un moment d'expansion, Mazarin, découragé par la froideur du cardinal Barberin, avouait à Antoine :

« Si l'espoir de rendre bientôt mes hommages à Votre Éminence ne me soulevait, je serais dégoûté de mes peines, mais j'espère être un jour consolé par votre courtoisie; je ne dis rien de plus pour bonnes raisons. » (20 septembre 1631).

Ce jour tant désiré, Giulio dut l'attendre plus d'un an. Mais il lui apporta plus qu'il n'avait osé espérer. Lorsqu'à la fin de 1632, il fut de retour à Rome, le cardinal Antoine tint à se l'attacher définitivement. Bientôt Giulio allait devenir un de ses conseillers les plus écoutés.

Il sut profiter personnellement de cette faveur. Ses travaux au service du Saint-Siège ne lui avaient jusqu'ici rapporté que deux canonicats (l'un en décembre 1630, à Sainte-Marie-Majeure, l'autre à Saint-Jean-de-Latran, accordé en mai 1632); du moins il avait obtenu d'en jouir en gardant l'habit laïc. La protection du cardinal Antoine lui valut, lorsque son nouveau « patron » fut déclaré en février 1633 légat d'Avignon, d'avoir le titre et la charge d'auditeur de cette légation : il en prit bientôt possession sans avoir l'obligation de quitter Rome. Il fut fait aussi « référendaire en l'une et l'autre Signature » et prélat domestique de Sa Sainteté. En 1634, Urbain VIII le gratifia encore d'un bénéfice à sa disposition qui venait de vaquer en France, l'abbaye de Saint-Avold, près de Metz, et lui accorda une nouvelle charge auprès de sa personne. Le pape voyait d'un œil favorable l'influence que l'actif « Monsignore Mazarini » (car il avait dû se vêtir en prélat, sans pour cela accéder à la prêtrise) prenait sur son écervelé de neveu.

Car cette influence n'était pas qu'à son propre profit. Maître de l'esprit d'Antoine, Mazarin conçut l'idée de lui faire jouer un rôle en rapport avec sa haute position. Ayant précédemment noué des liens solides avec les ministres de Louis XIII, il voulut procurer à la France l'appui d'un cardinal-neveu et à ce dernier un prétexte pour profiter des largesses royales. La « protection » des intérêts français à Rome était depuis longtemps confiée au frère du duc de Savoie, le cardinal Maurice, mais le cardinal Bentivoglio, délicat humaniste et ancien nonce en France, chargé de la « coprotection », voulut bien s'en défaire en faveur d'Antoine. Malgré l'hostilité du cardinal Barberin, jaloux de voir son cadet accroître son influence politique, Urbain VIII sembla d'abord favorable à l'opération. Puisque Francesco avait accepté semblable charge des Espagnols, il était bon que la balance fût maintenue entre les couronnes et qu'Antoine soutînt officiellement les intérêts de la France. D'ailleurs, un peu de désunion entre ses chers neveux leur ferait mieux reconnaître sa prépotence. Antoine, enfin, lui coûtait cher et il n'était pas fâché que le roi de France contribuât à sa dépense vraiment excessive... Telle était la stratégie avunculaire du bon pape.

Auprès d'Antoine Barberini, Mazarin ne trouva pas seulement un protecteur efficace mais une atmosphère de fêtes, un milieu favorable à tous les arts. Certes, tout jeune homme, il avait mené une vie assez dissipée, étant devenu, au sortir du Collège romain des jésuites, un joueur effréné, un mondain toujours à court de deniers et cependant généreux, qui estimait que « l'homme est bien sot sans argent ». Par la suite, la fréquentation des cours de Turin, de Mantoue, de Paris avait pu confirmer son goût des belles choses. Mais il ne les avait vues qu'en passant, n'avait goûté que brièvement aux plaisirs entre deux courses exigées par ses ingrates négociations. Les deux années (novembre 1632-fin août 1634) qu'il passa à Rome dans l'entourage du cardinal Antoine furent décisives pour sa formation artistique. Il redécouvrait avec des yeux neufs la ville de son enfance. La Rome encore sévère de la Contre-Réforme prenait, sous l'impulsion d'un pape mécène, un visage riant de splendeur baroque. Sur les flancs du Quirinal, du Viminal, de l'Esquilin, palais, fontaines, églises s'élevaient au milieu des jardins, le long d'une sinueuse perspective allant du Pincio à Sainte-Marie-Majeure. Les cardinaux Barberini avaient fait bâtir leur demeure sur le modèle des maisons de campagne dont la villa Borghese avait fourni le premier type. Commencée en 1625 par Maderno, continuée par Borromini, elle s'achevait alors sous la direction du Bernin et bientôt le grand peintre Pietro di Cortona allait décorer la voûte de l'escalier monumental. Mazarin put y croiser les meilleurs artistes de l'époque.

Il ne semble pas qu'il y ait dès lors habité ni joui d'une charge domestique. Mais il est au mieux avec les principaux serviteurs du cardinal, en particulier avec le majordome Vincenzo Martinozzi et son fils Geronimo, à qui il fera bientôt épouser sa sœur Margarita. Si le palais n'est pas terminé et ne peut donc abriter encore une vaste clientèle, le théâtre en a été inauguré pour le carnaval de 1632. Giulio, à l'âge de vingt ans, a interprété le rôle de saint Ignace dans une comédie musicale mise en scène par les élèves (ou anciens élèves) du Collège romain; il ne peut que se passionner pour les représentations du *Saint Alexis* de Stefano Landi, créateur de l'opéra romain, que les Barberini vont reprendre sur leur théâtre trois carnavals de suite, avec des variantes successives qui rendent l'œuvre de plus en plus profane. Quand une troupe de comédiens vient jouer au palais Barberini, il s'empresse d'y « faire entrer tous les Français » de passage à Rome.

Il ne manque pas non plus d'accompagner le cardinal Antoine lorsque celui-ci se rend dans sa propriété de la campagne romaine, dont le vaste horizon est coupé par la forme harmonieuse du mont Soratte. C'est à Bagnaia, près de Viterbe, l'ancienne villa Renaissance du cardinal Riario, achetée depuis peu aux Ludovisi et que bientôt Andrea Sacchi décorera de fresques. Là aussi, le nouveau « coprotecteur » de France, inspiré par Mazarin, s'entoure de sujets du roi Louis XIII. Ainsi, lorsque le maréchal de Toiras, le vaillant défenseur de Casal, vient à Rome en mai 1633, puis de nouveau au carnaval de 1634, le cardinal Antoine organise de grandes chasses en son honneur. Giulio y prend part « sans beaucoup de plaisir, écrit-il à une occasion, les sangliers ayant été plus vaillants que les chiens ».

Il arrive enfin à Antoine de suivre son oncle à Castel-Gandolfo, où Urbain VIII s'est fait bâtir une villa surplombant le cratère arrondi qu'emplissent les eaux bleues du lac d'Albano. C'est de là qu'un beau jour de l'automne 1633, le jeune cardinal écrit à « Monsignore Mazzarini », resté à Rome, une lettre d'amoureux trop timide pour se déclarer lui-même, et chargeant de ce soin un ami qui peut être un rival :

« Je n'ai pu retrouver le repos que dans la croyance que vous parviendrez à me rappeler à la mémoire de la Signora Leonora. Je me suis donc mis à vous écrire afin que vous me fassiez le plaisir de lui communiquer cette lettre, car je n'ose lui écrire moi-même, n'espérant pas mériter une réponse d'elle...

Il est donc vrai, ô Dieu, que vous irez dans cette maison bénie, que vous verrez cet ange, que vous l'entendrez et que je n'aurai d'autre conversation que celle de ces bosquets feuillus et de ces chemins solitaires qui n'empêchent pas ma pensée de s'appliquer à l'unique objet de tout mon bien; car je hais la conversation des personnes : elle m'empêche de me plonger dans la vision imaginaire de celle que mon esprit me met sans cesse devant les yeux avec tant d'expression et de vivacité.

A vrai dire, Monsignore, je ne sais trop si je vous envie votre chance de pouvoir révérer cet objet ou si je vous plains; car la loi de bonne amitié entre nous ne me laisse pas douter que votre affection ne s'emploiera pas envers celle qui mérite de tout esprit élevé hommage et service. Je ne sais non plus si je suis jaloux, craignant que la force d'amour qui peut enchaîner tous les cœurs (mon exemple le prouve) ne vous laisse pas cette liberté que d'autres raisons vous peuvent persuader de conserver. Je vous prie donc d'assurer la *signora* Leonora qu'avec toute l'affection imaginable je lui baise les mains un nombre infini de fois et de la supplier, avec toute votre éloquence, de me réserver une petite place dans sa grâce...

Recommandez-moi à Mesdames Adriana et Catarina, mais n'oubliez pas ce dont je vous prie pour la *signora* Leonora en particulier. Ses nouvelles donneront un extrême soulagement à qui en a tant besoin... A vous comme un frère très affectueux.

De Castel-Gandolfo, le 1er octobre 1633.

Le cardinal Antonio Barberini. »

Si nous doutions de l'identité de cette Leonora, les prénoms de ses compagnes nous ôteraient toute incertitude : il s'agit de la cantatrice Leonora Baroni, de sa mère Adriana et de sa sœur cadette Catarina, toutes trois excellentes musiciennes. Le plus difficile est d'interpréter cette plainte d'un amoureux transi. Elle ne nous incite pas à donner une réponse hardie à la question de savoir à quel point d'intimité le jeune cardinal et son compagnon de plaisir ont pu se trouver dans les bonnes grâces de la chanteuse. Leonora n'était pas une geisha. Sinon, elle n'aurait pas joui de l'estime des grandes dames romaines, ni de l'amitié du sublime poète chrétien John Milton, ni plus tard de la faveur d'un pape musicien, Clément IX Rospigliosi. Mazarin eut-il d'ailleurs osé l'introduire par la suite à la cour de France, auprès d'Anne d'Autriche, si le moindre soupçon avait plané sur leurs relations antérieures (2)?

Lorsque Leonora Baroni se maria en mai 1640, un gazetier romain prévit malicieusement (et d'ailleurs faussement) que son époux serait vite lassé d'une femme « laide au dernier point » : « enfin, écrivait-il, non sans ironie, on est arrivé à voir mariée celle qui ne le cédait en rien à la déesse Vénus et qui aspirait aux premiers cavaliers de la Cour ! » Comment expliquer l'étonnant prestige de cette « Vénus » dépourvue d'attrait physique? Ceux qui jusqu'à sa mort fréquentèrent nombreux sa maison romaine étaient charmés par son esprit, sa conversation, sa gaieté autant que par son exceptionnel talent musical. Ils ne pouvaient se passer de sa compagnie, tel le cardinal Antoine qui, au lendemain du mariage de Leonora, tint à déclarer qu'il continuerait à la voir régulièrement et ouvertement. « Et le mari s'en vante ! » s'étonnait une mauvaise langue, selon qui cet « honneur » risquait de « se tourner en blâme et en perte de réputation, ce monde-ci étant plus incliné à penser le mal qu'à croire le bien ».

L'amour, sans doute platonique, d'Antoine Barberin fut donc jugé compromettant par certains. Il avait en tout cas renforcé par une complicité innocente les liens entre Mazarin et son jeune patron. Giulio n'oubliera pas ces joyeuses soirées chez Leonora où il improvisait des vers badins et se hasardait à chanter doucement, sans doute à l'intention du timide cardinal, la tendre mélodie *Amanti ch'in pianti...* (Amants en pleurs...). C'est avec nostalgie qu'il devait bientôt évoquer, dans ses lettres à Antoine, la mémoire de ses « folies » romaines.

Elles n'eurent en effet qu'un temps et l'ambition fut plus forte dans le cœur de Mazarin. Sa vocation était la politique, non la galanterie, ni même le service des arts. Son esprit toujours actif ne se fût pas accommodé de la vie brillante mais vide d'un courtisan. Il ne se contentait pas d'aimer les belles choses; il voulait en accomplir de grandes et il aurait aimé qu'Antoine, son cher « patron », eût lui aussi plus soin de sa « gloire ». Celle-ci, il le savait déjà d'expérience, « ne s'acquiert que par des voies difficiles » : il en assurait le jeune cardinal, et, avec un habile mélange de fermeté et de flatterie, il l'exhortait à surmonter avec une âme généreuse les « dégoûts » qu'il pouvait encore éprouver dans l'affaire de la « coprotection » : « Je voudrais au prix de ma vie vous en libérer, mais, comme on ne peut faire autrement, il faut prendre patience (*bisogna aver patienza*, l'une des maximes constantes de Mazarin)... Plus votre Éminence rencontre d'oppositions, plus apparaît sa valeur, car il n'est aujourd'hui, soyez-en assuré, au pouvoir de personne de porter ombrage à votre gloire et de faire oublier l'idée que l'on a partout de votre généreuse constance et de votre habileté. »

La réussite de cette affaire importait fort à Mazarin. Nul ne pourrait, si elle aboutissait, lui reprocher sa partialité envers la France, puisque son « patron » en soutenait officiellement les intérêts. Son attrait pour le grand pays voisin ne faisait en effet que croître et ses courts séjours à Paris en 1631 et 1632 lui avaient donné l'envie d'un établissement plus durable. Dès son retour à Rome, il avait intrigué, avec l'appui de l'ambassadeur de France, pour se faire nommer nonce auprès de Louis XIII. Un vieil évêque austère,

Mgr Bolognetti, avait été nommé au poste convoité en janvier 1634, mais, quelques mois plus tard, les instances d'Antoine auprès du pape valurent à Giulio, avec le titre de nonce extraordinaire, une importante mission diplomatique tant en Italie qu'à la cour de France.

Pendant son absence de Rome (plus de deux ans) Mazarin retomba sous la direction de la secrétairerie d'État. Ses lettres d'alors au cardinal François Barberin ont été en partie publiées et nous aurons l'occasion de les citer lorsque nous étudierons les rapports de Giulio avec les ministres français : elles ont trait à ses négociations et les épanchements y sont rares. Il n'en est pas de même de celles, tout amicales, que Giulio envoyait en même temps au cher Antoine. Grâce à elles, nous connaissons mieux la façon de vivre de Mazarin et du milieu qu'il venait de quitter : elles sont restées inédites, comme celles adressées aux membres de l'entourage du cardinal, Vincenzo Martinozzi, Antonio Benedelli, ou même le maître des écuries, Messere.

C'est à ce dernier que Giulio confia ses premières impressions de voyage. Le 25 août 1634, après avoir assisté au service solennel de la Saint Louis, il était monté dans un superbe carrosse attelé de six mules géantes, don du cardinal Antoine, et, sortant de Rome par la place du Peuple, avait pris la route de Viterbe. Mais avant d'arriver au petit bourg de Monterosi, lui et sa petite troupe subirent bien des mécomptes. Le maître des écuries avait confié la fortune de l'ambitieux prélat à « trois jeunes gens sans expérience, enfants de la campagne, peu amis entre eux et si légers que les mules croyaient n'avoir personne pour les guider ou les châtier... Le cocher était de la région de Bologne, l'écuyer Ferrarais et le garçon un honorable natif des Marches. Entre eux trois, il n'y avait pas un poil de barbe, si bien que les mules, plutôt par courtoisie que par obligation, nous tirèrent du mieux qu'elles purent tant qu'il fit jour. Mais avec la nuit vint une infinité de disgrâces ».

Le beau carrosse s'embourba, les mules mal guidées ayant suivi l'antique voie romaine plutôt que la route moderne. Dans sa lettre à Messere, Mazarin raconte avec verve (et quelques longueurs) les incidents de cette longue nuit dans l'âpre campagne romaine : il rapporte dans leur dialecte local les imprécations des jeunes et maladroits écuyers, imagine même les pensées des pauvres mules harassées : « Malheureuses que nous sommes, qu'avons-nous donc fait à Messere pour qu'après un long et fidèle service il nous soumette à la direction de deux gamins ! »

Pour venir à bout de ces difficultés, il fallut que chacun y mît du sien. Mazarin en effet ne partait pas seul. Son maître lui avait donné plusieurs compagnons pour ce voyage de trois mois dont les principales étapes furent Florence, Modène, Bologne, Ferrare, Parme, Milan, Turin, Avignon et Lyon. Parmi eux, le secrétaire, dom Alessandro, mourut en arrivant à Paris et le violoniste Michel-Angelo, que Mazarin faisait manger à sa table et menait avec lui dans son carrosse, le lâcha à Reggio d'Emilie, séduit par les offres du duc de Modène. Restèrent Niccolo Bufalini, un cousin de Giulio, du côté de sa mère, et le comte Bonarelli que Mazarin jugeait peu discret. Il leur préférait la compagnie d'un certain Silvio Antonini, un familier d'Antoine, dont la naïveté et la bonne humeur surent le distraire de la monotonie de la route. Silvio avait fait avec lui tout le voyage et se plaisait à Paris. « Il m'aime, écrivait Mazarin, la France est belle, la liberté qui y règne lui plaît, il s'habille à la mode d'ici et le voyage de retour de Paris à Rome est long et plein d'incommodités. Et pourtant il lui tarde de l'entreprendre, d'où les politiques concluent que le service de Votre Éminence est bon. » Il ajoutait : « Il aura beaucoup à raconter à Votre Éminence. Préparez-vous à rire plusieurs semaines... En carrosse, en barque, à cheval et le soir dans les hôtelleries, il trouvait toujours moyen d'être joyeux. Il parle français de la plus étrange façon : il appelle tout le monde *Monsu*, même les dames, auxquelles il dit *Monsu Madama*... En vérité c'est une brave personne et qui aime Votre Éminence, *ce qui est la qualité nécessaire pour bien servir.* » Giulio, en formulant cette nouvelle maxime, ne faisait que suivre l'impulsion d'un tempérament chaleureux.

Cette loi d'une amitié inébranlable, lui-même s'était promis de l'observer fidèlement vis-à-vis de son jeune « patron ». Il se sentait lié à lui par la reconnaissance aussi bien que par une sympathie mutuelle : « J'ai raconté à Leurs Altesses de Savoie, lui écrivait-il, mon arrivée à Rome (à la fin de 1632), tout ce qu'alors et par la suite Votre Éminence a fait pour moi et avec quelle adresse et quelle affection elle m'a procuré le poste dont je jouis. » Il s'inquiète en apprenant que, depuis son départ, le cardinal est tombé malade et profite de l'occasion pour piquer une fois de plus l'émulation d'Antoine :

« Si je pensais ne pas vous revoir, j'abandonnerais cent nonciatures pour retourner à Rome et mourir près de mon patron. Mais de grâce, laissons cette façon de parler qui, sinon par plaisanterie, me trouble l'âme. Votre Éminence doit ne pas se soucier et vivre allégrement, étant des plus glorieux seigneurs d'aujourd'hui; plus grandes sont les oppositions que rencontre sa valeur, plus celle-ci apparaît digne d'être admirée. »

Ces « oppositions » se trouvent dans l'affaire de la « coprotection », en péril en cour de Rome et difficilement acceptée par le cardinal de Savoie. Mais Louis XIII et Richelieu sont résolus à la faire aboutir; Mazarin, de son côté, s'y emploiera avec un zèle qui portera ses fruits.

Elles naissent aussi des dissensions souvent factices que des gens malintentionnés s'efforcent d'entretenir entre les deux cardinaux Barberini. Mazarin manque d'être victime des jaloux qui l'accusent de trahir au profit de Francesco la confiance d'Antoine : il doit s'en expliquer avec celui-ci, dans une explosion de rude franchise :

« Si le cardinal Barberin m'avait demandé une telle indignité, non seulement j'aurais refusé de lui toute charge mais j'aurais protesté publiquement. Je vous écris librement parce qu'en de telles occasions il faut parler clair. Ma conduite à votre égard, lorsque je serai en France, sera toujours conforme à mon devoir et aux ordres que vous me donnerez, et si vous désirez que je vous envoie copie de ce que j'écris à la secrétairerie d'État, je le ferai aussitôt ponctuellement... Je soupçonne que le bon office qui m'a été rendu est du même qui a écrit que je n'étais qu'en apparence serviteur de Votre Éminence. Si Dieu me donne vie, je me souviendrai de lui à l'occasion; il a été mal conseillé d'offenser pour rien un galant homme et sur un faux fondement. Pardonnez-moi si je m'échauffe, je ne suis pas patient quand il s'agit de votre grâce. »

Si le faible Antoine prête trop volontiers l'oreille aux médisances, Mazarin ne doit pas craindre son inconstance; l'affection du cadet des Barberins pour l'actif prélat qui, au nom de sa gloire, cherche à le tirer de sa torpeur, est réelle : il se rend facilement à ses raisons si claires et si fermes et c'est sans la moindre réticence qu'il écrit à Richelieu : « Il n'y a personne en qui je me fie plus qu'en Mazarin... Je n'ai pas manqué de l'observer et l'ai toujours trouvé le plus grand serviteur que Sa Majesté et vous-même puissiez avoir. »

Si bien que, devant Giulio, le grand ministre français, évoquant ses entretiens de 1630 à Pignerol avec le neveu du pape, fait l'éloge de celui-ci en termes bien sentis que Mazarin s'empresse de rapporter à leur destinataire romain. Il y joint l'écho laudatif des courtisans, et pour le rapporter plus exactement, il use pour la première fois du français, qui sonne étrangement dans sa bouche italienne : « le cardinal Antuene et for generos et il aeme bien la France ».

Pendant sa mission à Paris, il est si occupé que sa correspondance avec Antoine est moins fréquente. Il n'oublie pas toutefois son patron, lui envoie des cadeaux ou propose à cet amateur d'art de somptueux achats (par exemple une tapisserie flamande « très riche d'or », *Les triomphes de César*, des chevaux anglais...). Il lui arrive de lui parler politique et il sera le premier à faire miroiter devant Antoine l'acquisition par le Saint-Siège du duché de Castro qui, à la limite des États pontificaux, appartient au duc de Parme : si ce dernier trouvait, grâce à l'appui des armées françaises, une compensation dans le Milanais espagnol, il laisserait sans doute cette possession au pape. C'est une proposition dont les bases sont fragiles : elle fera dangereusement son chemin dans l'esprit des Barberins. Mazarin ne se méfie pas assez de son imagination et de son optimisme naturel qui le poussent à considérer comme assurées de vagues promesses faites par Richelieu pour flatter la cour de Rome.

Or celle-ci est de plus en plus réticente envers la politique du cardinal, qui vient d'entrer en « guerre ouverte » contre les Habsbourg. L'hostilité du parti espagnol envers Mazarin, jugé trop francophile, provoque au début de 1636 son rappel de Paris pour Avignon, où il devra désormais se renfermer dans l'exercice de sa charge de vice-légat. Il obéit non sans angoisse : le pape lui refuse la permission de venir lui-même à Rome se disculper et le cardinal Barberin ne lui donne aucune marque d'estime. A l'un de ses amis de la secrétairerie d'État, il écrit : « Si pour quelque raison je pouvais craindre d'avoir perdu la grâce de Son Éminence, je perdrais la tête et en deviendrais fou car quelle résolution pourrai-je prendre, étant persécuté des Espagnols, abandonné de Son Éminence et sans assurance d'être bien reçu en France, où la situation change à vue d'œil? »

Cependant, Antoine lui est resté fidèle. C'est lui qui parvient à le tirer de son exil d'Avignon en arrachant au pape l'autorisation de son retour à Rome : bien mieux, il insiste pour que Giulio vienne loger dans son propre palais. Celui-ci n'a garde de refuser « car, vous le savez, explique-t-il à Vincenzo Martinozzi, Son Éminence est très susceptible et enfin il est connu que je suis maintenant à son service ». Une fois sur place, il jugera s'il y peut nager librement et reconnaîtra, comme il dit de façon pittoresque, « dans combien de pieds d'eau je me trouve et ce que je dois espérer de la bienveillance des Patrons ».

Quittant Avignon au début d'octobre pour s'embarquer à Gênes, où le mauvais temps le confine quelques jours, il débarque le 6 novembre 1636 au matin à Civitavecchia. De Monterosi (la première étape de son voyage d'aller) où il s'arrête quelques heures à l'auberge, il envoie en pleine nuit un cavalier prévenir ses amis de son arrivée; il rentre dans la ville au petit jour et, sans même prendre le temps de se changer, va se jeter aux pieds du cardinal Antoine. C'est de lui seul désormais qu'à Rome il entend dépendre : l'amitié du cadet des Barberins sera-t-elle assez forte et efficace pour le maintenir au service du Saint-Siège?

Ce n'est pas sans scrupules ni sans regrets qu'il abandonnerait celui-ci. « Je n'ai d'autre ambition en ce monde, après celle de la grâce de Dieu, avait-il écrit au cardinal Barberin peu après avoir appris son rappel de Paris, que d'un peu de gloire que j'acquerrai en me sacrifiant pour le bien public et pour l'excellente maison Barberine », et aussi : « Je désire le bien et le repos de la chrétienté avec celui de Sa Sainteté, sans me soucier du reste. »

Encore fallait-il qu'à cette disposition répondît en cour de Rome le désir de l'employer à son avantage. Il aurait beaucoup désiré rejoindre le cardinal légat, qui attend à Cologne que les puissances en guerre aient désigné leurs plénipotentiaires pour la paix; le mauvais vouloir des Espagnols l'a fait écarter de cette mission. Du moins, son ami Zongo Ondedei a pu en faire partie et le tient au courant des progrès, très lents, de la négociation. Avec un désintéressement complet, Giulio envoie ses conseils, ses encouragements. Il faut éteindre « les jalousies qui encombrent les esprits des intéressés, en assurant chacun de la parfaite disposition de l'autre ». Certains moyens détournés peuvent venir à bout des obstacles (par exemple : Louis XIII refuse pour ses envoyés les passeports de l'empereur. Qu'il se contente de ceux du cardinal infant gouverneur des Pays-Bas ! etc.). Lui-même agit à Rome de son mieux pour favoriser la grande cause de la paix : des nonces ont été envoyés à Paris et à Madrid pour obtenir une trêve générale : c'est lui qui a eu « la part principale » dans la rédaction de leurs instructions et il se dit persuadé que les souverains en guerre se laisseront convaincre de déposer les armes par « la misère » de leurs sujets et le mal irréparable que la poursuite du conflit apporte à la religion catholique.

Cependant Espagnols comme Impériaux repoussent la trêve proposée par Urbain VIII et désirée par lui « avec passion ». Ce qui n'empêche pas Mazarin d'écrire que de nouveaux efforts ont été entrepris à Madrid pour faire céder Olivarès, le ministre espagnol : il le sait d'autant mieux qu'il a collaboré à la dépêche adressée au nonce en Espagne. C'est la dernière allusion dans la correspondance de Mazarin à une participation au travail de la secrétairerie d'État. A partir de 1638 son rôle paraît réduit à néant.

Il avait pourtant été bien reçu par le cardinal Barberin, à son retour de France. Le pape aussi lui avait fait bonne figure. Mais très vite il avait dû se rendre à l'évidence : malgré ses démonstrations, Barberin ne lui était guère attaché : « Il ne m'a jamais aimé » finira-t-il par constater. Il se sent menacé d'un renvoi à Avignon, où il serait « quasi enseveli » et perd de plus en plus tout espoir d'obtenir la nonciature permanente de France. D'ailleurs à quoi bon? S'il était envoyé à Paris, ses dépêches n'auraient aucun crédit à Rome où on l'accuse d'être entièrement acquis à Richelieu.

Il ne lui reste plus de recours qu'en son ami Antoine. Dès son arrivée, il a été nommé « maître de la maison » (*maestro di casa*) du jeune cardinal-neveu, sur lequel s'affirme son empire. De plus en plus il le lie à la France : ce n'est plus de la « comprotection » qu'il est maintenant question, mais de la « protection » elle-même, que le cardinal Maurice de Savoie vient d'abandonner pour les intérêts espagnols et qu'Antoine s'empresse d'accepter de Richelieu. Hélas, à la cour de Rome, la bienveillance de jadis pour la France s'est refroidie : la volonté de neutralité entre les forces catholiques opposées s'affirme. Urbain VIII se refuse de voir un de ses neveux soutenir officiellement l'un des adversaires. Encouragé par Giulio, Antoine résiste : il profite de la beauté de l'automne romain de 1637 pour prolonger son séjour à Bagnaia et lui donner l'allure d'une protestation et d'un défi : en dépit de tout, il sera protecteur des affaires de France et arborera les armes royales sur son palais. Pour montrer sa reconnaissance envers le royaume des lys, il envoie à Paris de somptueux cadeaux, qu'il fait porter par Geronimo Martinozzi, le beau-frère de Mazarin, et dont celui-ci a probablement guidé le choix : des reliques pour le pieux Louis XIII, un miroir sculpté et des éventails pour la reine, des médailles pour Gaston d'Orléans qui se pique d'être numismate, et pour Richelieu une masse d'objets d'art : statues antiques et modernes, tableaux de Raphaël et de Paris Bordone... L'année suivante (1639), Antoine propose de lever trois mille hommes pour le service de la France.

Envers Giulio, il n'entend pas être ingrat. Il soutient ses efforts auprès du nonce à Varsovie (il s'appelle Domenico Roncalli) pour obtenir la nomination au chapeau de cardinal réservée au roi de Pologne. Mais Giulio se plaint en confidence à ses amis que cet appui soit mou : le cardinal Antoine « ne correspond pas pour protéger mes intérêts au zèle et à la passion avec lesquels je me suis employé non sans succès pour les siens : cela procède de la crainte et non de mauvaise disposition, bien qu'il eût pu se montrer plus résolu et favorable en bien des choses qui ne dépendaient que de lui ». Il est tellement dégoûté, lui qui a traité jadis d'importantes négociations, de n'avoir plus à s'occuper que de « bagatelles odieuses », qu'il ne pense plus qu'à tout abandonner pour aller rejoindre à Paris son puissant protecteur. Il attend impatiemment l'invitation royale, qui arrive enfin, affectueuse et pressante. Le 14 décembre 1639, au soir, il fuit pour toujours la Rome des Barberins.

Il n'est pourtant point parti subrepticement. Il a eu audience du pape et du cardinal Barberin, il a rendu

Le Cardinal Antoine Barberini jeune. Gravure de G. Léoni — 1625

visite à tous les cardinaux et ambassadeurs. Antoine a approuvé son départ. Bientôt pourtant, il s'en déclare inconsolable. Dans ce style contourné et précieux qui est le sien, il réclamera avec « impatience » des nouvelles de son ami :

« De vous se fait continuellement, matin et soir, commémoration très affectueuse... tellement vous êtes resté dans le cœur de tous. Notre cher cardinal Bichi et moi, quand nous pouvons être ensemble, ce qui est souvent, nous consolons de cette manière le mieux possible... Je n'exagère pas, croyez-moi, je ne puis tolérer votre absence... La considération de votre bien devrait me faire trouver en elle tout contentement... mais mon bon sens et ma force d'âme doivent céder quelque place au sentiment causé par le fait de ne plus vous voir et qui témoigne de ma faiblesse... »

Il pousse les regrets jusqu'à proposer à Giulio d'aller le rejoindre en France. Les événements de la Cour romaine, où le haut du pavé est tenu par les Espagnols, lui font juger ce voyage « de plus en plus nécessaire ». Mazarin, qui sait que sa présence à Paris serait à Richelieu plus embarrassante qu'utile, s'efforce de le calmer. Antoine garde d'ailleurs à Rome de nombreuses et puissantes attaches.

En cette année 1640, la dix-huitième du pontificat de son oncle, le cardinal Antoine est roi à Rome. C'est lui qui organise les fêtes du Carnaval et son faste n'est pas moins grand dans les cérémonies religieuses qu'aux carrousels de la place Navone ou lors des comédies en musique données dans son palais. Sa générosité proverbiale et son accueil affable l'ont rendu populaire : « Tous les plus vieux de la Cour romaine, affirme un chroniqueur, jurent qu'aucun neveu d[illegible] pape n'a jamais eu suite aussi nombreuse et qualifié[illegible] Telle est l'affection que chacun porte du fond d[illegible] entrailles *(svisceramente)* à Son Éminence qui pe[illegible] vraiment être appelée le portrait même de la gén[illegible] rosité. »

De l'influence qu'il tire de son prestige, Antoine poussé par l'exemple et les sollicitations de Mazari[illegible] veut alors user au profit de la cause française. Au [illegible] ment où il ambitionne de venir trouver Richeli[illegible] à Paris, il ose pour une fois affronter son frère aîné [illegible] lui faire en carrosse une terrible scène à propos de Ro[illegible]ray, un écuyer de l'ambassadeur de France tué [illegible]r des sbires romains (une triste affaire dont [illegible] parlera longtemps). La querelle des deux frères s'est vite apaisée : ils se sont embrassés en pleurant sous les yeux attendris du Saint-Père. Mais Barberin a usé après cet incident de plus de considération pour son cadet, le pape écoute Antoine « plus volontiers que de coutume » : il vient un jour à pied, du Quirinal au palais Barberini (le trajet n'est pas long) qu'habite seul maintenant son plus jeune neveu et chacun remarque à cette occasion que le vieux pontife a, en marchant, l'allure franche et décidée « d'un homme de quarante ans ».

De ce regain de faveur, Antoine, par sa faute, ne jouira pas longtemps. Un jour de printemps 1641, alors qu'il se promenait incognito dans la campagne romaine et goûtait le vin blanc d'un ancien serviteur des Ludovisi, il s'était fait dire par celui-ci qu'il était certes « plus galant homme que son frère et plus enclin à rendre service mais que cela importait peu car il n'était appliqué qu'à ses plaisirs ». Antoine avait ri longuement de cette naïve franchise et, s'étant découvert, avait réconforté le brave homme confus, l'avait même convié à Rome où il lui avait fait « de grandes caresses ». « Quelle gloire en est résultée pour lui, cela est impossible à décrire ! » prétendait un flatteur, rapportant avec verve l'anecdote. Mais bientôt la malveillance pour les Barberins d'un fidèle du passé (le prédécesseur d'Urbain VIII, Grégoire XV, était un Ludovisi) devenait l'opinion commune. Le narrateur de cet incident si favorable au jeune cardinal devait bientôt convenir : « Antoine ne donne plus d'audience. Les affaires dont il a à s'occuper traînent indéfiniment, la porte de son appartement est toujours fermée, même aux ambassadeurs... Enfin il est perdu dans les plaisirs et toute la cour en murmure. »

A cette négligence, il y avait certaines raisons de santé (les « habituelles indispositions d'estomac » et les fièvres que le cardinal allait guérir en changeant d'air, aux environs de Rome). Mais la voix publique en accusait d'abord son intimité, jugée trop absorbante, avec le castrat Marc-Antonio Pasqualini, dit Malagigi.

A la fin mai 1640, Leonora Baroni s'était mariée avec un officier du cardinal Barberin, Giulio Castellani. Antoine l'avait comblée de cadeaux et entendait qu'elle continuât de chanter quelquefois pour lui. Mais en réalité la faveur d'entendre la grande cantatrice devint plus difficile à obtenir (les Castellani, en gens avisés, le faisaient payer fort cher). Antoine dut chercher autre part la satisfaction de ses goûts musicaux. Parmi les castrats de sa chapelle, s'en trouvait un particulièrement doué, à l'étonnante voix de soprano. On avait médit de ses relations avec Leonora : celles avec Marc-Antonio scandalisèrent encore bien plus.

Le premier écho de cette nouvelle passion nous est donné par une anecdote, digne de figurer parmi les *Chroniques italiennes* de Stendhal. Elle éclaire à la fois les rapports d'Antoine avec Leonora et l'emprise nouvelle de Marc-Antonio. Datée du 15 septembre 1640, elle montre le brillant cardinal-neveu refuser de se rendre chez la chanteuse Santa Campana, nouvellement mariée, en compagnie du cardinal Brancaccio, protecteur de la *diva.* « Je ne veux pas me mêler de ses putains », aurait déclaré Antoine, craignant que l'on ne fît un rapprochement entre la situation de la Campana, notoirement maîtresse de Brancaccio, et celle de sa chère Leonora. Mais son attitude lui aurait été aussi dictée par Marc-Antonio Malagigi « lequel, par jalousie du chant ou d'autre chose, ne voulait pas que Son Éminence mît les pieds dans la maison de la Campana »; en effet, son emprise sur le cardinal « s'est tellement accrue qu'on ne parle de rien d'autre à la Cour et cela fait naître une telle stupeur que chacun en reste confondu ».

Dans les mois qui suivent, les témoignages se multiplient de la croissante faveur du castrat auprès d'Antoine. Ce serait sous son influence et pour combattre celle du majordome, Vincenzo Martinozzi, fort hostile à Marc-Antonio, que le cardinal se serait décidé à conférer aux cinq seigneurs qui le servent habituellement le titre de gentilshommes de sa chambre : ceux-ci dorment dans son antichambre et jouissent de la faveur, qu'ils apprécient d'ailleurs diversement, de le déshabiller en musique. C'est à eux que revient désormais le privilège d'introduire les autres membres de sa maison, qui avaient autrefois libre accès auprès de sa personne. Le sage cardinal Bichi s'indigne des excessives démonstrations d'affection d'Antoine pour son castrat : « son aveuglement est incroyable et l'insolence du garçon est devenue insupportable (3) ». « Sans lui, nul ne peut rien » auprès du cardinal-neveu, rapporte à Mazarin un autre de ses amis, et les nouvelles qu'il reçoit de Rome durant l'été et l'automne de 1641 sont pleines des extravagances de Malagigi.

Antoine est-il aveugle, comme le pense Bichi? Le seul amour du chant le lie-t-il à son castrat ou existe-t-il entre eux « autre chose »? Jusqu'à présent, le jeune cardinal s'est montré fort complaisant pour les galanteries féminines de ses gentilshommes et cette nouvelle orientation, au moins apparente, de ses goûts stupéfie la cour de Rome. Bien peu vont toutefois jusqu'à l'accuser ouvertement, comme le fougueux Michel Mazarin qui, furieux d'être supplanté dans sa faveur par Malagigi, ne craint pas d'affirmer : « il s'est donné en proie le jour et la nuit à la personne que vous savez ». Pour ouvrir les yeux d'Antoine et le rendre désormais plus prudent, il faudra un éclat public.

Au carnaval de 1642, il avait voulu se surpasser. Il dépensa des sommes relativement considérables (plus de mille écus) pour monter une comédie musicale tirée de l'Arioste avec d'extravagants décors. Bien entendu, Marc-Antonio en était l'une des vedettes, dans un rôle féminin qui convenait à sa voix de soprano. Mais pour cette fois, le cardinal-neveu fut malchanceux : la machinerie très compliquée des décors dûs au peintre Andrea Sacchi fonctionna mal, ce qui fit rire le cardinal Barberin, quelque peu jaloux du faste de son frère; d'autre part, Marc-Antonio n'eut pas le grand succès qu'il espérait, car, expliquait un spectateur, « le peuple ne pouvait plus le supporter, bien qu'à la vérité il soit supérieur à tous dans son art ». Pour comble de malheur, un gentilhomme français, ami du maréchal d'Estrées, l'ambassadeur de Louis XIII auprès du pape, avec la franchise indiscrète propre à sa nation, se permit de jouer les trouble-fête et d'exprimer ce que beaucoup pensaient tout bas. S'étant pris de paroles avec Marc-Antonio qui jouait à l'hôte et lui refusait l'entrée du théâtre, il « lui dit l'injure qui le pouvait le plus offenser, lui et son maître ». L'affront était public et le scandale fut grand.

La réaction d'Antoine étonne; loin de se fâcher, « il prit une peine inimaginable pour apaiser » ce gentilhomme, « il lui fit mille caresses, le mena tout le reste du jour avec lui pour faire entrer et placer tout le monde comme il voudrait, et le lendemain, il l'envoya prier à dîner chez lui... » Comment interpréter cette attitude du cardinal? Aveu tacite ou reconnaissance de son imprudence, et même gratitude envers celui qui lui avait dessillé les yeux? Depuis cette scène, la chronique de Rome ne parla de Malagigi que pour louer ses talents de chanteur, qui devaient lui valoir un canonicat à Sainte-Marie-Majeure, sans plus associer son nom à celui du jeune cardinal-neveu. Celui-ci d'ailleurs, absorbé par la guerre contre le duc de Parme et la direction des troupes pontificales, allait pour un temps oublier dans le fracas des armes les chants langoureux de Leonora ou de Marc-Antonio (4).

Comment réagira Mazarin envers le castrat, son nouveau collègue au chapitre de Sainte-Marie-Majeure? Il lui enverra une lettre de félicitations et, plus tard, lorsqu'il sera premier ministre, il le fera venir en France pour se produire devant la reine, toutefois après Leonora Baroni, avec qui il restera toute sa vie lié de sincère amitié. Il en use ainsi pour ne pas déplaire au cardinal Antoine à qui il garde la plus solide reconnaissance et un vieux fond d'affection; mais il a eu le plus grand mal à calmer son frère Michel et Vincenzo Martinozzi, indignés de l'insolence de Malagigi. La patience qu'il leur recommande sans se lasser finit d'ailleurs par porter des fruits. A la fin de 1640, Michel est envoyé par Antoine à la cour de France, porteur de ses compliments pour la naissance de Philippe, duc d'Anjou. Et lorsque, deux ans plus tard, décline la faveur du castrat, le cardinal Antoine vient surprendre de sa visite Vincenzo Martinozzi retiré dans sa maison de Pesaro, dans les Marches. C'est pour le majordome une joie indicible : son maître l'a reçu avec toutes les marques « de l'affection et de l'amour d'autrefois »! L'ancienne confiance est rétablie.

Comme Antoine semble se désintéresser de la politique et en laisser la charge et la responsabilité à Barberin, Mazarin fait alors de lui l'expert artistique de la cour de Louis XIII, un rabatteur de pièces de choix pour les collections du roi et souvent de Richelieu. Dès son arrivée à Paris, il demande au cardinal-neveu des conseils pour le théâtre que Richelieu entend établir dans son palais, lui parle des ballets de la Cour et le prie de lui envoyer des partitions musicales aussi bien que des tableaux de Pierre de Cortone ou d'Andrea Sacchi. Quelques mois plus tard, il compte sur lui pour assister de ses avis M. de Chantelou, envoyé à Rome pour en ramener des peintres et des sculpteurs. C'est aussi Antoine qui se charge de faire exécuter par le cavalier Bernin, d'après des « profils » de Philippe de Champaigne, le buste en marbre de Richelieu : mais, en l'adressant au ministre français, le cardinal-neveu a bien soin de préciser que l'idée de cette œuvre revient « à Monseigneur Mazarin, quand il était à Rome ». Celui-ci avoue à son frère que le buste a déçu, parce que peu ressemblant à son lointain modèle. Ce qui ne l'empêche pas de féliciter chaudement l'artiste : « Je ne crois pas qu'il soit jamais sorti de vos mains une tête plus vivante, mieux finie que celle-ci, quelqu'un ayant dit qu'il était impossible qu'elle ne se mette pas à parler. »

De ce zèle et de ses divers cadeaux (des chevaux par exemple) Antoine est récompensé par d'importantes pensions que Mazarin s'efforce non sans mal de lui faire payer régulièrement. C'est aussi qu'il espère de lui d'autres services, longs à venir : le régiment italien promis ne se fait pas et le pape tarde toujours à lui donner le chapeau. La promotion a lieu enfin en décembre 1641 et Giulio ne se lasse pas de remercier son protecteur d'autrefois, son ami de toujours, le cardinal Antoine. Il n'oublie pas tout ce qu'il doit aux Barberins et croit pouvoir affirmer : « J'ai réussi dans le voyage que j'ai fait à cette cour (de France : un « voyage » qui devait durer jusqu'à sa mort, mais qu'il ne croyait pas alors définitif) à ne pas être tout à fait inutile au service de Sa Sainteté. » Il a contrebalancé auprès de Richelieu l'influence de l'ambassadeur de France à Rome, le maréchal d'Estrées, brouillé à mort avec les Barberins, et il a même obtenu son rappel. Lorsque des intrigants tentent de le supplanter, lui absent, dans la faveur d'Antoine, il écrit avec assurance à son frère (en le priant de montrer sa lettre au cardinal) : « Je ne doute pas que Son Éminence agréera mes services comme elle l'a toujours fait, à cause de sa propre bonté, et parce qu'enfin, je crois pouvoir le dire sans vanité, je puis lui être plus utile en une heure que semblable sorte de gens en plusieurs mois. »

Il entend toutefois que ces bons procédés soient réciproques et il espère lier de plus en plus le pape et ses neveux aux intérêts de la France qui sont devenus les siens propres. Au début de 1642, dans l'euphorie du chapeau enfin obtenu, il essaye d'embarquer les Barberins dans une expédition commune contre le royaume de Naples dont il trace un plan détaillé : « Moi qui suis ennemi des chimères... je sais de façon effective que si le Pape se résolvait à cette entreprise, rien ne pourrait empêcher un résultat glorieux et très heureux : Sa Sainteté récupérerait une partie du patrimoine de Saint Pierre, usurpée par les Espagnols... » Mais il est déjà trop tard pour détourner les Barberins de la malheureuse « guerre de Castro ».

Celle-ci va les opposer pendant plus de deux ans à

un allié de la France, le duc de Parme, dont ils convoitent une terre enclavée dans l'État de l'Église, le duché de Castro. Elle contribuera à dégrader leurs rapports avec Richelieu qui refuse de venir à leur secours et entend les obliger à poser les armes. L'affaire est pénible à Mazarin, partagé entre ses anciens *padroni* et son nouveau maître français : par l'intermédiaire d'Hugues de Lionne, et surtout de son vieil ami, le cardinal Alessandro Bichi, il parviendra à rétablir la paix en Italie centrale. Ce ne sera pas sans difficultés, surtout du vivant de Richelieu, fort mécontent de la politique pontificale et à qui Mazarin s'efforce de cacher les nouvelles de Rome les plus irritantes.

En juillet 1644, meurt le vieux pape Urbain VIII. Sa disparition amène la chute et la persécution des cardinaux Barberins, d'autant que ceux-ci, en dépit des adjurations de Mazarin, ont favorisé l'élection du candidat de la faction espagnole, le cardinal Pamphili, qui prend le nom d'Innocent X. La colère de la France s'abat sur eux : Antoine sera déchu de son titre de protecteur. Mais bientôt, lorsque le nouveau pape persécutera les neveux de son prédécesseur, Mazarin oubliera tous ses griefs. Au vieux Martinozzi qui, avant de mourir, usera ses dernières forces pour réconcilier Giulio avec son ancien *padrone*, il donnera des apaisements chaleureux :

« Vous savez avec quel cœur j'ai toujours professé d'être le serviteur du cardinal Antoine. Je vous jure que si j'avais pu trouver le moindre prétexte pour défendre sa conduite au conclave et ainsi apaiser le Conseil et la Cour, très irrités contre lui, je l'aurais saisi avec très grand plaisir.

« En vérité je puis encore vous assurer que je garde les mêmes pensées et que s'il me donne occasion de l'aider sans manquer à ce que je dois au Roi, il reconnaîtra que je l'aime avec la même tendresse que naguère. J'ai grand pitié, je vous le jure, de l'état où il se trouve, et si les persécutions allaient jusqu'à lui donner de justes craintes pour sa personne et à le faire résoudre de sortir de Rome pour chercher sûreté autre part, il n'y aura chose que je ne fasse pour qu'il l'ait toute entière en ce royaume. »

C'est ce qui devait bientôt arriver. Fuyant la cité des papes, les Barberins vinrent se réfugier en France, où Mazarin, oubliant leurs torts des dernières années, leur réserva un accueil fastueux. L'ancien protégé du cardinal Antoine, devenu son protecteur, lui resta fidèle jusqu'à la mort : il le réconcilia avec Innocent X, lui faisant restituer tous ses biens et dignités dans l'État pontifical; dans le royaume des lys, il le combla de bénéfices, le fit nommer évêque de Poitiers puis archevêque de Reims, pair et grand aumônier de France, charge considérable qui permit à Antoine, converti maintenant à une piété sincère, d'exercer au service des pauvres sa générosité de toujours... Ainsi le premier ministre d'Anne d'Autriche témoignait d'une façon éclatante sa reconnaissance pour les bienfaits autrefois rendus au *signor Giulio*.

CHAPITRE III

LES AMIS DE ROME

Mazarin n'eut pas en Italie que des « patrons ». Pour être moins puissants, d'autres protecteurs favorisèrent sa fortune. Parmi eux, on a coutume de placer au premier rang le cardinal Guido Bentivoglio, humaniste distingué, qui après avoir été nonce à Bruxelles et à Paris, au début du règne de Louis XIII, était devenu, à son retour à Rome en 1621, coprotecteur de France. Mais, en réalité, si Giulio connut ce prélat grand seigneur et cultivé, s'il put trouver dans ses lettres, imprimées de son vivant, des modèles du style diplomatique et une première image du royaume des lys, il ne semble pas que Guido Bentivoglio ait eu sur sa carrière l'influence prédominante que lui attribue un mémorialiste peu sûr, le jeune Brienne. Victor Cousin avait déjà remarqué : « parmi tant de papiers italiens de ce temps qui ont passé sous nos yeux, nous n'avons pas trouvé la moindre trace de relations un peu intimes entre les deux grands diplomates ». En réalité, ces traces existent, mais elles sont peu fréquentes et plus tardives que ne le croyait Brienne, qui semble avoir confondu le rôle de Bentivoglio avec celui de Jean-François Sacchetti. Il reste que Giulio fut en rapports avec Bentivoglio au temps où il négocia avec lui son abandon de la « coprotection » en faveur du cardinal Antoine, et qu'enfin le renom du prélat, l'illustration de sa noble famille ferraraise, sans doute aussi l'agrément de sa conversation, l'intelligence de ses dépêches d'ambassadeur, l'élégance et la délicatesse de ses lettres privées lui conféraient aux yeux de Giulio un prestige tel que ce fut pour lui une joie et une fierté sans pareilles d'acquérir en 1640 le palais romain du cardinal humaniste. Celui-ci avait favorisé l'opération, poussé non seulement par le besoin d'argent mais aussi par une sympathie naturelle pour l'heureux protégé des Barberini et de Richelieu. Et l'opinion de Mazarin se reflète sans doute dans celle qu'exprimait en septembre 1641 un de ses familiers, Zongo Ondedei : « ami de tous les princes, affectionné et obligé à la couronne de France, de mœurs angéliques, de nature très douce, de nobles pensées, prudent, savant, expérimenté, spirituel, ingénu et désintéressé », Guido Bentivoglio paraissait alors le meilleur candidat au trône pontifical lorsque celui-ci viendrait à vaquer. Il est vrai qu'était tout récemment disparu celui que Mazarin avait jusque là considéré comme devant naturellement succéder à Urbain VIII, le cher cardinal de Bagni.

Giovan Francesco Guidi di Bagno, dit en France le cardinal de Bagni, avait eu une carrière assez semblable à celle de Bentivoglio, ayant occupé après lui, bien que son aîné de près de quinze ans, les mêmes nonciatures de Bruxelles et de Paris. Il lui ressemblait surtout par son amour des belles lettres, auquel il joignait une vaste curiosité. M. Pintard a récemment tiré de l'ombre ce prélat diplomate et humaniste; il a révélé ses relations avec les érudits français Peiresc, Dupuy, Naudé, les savants flamands Chifflet et Wendelin, précurseur de Galilée, avec Descartes lui-même que Bagni jugeait aussi intelligent que modeste... Il a fait allusion à son rôle politique qu'avait déjà signalé l'*Histoire des papes* de Pastor. Car durant sa nonciature à Paris, de 1627 à 1631, Bagni ne tarda pas à être apprécié de Richelieu qui le jugeait « homme d'une grande probité et sincérité et de non moindre intelligence dans les affaires », et il s'efforça d'user en faveur de la paix de l'influence que lui valait auprès du ministre son attachement réel pour la France. La paix intérieure d'abord : il fut l'un des plus actifs réconciliateurs après la Journée des Dupes, et plaida, en vain d'ailleurs, l'indulgence envers les Marillac. Mais surtout paix dans la chrétienté. Pour assurer l'équilibre entre Bourbons et Habsbourg et, d'autre part, éviter que Richelieu ne se liât avec les protestants allemands, Bagni, qui avait jadis préconisé l'expédition royale contre La Rochelle, entreprit de procurer à la France l'alliance de la Bavière! Sa longue négociation secrète, commencée en 1629 à l'insu de Rome et qui ne fut révélée qu'une dizaine d'années plus tard, aboutit au traité de Fontainebleau, du 30 mai 1631. Enfin Bagni avait été mêlé en 1629-1630 aux tractations de la paix que le Saint-Siège essayait d'établir en Italie. C'est à cette occasion qu'il entra en rapports avec l'agent du pape dans le Milanais, Giulio Mazarini.

Celui-ci avait reçu, dès juin 1629, l'ordre du cardinal Barberin d'entrer en rapports avec Mgr de Bagni, « plus efficace et plus informé sur les affaires de France que tout agent extraordinaire qu'on pourrait y envoyer ». Il n'y manqua pas et bientôt une correspondance régulière s'établit entre les deux négociateurs. En mai 1630, l'apprenti diplomate devait rencontrer à Chambéry, avec la cour de France, le prélat, depuis peu cardinal; ce fut l'origine d'une amitié qui dura jusqu'à la mort de Bagni. Et ce ne fut pas un modeste secours pour Mazarin pendant les mois les plus durs qui précédèrent la trêve de Casal, d'avoir auprès de

Richelieu, pour lui transmettre ses avis et plaider la cause de la paix, l'habile et bien en cour représentant du Saint-Siège auprès de Louis XIII.

Il ne retrouva pas Bagni à Paris, lors de son rapide passage au début de 1631. Le cardinal venait de quitter la France, pour regagner son évêché de Cervia sur l'Adriatique. A sa place, il laissait Mgr Alessandro Bichi.

Celui que Mazarin devait un jour appeler « l'ami le plus dévoué, le plus fidèle que j'aie au monde » n'était son aîné que de six ans, étant né en 1596, d'une noble famille siennoise. D'abord nonce à Naples, il avait été, en 1630, nommé par Urbain VIII à l'évêché de Carpentras, qui faisait partie du comtat Venaissin et dépendait directement du Saint-Siège. Désigné comme nonce à Paris pour remplacer le cardinal de Bagni, il avait défendu avec fermeté les positions du pape, qui refusait d'accorder le chapeau de cardinal au père Joseph et de casser le mariage de Gaston d'Orléans. Au tout début de sa nonciature, il parlait de « la haine universelle » dont Richelieu aurait été l'objet dans la France d'alors. Mais cette intransigeance s'atténua sensiblement par la suite. Nommé cardinal en novembre 1633, il n'avait plus grand-chose à espérer des Barberins, qui devaient le rappeler de sa nonciature dès avril 1634. Aussi, deux mois plus tard, il acceptait de Louis XIII le don de l'abbaye lorraine de Saint-Mihiel qui restait à conquérir. Et l'on vit ce prince de l'Église, dans sa pourpre cardinalice, mêlé aux armées françaises, entrer par la brèche dans la cité conquise après un long siège. Il lui en était resté dans la Lorraine, fidèle à son duc, le sobriquet de « Rouch Biqui » (Bichi le Rouge) et la réputation d'un vrai croquemitaine.

En réalité, Alessandro Bichi est une figure aussi attachante qu'énergique et son abondante correspondance avec Mazarin révèle non seulement un diplomate habile et décidé, mais aussi un homme d'Église pénétré de ses devoirs religieux. C'est avec un particulier abondon que Giulio se confiait à lui. Cela tenait peut-être à la nature de leurs premiers rapports.

Mazarin se trouvait en effet à Paris, au terme d'une mission qu'il avait menée en étroite liaison avec le nonce Bichi (1), lorsqu'il reçut la lettre du 15 mai 1632 par laquelle le cardinal Barberin lui annonçait sa nomination comme chanoine de Saint-Jean-de-Latran; « pour en jouir, ajoutait le chef de la diplomatie vaticane, il conviendrait que vous preniez au moins la première tonsure et vous pourrez le faire plus vite si vous vous adressez pour cela à M. le nonce ». C'est ainsi que Bichi lui fit passer ce premier degré de l'état ecclésiastique, lui ayant « de sa main » coupé quelques mèches de cheveux, geste qui symbolisait son adoption par l'Église (2). La cérémonie se passa à « S. Meneue » (c'est-à-dire Sainte-Menehould), où Giulio ayant quitté Paris recevait, le 17 juin, des mains de Louis XIII, un projet de Ligue des princes d'Italie. On sait que Mazarin ne franchit jamais d'autre stade vers le sacerdoce, même s'il manifesta plus d'une fois et jusqu'à la veille de sa mort l'intention de devenir prêtre. Mais il n'oublia pas qui l'avait engagé sur la voie; dans ses relations avec Bichi, on discerne la reconnaissance d'une sorte de parrainage spirituel.

Pendant plusieurs années, la vie sépara les deux hommes. Mais quand Giulio dut, en avril 1636, au retour de sa nonciature extraordinaire à Paris, occuper la vice-légation d'Avignon, il resserra ses liens avec l'évêque voisin de Carpentras. En le quittant, à la fin de l'année, pour revenir à Rome, il le laissa dans une « mélancolie extrême » : « Depuis votre départ, lui écrivait Bichi, ce pays semble le portrait même de la désolation. Vous êtes resté dans le cœur de tous et, si les prières de ces peuples étaient exaucées, vous seriez déjà cardinal et de retour. »

Devenir cardinal, Mazarin certes le désirait. Mais pour obtenir le chapeau, il lui fallait s'imposer à Rome et mériter à Paris par des services éminents le soutien efficace de Richelieu : il devait donc susciter et animer une véritable « faction française ». Il ne suffisait pas d'avoir acquis aux intérêts du roi le cardinal Antoine; tous ceux qui pouvaient exercer une influence sur le pape et sur Barberin devaient être recherchés et animés. Et parmi eux, au premier rang, les anciens nonces en France, Bentivoglio, Bagni et Bichi.

Tous trois avaient du crédit auprès des Barberins, mais seul le premier résidait à Rome. Or Bentivoglio, depuis qu'il avait dû céder la coprotection au cardinal Antoine, ne prenait plus une part active aux affaires politiques. Il s'agissait donc pour Mazarin d'attirer le plus souvent possible à la cour pontificale ses amis Bagni et Bichi, astreints à la résidence dans leurs évêchés. Bagni, il est vrai, avait, en 1635, changé le siège de Cervia pour celui de Rieti, aux pieds des Abruzzes, d'où il lui était relativement facile de faire un saut à Rome, et même de prolonger de quelques mois sa visite *ad limina* (ainsi durant le carnaval de 1637 et à l'automne 1638). Il devait d'ailleurs, dès février 1639, s'y installer définitivement, sa mauvaise santé l'ayant obligé de résilier son évêché.

A Carpentras, où il se faisait bâtir un superbe palais, Bichi était beaucoup plus loin. Il put toutefois venir à Rome et y résider pendant l'été et l'automne 1637, parvenant avec Mazarin à insuffler quelque énergie au cardinal Antoine dans l'affaire de la protection. Lui-même accepta de Louis XIII le brevet de « coprotecteur », liant ainsi définitivement son activité à la cause française. Fin décembre 1637, il était de retour à Carpentras, mais il allait en repartir après un an et demi de résidence. Lorsqu'à la fin de 1639 Mazarin quitta la Ville Éternelle, il y laissait donc deux amis influents et dévoués, dont la correspondance saurait l'avertir de tout ce qui concernerait les intérêts de la France... et les siens propres.

A vrai dire, les nouvelles de Bagni allaient de plus en plus s'espacer, la goutte déformant l'écriture, paralysant l'activité de ce dévôt humaniste. Giulio espérait que le vieux cardinal pourrait succéder un jour à Urbain VIII, bien qu'il fût son aîné. Ne jouissait-il pas d'une estime générale dans le Sacré Collège et Mazarin n'avait-il pas décidé Richelieu à soutenir, le moment venu, sa candidature à la tiare? La simplicité de rapports, l'affabilité de Bagni faisaient oublier à Giulio leur différence d'âge. Dans sa correspondance familière, l'évêque de Rieti ne gardait-il pas le ton d'un égal et d'un contemporain? Il s'était amusé à travestir de sobriquets romanesques les principaux personnages de ses lettres : le maréchal d'Estrées, ambassadeur de France à Rome, était appelé « le Manteau long » (*il Mantel lungo*, ou *le Vesti lunghe*), tandis que Mazarin était désigné par « les Petits-Yeux » (*gli Occhioni*). Allusion à leur robe de prélats? Bichi était « la Grande Dame » et Bagni lui-même, tout simplement « la Dame », la chère *Dama* qui demandait à Mazarin de la garder « dans les bonnes grâces du Cardinal-Duc dont elle est la vraie servante, comme elle l'est toujours des Petits-Yeux, à qui je baise encore les mains ».

Sous ces formes badines, d'importantes questions étaient abordées : les incartades du fougueux maréchal d'Estrées, à qui Bagni avait d'abord fait confiance, mais qu'il accusa bientôt de « menteries » et d'« extravagances »; les affaires de Savoie, dont il recevait des avis sûrs; la « trêve universelle », cette paix tant désirée qui n'arrivera que si les Espagnols y sont contraints. Pour cela, selon Bagni, il n'y a qu'un moyen : envahir le Milanais : « tout le reste est vain ». Hélas ! « Il semble que ce soit le destin que le cardinal de Richelieu ne veuille pas en entendre parler et jette ses forces en Flandre et en Allemagne, ce qui ne fait pas reculer d'un pas les Espagnols... ». Mazarin se fera l'interprète auprès du ministre français de ces préoccupations de la politique romaine et du patriotisme italien.

D'autres fois, il s'agit des intérêts même de Mazarin, des nouvelles de cette promotion si longue à venir, au gré de l'impatient Giulio. Bagni prodigue ses précieux conseils : ne pas favoriser la venue à Paris du cardinal Antoine (« ce serait la plus grande bourde possible »), surtout ne pas accepter de Richelieu de fonctions militaires, ce qui donnerait un prétexte au refus du chapeau.

Nous avons conservé peu de copies des réponses de Mazarin mais par contre beaucoup de témoignages à ses correspondants français des services rendus par l'évêque de Rieti. C'est Bagni qui, pendant les années 1638-39, alors que Giulio est tenu de plus en plus à l'écart des affaires de la cour de Rome, s'efforce de lui obtenir du cardinal Barberin une nonciature, sinon en France, en Savoie ou en Angleterre, ou du moins quelque charge honorifique, comme celle de trésorier pontifical... Ce fut peine perdue et, désespérant de le maintenir au service du Saint-Siège, Bagni recommanda lui-même à son ami d'accepter les offres de Richelieu.

Ce faisant, Mazarin croyait encore servir le pape et les Barberins, et ce, « non par intérêt mais seulement par reconnaissance des grâces reçues d'eux »; en effet, expliquait-il à Bagni, « je crois utile au Saint-Siège comme à la couronne de France que soit établie une excellente correspondance entre Sa Sainteté et Sa Majesté : la Chrétienté peut en recevoir, dans les conjonctures présentes, des avantages considérables ». Car, lui assurait-il avec force, « j'ai peut-être beaucoup de défauts, mais non pas celui de l'ingratitude. »

Il le prouva en accueillant à son service, sur la recommandation de Bagni, Gabriel Naudé, dont il devait faire son bibliothécaire malgré assez peu de sympathie première pour ce médecin érudit, cet ami de Gassendi, de Patin, de La Motte Le Vayer, à l'orthodoxie douteuse (3). C'était cependant par une longue lettre de ce « libertin » d'idées qu'il avait appris les détails de la « mort sainte » du vieux cardinal de soixante-seize ans, survenue le 25 juillet 1641.

Au chagrin que lui causa cette perte, Mazarin avait été préparé par Bichi, leur ami commun. Il ne s'attendait pas à la triste nouvelle que « la Dame était en péril » : les larmes l'empêchèrent de lire les détails. « Je prie Dieu de tout cœur, écrivait-il à Bichi, de lui concéder à mon détriment encore quelques années de vie. Je l'aime en effet avec une tendresse inimaginable et il me paraît impossible que quelqu'un puisse connaître ses capacités incomparables sans avoir la même passion pour lui ». Lorsqu'il sut que l'irréparable était accompli, il manda au cardinal Antoine : « Votre Éminence a perdu un ami parfait et la Chrétienté un sujet très digne (de la tiare)... Je ne doute pas que vous ne me plaigniez, connaissant la tendresse qu'il avait pour moi. »

Bagni avait montré devant la mort la fermeté d'un stoïque et le détachement d'un croyant, donnant ses dernières instructions « avec intrépidité et gaieté, comme s'il avait ordonné une fête » : il avait tenu à se lever une dernière fois, pour recevoir la communion dans sa chapelle privée, disant « qu'il voulait faire cette fonction avec le plus de solennité et de sérieux possible, car ce serait la monnaie pour son voyage ». Ainsi le souvenir de l'Antiquité accompagnait-il cet humaniste jusque dans ses derniers actes de chrétien.

Car, si passionné de culture païenne qu'il ait été, si indulgent envers son entourage de « déniaisés », le cardinal de Bagni, dont on louait « l'excellence de mœurs » autant que la vigueur intellectuelle, avait un humble sentiment de la Providence divine. Au temps (août 1630) où Mazarin s'efforçait, non sans mécomptes, de pacifier l'Italie du Nord, il lui écrivait, semblant prévoir la trêve inespérée de Casal : « Continuez à promouvoir la paix et espérez y parvenir quand il vous paraîtra le plus que les moyens s'en éloignent, car, devant être œuvre de Dieu, peut-être Sa Divine Majesté veut la concéder quand le jugement humain en aura le moins d'espoir. » Lorsqu'il sut qu'Anne d'Autriche était enceinte, il commenta en ces termes la nouvelle à Giulio : « Si cela est vrai, il vaut mieux que cela soit maintenant qu'il y a vingt ans; et pourtant, pendant plus de vingt ans on a tenu pour grande disgrâce que la reine ne fût pas grosse ! » Il en tirait cette conclusion : « Qui sait ce que Dieu a disposé? Les choses de ce monde ne sont pas éternelles et très souvent ce qui nous paraît un mal devient un bien. »

Paroles auxquelles répond, dans cette même correspondance entre « la Dame » et les « Petits-Yeux », cette affirmation de Mazarin : « Il faut tout remettre à Dieu. »

Le Cardinal Bichi

Monseigneur Ondedei

Le Cardinal Sacchetti

Le Cardinal J. F. Bagni

Une telle maxime de détachement chrétien peut sembler étrange sous la plume de celui qu'une longue tradition présente comme un ambitieux sans scrupules. En réalité, Mazarin était à la fois un optimiste et un croyant. Optimiste parce que croyant, il se fiait à la protection divine, dans la mesure du moins où il avait le sentiment de n'avoir pas démérité. Nulle part cette philosophie, à la fois exaltante et sommaire, consolation pour l'âme et moteur pour l'action, n'apparaît avec plus de constance que dans ses lettres à Alessandro Bichi. « C'en est fait de Mazarin sous ce pontificat », commence-t-il par geindre. Mais après avoir déploré son « misérable état », il se reprend aussitôt : « Je remets tout dans les mains de Dieu, qui m'a été propice jusqu'à présent... » « De Dieu j'espère un bien plus véritable. »

Tant qu'à Rome, le cardinal de Bagni, uni au cardinal Antoine, a pris soin de ses intérêts, la correspondance adressée par Mazarin à Bichi dans son lointain évêché de Carpentras reste surtout amicale : confidences et demandes de conseil s'y mêlent pourtant à des nouvelles politiques. Giulio sait que Bichi ne manque pas d'influence à Rome, ne serait-ce que par son frère, proche collaborateur du cardinal Barberin. Hélas, « Monseigneur Bichi » n'a pas la même bienveillance envers Mazarin que le cardinal du même nom et Giulio s'en plaint doucement à Alessandro. Du moins, les lettres que celui-ci écrit de la cour de France où il est fréquemment appelé font impression sur le pape et son neveu, et lorsqu'il vient s'établir à Rome au printemps de 1639, c'est avec l'intention déclarée d'arracher le chapeau de cardinal pour son ami Mazarin.

De son côté, celui-ci n'a cessé de le recommander à Richelieu. « On ne peut s'imaginer, écrivait-il à Paris, avec quelle chaleur, liberté et efficacité, le cardinal Bichi a toujours parlé et écrit au cardinal Barberin à mon avantage. » Il supplie le premier ministre français de faire à l'ancien nonce des avantages financiers qui lui permettraient de venir tenir son rang à la Cour pontificale. Son appel est entendu et Bichi s'en retourne de Paris, nanti de deux années d'une pension qui lui était payée jusqu'alors fort irrégulièrement et de la riche abbaye de Corneville en Normandie qui rapporte 3 000 écus de rente.

Une fois installé à Rome, l'évêque de Carpentras y demeurera plus de deux ans afin de fournir à Giulio (« le plus cher ami que j'aie au monde ») de sûres informations et un appui dévoué.

Ce ne fut pas sans difficultés. Sans cesse Barberin et le pape lui-même lui rappelaient l'obligation de résider dans son diocèse. Mais avec l'aide du cardinal Antoine, il tint bon, mettant en avant toutes sortes de considérations : par exemple, il ne pouvait entreprendre un long voyage sans se purger auparavant, et la saison n'était pas propice à une telle médecine. Au reste, il se montrait amène et généreux, menant grand train et en faisant profiter tout un petit peuple : « il a belle écurie et donne du vin à qui en veut. Ses serviteurs sont nombreux et gens de qualité, et il rend service si volontiers que tous ceux de cette Cour pontificale accourent en foule et avec plaisir pour l'escorter et le servir ». Lorsqu'il partit, chacun regretta cet homme d'action si obligeant, si plein d'aisance (*disinvoltura*) et de fermeté.

Il n'avait pas perdu son temps. Les rapports entre le pape et la cour de France s'étaient fort détériorés. Furieux du meurtre de son écuyer, l'irascible maréchal d'Estrées cherchait à faire un éclat et à provoquer une rupture ouverte. De son côté, Urbain VIII reprochait à Richelieu de prolonger la guerre en retardant les négociations de la paix : il se vengeait en refusant toute satisfaction au ministre français... et en particulier la promotion au cardinalat de son protégé Mazarin.

Le rôle de Bichi était fort délicat, d'autant qu'il devait discrètement se substituer au cardinal Antoine, qui négligeait de plus en plus pour les plaisirs son rôle de « protecteur de France ». Dans de longs mémoires, il expliquait à Mazarin l'embarras de sa position et ses efforts ingrats pour apaiser d'Estrées aussi bien que les Barberins, garder la faction française apparemment unie et empêcher un éclat irréparable. Entreprise décourageante et sans cesse à reprendre ! Plus d'une fois, la patience faillit lui manquer : « souvent me prend l'envie, confesse-t-il dans son langage plein de vivacité, de faire arracher le nez à certains de cette cour ». A Rome, règne un climat de défiance qui répugne à sa franchise. Sa bonne volonté n'a guère d'effet en face de « l'humeur très soupçonneuse » du maréchal d'Estrées — « d'autant qu'à soixante-dix-neuf ans on ne change pas un homme » — de la susceptibilité extrême de l'ambassadeur qui « de fourmis fait des éléphants ». Quant au cardinal Antoine, il croit avoir fait grand honneur à la France en acceptant la protection de ses affaires ; il sait bien pourtant que l'appui du roi fait sa seule force : « nous pouvons dormir tranquilles, tel qu'il est il n'y a nul péril que nous le perdions ». Si faible qu'il soit, il faut toutefois le ménager. Bichi s'y emploie, mais sa brusquerie le trahit, il se fait dans l'entourage d'Antoine des ennemis qui parviendront à jeter la suspicion entre les deux cardinaux.

Tel est le ton et telle est la substance de cette abondante correspondance ; complétée par des avis anonymes, elle permit à Mazarin de suivre de Paris la vie romaine jusque dans ses détails les plus frivoles, de prendre part aux laborieuses conversations dans lesquelles Bichi essaie d'engager Barberin à s'acquérir de façon définitive l'amitié de Richelieu, de soupeser les chances des divers candidats à la papauté après la disparition de Bagni (les favoris de Bichi sont Cresentio, « d'aspect franc et libre, de mœurs très candides, ayant été l'élève de saint Philippe-de-Néri et son imitateur dans la dévotion, toutefois sans apparence de bigoterie », et Cennino, homme d'expérience dont la vie est « irrépréhensible »); d'apprendre les mésaventures de l'abbé Bouchard, un libertin français fort débauché que Bichi, plus clairvoyant et plus sévère pour le « vice italien » que le cardinal Antoine, qualifie de « bête brute » (*bestiola*), ou de s'amuser de la déconvenue du jeune Bolonais Palmieri, « bellâtre qui entretenait une tignasse démesurée », chassé de l'État pontifical pour s'être vanté de bonnes fortunes aussi insolentes qu'imaginaires.

De Paris, Mazarin réchauffait le zèle de son ami Bichi. S'il avait du mal à obtenir l'échange de son abbaye normande contre celle de Montmajour, plus proche de Carpentras, il se faisait une joie de lui annoncer que Richelieu lui avait accordé une nouvelle pension de 6 000 livres, sur l'abbaye de Saint-Ouen de Rouen. Surtout, il l'exhortait à poursuivre sa tâche de pacificateur. Ses lettres romaines lui permettaient de contrebalancer l'effet désastreux de celles du maréchal et de calmer l'irritation du gouvernement français.

Mazarin ne put par contre empêcher la détérioration progressive des rapports entre Bichi et le cardinal Antoine, l'un reprochant à l'autre son manque de fermeté dans la « protection » des affaires de France et Antoine en voulant à Bichi de rester lié avec d'Estrées malgré son insolence à l'égard du Saint-Siège. Les deux cardinaux en vinrent à ne plus se voir et Antoine évita la visite d'adieu de Bichi, lorsque celui-ci quitta Rome à la fin de 1641. « Votre Éminence et moi nous le connaissons bien », écrivait Giulio à Alessandro en s'efforçant de l'apaiser : « Il faut se contenter de l'avoir tel qu'il est et laisser passer le temps au mieux, car je ne doute point que, sous un autre pontificat, il ne se libère de beaucoup de défauts et qu'il ne se serve alors de votre personne. »

Bichi en voulait surtout aux Barberins de retarder la promotion qui devait faire son ami Giulio cardinal. En réalité, Urbain VIII lui-même en éloignait sans cesse la date, dans la croyance, selon Bichi, « que ce serait sa dernière promotion et qu'après elle il serait peu considéré, même de ses propres neveux ». Ce calcul égoïste de vieillard ne comportait pas d'hostilité préconçue à l'égard de Mazarin; il parlait de lui « avec de grandes louanges » et chargeait Bichi de lui mander de sa part « qu'il mettait grande confiance dans son activité et qu'il l'avait toujours aimé ». Ces belles paroles ne suffisaient pas à l'ami fidèle. Ce lui fut un crève-cœur de devoir quitter Rome sans en rapporter la nouvelle tant espérée. Il alla se jeter aux pieds du cardinal Barberin, le suppliant à genoux de lui donner cette satisfaction avant son départ, disant qu'il l'apprécierait comme s'il était fait cardinal une seconde fois : « Je n'ai pas pleuré, avouait-il à Mazarin, parce que cela ne m'est pas facile, mais j'ai parlé avec des sentiments si cordiaux et si pleins de tendresse que le cardinal Barberin me dit qu'il connaissait depuis longtemps ma passion pour mes amis. »

Barberin, d'ailleurs, n'y pouvait mais. A peine Bichi se fût-il éloigné, le vieux pape malicieux se hâta d'effectuer ce qu'il avait refusé à ses instantes prières.

La nouvelle joignit Bichi à Sienne; il laissa éclater sa joie : « Je jubile d'allégresse de voir Votre Éminence pourprée », écrivit-il à Giulio. « J'en ai remercié et j'en remercie Dieu de tout cœur. »

Désormais, il n'a qu'une hâte : retrouver ses amis de France. Il s'arrête seulement quelques jours à Carpentras et rejoint à Lyon Louis XIII et sa cour qui descend vers le Midi à la conquête du Roussillon. On peut être sûr qu'il assista en bonne place, le 26 février 1642, en l'église Saint-Apollinaire de Valence, à la cérémonie pendant laquelle le roi, ayant reçu des mains d'un camérier du pape le « bonnet » (la barrette) destiné au nouveau cardinal Mazarin, le déposa sur la tête de celui-ci profondément incliné. En mars, Bichi est de retour à son évêché, mais lorsqu'il apprend que Richelieu est tombé gravement malade à Narbonne, il songe à se précipiter au chevet du premier ministre et n'est arrêté que par des nouvelles rassurantes envoyées par Giulio. Son Éminence à peine rétablie remonte doucement vers Paris. Tarascon, où elle séjourne plus d'un mois, n'est pas loin de Carpentras. Bichi vient y trouver le tout puissant cardinal, qu'accompagne toujours Mazarin; il demeure avec eux et les suit jusqu'à Lyon, où s'instruit le procès de la conjuration de Cinq-Mars, et d'où il écrit, le 12 septembre : « Je m'arreste icy avec Monseigneur le cardinal Mazarin jusqu'à ce qu'il en parte. »

L'année s'achève par la mort de Richelieu. De Carpentras, Alessandro Bichi, ami éprouvé, admirateur convaincu, homme de bon conseil, à la fois hardi et sage, va guider et soutenir l'action de celui que cette disparition contraint à faire un choix dont dépend non seulement le reste de sa vie mais l'avenir même de la France et de la Chrétienté.

« Je prétends vivre et mourir à Rome... » avait écrit, de France, Mazarin à son ami, en juillet 1640. Dans quelle mesure était-il sincère? Le fait est que près de deux ans plus tard, au chevet de Richelieu, il croyait encore devoir partir en Italie. Lorsqu'il revit Bichi pendant l'été de 1642, à Tarascon et à Lyon, il lui confia qu'il ne désirait pas rester au service de Louis XIII, en France, « s'il arrivait malaventure inopinée » au cardinal-ministre. La « malaventure » prévisible depuis des mois était survenue. Qu'allait-il faire?

A ses correspondants d'Italie, il assurait qu'il n'avait qu'un désir : servir Louis XIII à Rome. Le roi l'avait fait entrer dans le Conseil et voulait l'employer près de lui, mais, écrivait-il, « j'ai lieu de croire que mon insuffisance aura bientôt déterminé Sa Majesté à m'accorder la faveur qu'elle me refuse à présent ». Il savait combien était lourde la succession de Richelieu et il hésitait à l'assumer. D'autre part, Rome était pour lui la patrie : devrait-il à jamais renoncer à l'idée de revoir ses parents et la ville de son enfance, abandonner le service du Saint-Siège, fuir la douce vie qu'il avait menée au palais des Quatre-Fontaines près du cher cardinal Antoine?

C'est alors que Bichi intervint. C'était aussi un ambitieux, un homme qui savait jouir des charmes de l'existence (4). Ce n'est pourtant ni l'appât de la gloire, ni celui d'une vie fastueuse qui lui servirent à convaincre son ami d'accepter sans idée de retour le fardeau du pouvoir. Connaissant le fond de son âme, il s'adressa directement à sa conscience. Dans une lettre qu'il faudrait citer en entier, il s'efforça de le persuader que son devoir d'enfant de Rome, d'ancien diplomate pontifical et de chrétien était de se consacrer désormais au gouvernement du royaume des lys : « L'état des choses en France et dans la Chrétienté, tout oblige le roi à substituer à notre protecteur de bonne mémoire une personne capable, ayant une bonne pratique des affaires courantes et qui ait bonne connaissance des maximes du défunt. Quant à moi, je crois que Sa Majesté va jeter les yeux sur vous, et sachant que l'intention du Cardinal-Duc était que vous lui succédiez, je m'assure qu'il n'aura pas manqué de faire cette recommandation au roi avant de mourir... J'ose vous prier de considérer quel service à Dieu, à la France et à la sainte Église peut apporter le fait que les affaires de la Chrétienté soient entre vos mains... Je voudrais me trouver avec vous pour vous en parler plus longuement. Dieu nous console avec sa sainte grâce et vous donne toutes sortes de prospérités ! »

Dès qu'il sut le choix du roi, il revint à la charge : « Puisque Sa Majesté a déclaré vous vouloir près d'elle, je vous prie de nouveau de n'y pas porter obstacle. » Il donnait à Mazarin de nouvelles raisons pour accepter : lui seul pouvait efficacement protéger les « parents et créatures » de Richelieu, qu'ils avaient tous deux chèrement aimé. Il possédait la grâce du roi, la bienveillance de Monsieur, la familiarité des ministres, l'amitié du duc d'Enghien. Les opposants étaient « morts, en exil ou en prison ». Mais « surtout, poursuivait Bichi, je me fie en la cervelle de Votre Éminence, qui, une fois bien établie, saura tout surmonter comme a fait le Cardinal-Duc ».

Il en fut comme il l'avait souhaité et prévu. En apprenant la disgrâce de Sublet de Noyers, l'un des compétiteurs possibles de Mazarin, il reconnut en cet événement « un indice très certain de la protection en laquelle Dieu tient les affaires du roi », et lorsque la mort de Louis XIII, en mai 1643, vint tout remettre en question, l'infatigable et optimiste Bichi s'empressa d'exhorter son ami à faire de nouveau face avec confiance : « Continuez à vous gouverner avec courage et intrépidité. Ayez un peu de patience et bon espoir... Vous êtes aujourd'hui très nécessaire. La Reine n'a que des raisons de vous aimer et tout le royaume dit que si vous laissez les affaires, la France perdra les grands avantages qu'elle a acquis jusqu'à présent. »

Bientôt tout à fait rassuré par l'éloignement de la Cour de l'évêque de Beauvais, hostile à Mazarin, Bichi put « remercier le Seigneur Dieu de tout cœur » de « la place très privilégiée d'affection et de confiance » que son ami avait acquise auprès d'Anne d'Autriche. Il était prêt désormais à se vouer entièrement au service du nouveau maître de la France : dès le début de 1643, il était accouru à Paris se mettre à sa disposition... et recueillir du roi dans la succession de Richelieu une nouvelle abbaye, celle de Saint-Pierre de Chalon.

Le rôle que Mazarin avait pu rêver un moment de jouer à Rome, il le réserva à son ami Bichi. Il était en effet fort inquiet de la situation grave où la guerre de Castro mettait le Saint-Siège, ruinant ses finances, saccageant son territoire. La France tenait le duc de Parme pour un allié : Bichi fut donc chargé de se rendre auprès de lui et de l'inciter à un accord. Pendant plusieurs mois (août 1643-avril 1644), sans cesse en déplacement entre Parme, Rome et Bologne où il avait établi son quartier général, muni de pleins pouvoirs royaux « pour travailler en qualité de médiateur au rétablissement de la paix entre le pape et les princes d'Italie », il mena une négociation délicate. Les échecs de l'armée du Saint-Siège (le cardinal Antoine mis en déroute n'avait dû son salut qu'à la fuite) n'étaient pas faits pour l'aider à vaincre l'intransigeance du duc de Parme soutenu par les Vénitiens. Il parvint à conclure un accord moins désastreux que n'avait pu le craindre Urbain VIII, mais le vieux pape dut rendre Castro et, comme l'avait prévu Mazarin, n'eut pas « la force de survivre à un tel événement ».

Au conclave qui s'ouvrit au début d'août 1644, Bichi dirigea le parti français et soutint le cardinal Sacchetti, de préférence à Bentivoglio, âgé et malade (il devait mourir au début de septembre). Les Barberins et les cardinaux qui leur étaient fidèles appuyèrent ce choix, qui était celui de Mazarin, reconnaissant à Sacchetti d'avoir jadis favorisé sa carrière. Mais « la faction espagnole » empêcha l'élection du candidat de la France. A défaut de Sacchetti, les Barberins ne voulaient entendre parler que d'un sujet ayant reçu le chapeau de leur oncle, ce qui excluait tous les cardinaux dits du « vieux collège »; parmi ceux-ci Cennino, pour lequel Bichi n'avait pas caché naguère ses préférences, manqua la tiare de quelques voix. Celles dont il pouvait disposer, Antoine, qui n'avait pas entièrement pardonné à Bichi leurs contestations d'autrefois, préféra les donner, contre des promesses illusoires, au cardinal Pamphili, pro-espagnol notoire et ennemi personnel de Mazarin. Lors du scrutin final, le 15 septembre, Bichi fut presque le seul à refuser son suffrage à celui dont Giulio craignait par-dessus tout l'exaltation : il avait déclaré avec intrépidité qu'il ferait jusqu'au bout son devoir de protégé du roi et d'ami fidèle, même s'il devait, ajoutait-il avec quelque emphase, « en perdre la vie ».

Mazarin lui sut gré de sa fermeté et, sans le retenir à la cour de France, lui donna par la suite d'autres occasions de s'employer au service du roi. En 1649 l'évêque de Carpentras fut envoyé à Aix-en-Provence, où il négocia au nom de la Cour avec les parlementaires frondeurs un accord de treize articles, dit « Paix Bichi ». Enfin, à la mort d'Innocent X en 1655, il revint à Rome diriger le parti français au conclave qui élut Alexandre VII. Celui-ci (ancien cardinal Fabio Chigi) avait représenté le Saint-Siège au congrès de Westphalie et se montrait aussi préoccupé que Mazarin du rétablissement de la paix entre les couronnes de France et d'Espagne. Resté près de lui, Alessandro Bichi lui transmettait les nouvelles encourageantes que dans ses lettres, longues et confiantes, le ministre de Louis XIV lui adressait régulièrement. C'est au cours de cette dernière mission à Rome que la mort, sans le surprendre, s'empara de lui le 25 mai 1657. Depuis deux ans, sa santé laissait beaucoup à désirer et, torturé par la goutte, la vie lui était devenue « une mort quotidienne ». Il n'en avait pourtant rien laissé paraître, ni diminué pour autant son activité. Son agonie fut longue et douloureuse : il l'accepta « très résigné en Dieu » et, gardant sa lucidité jusqu'au dernier souffle, « fit ce pas terrible en bon ecclésiastique ». Dans son testament, il priait Mazarin d'accepter en souvenir de lui un tableau de Pierre de Cortone.

Le nonce en France était alors Nicolas Bagni, frère cadet de leur ami commun, disparu depuis plus de quinze ans (5). Mazarin, absent de Paris, demanda à Colbert d'aller le voir « pour lui témoigner la part que je prends à sa douleur pour la mort de M. le cardinal Bichi. Mais, ajoutait-il, je ne puis pas entreprendre de le consoler, puisque je ne le puis être, ayant perdu un des meilleurs amis que j'eusse et Sa Majesté un serviteur si utile et si zélé pour le bien de l'État ».

Sans doute, dans les dernières années de la vie de Bichi, cette qualité de serviteur du roi avait-elle pris le pas sur celle d'ami intime de Son Éminence. On aurait tort de croire Retz, dont les *Mémoires* sont un tissu de contre-vérités, lorsqu'il écrit que « Bichi n'était pas selon le cœur de Mazarin qui le croyait trop fin et très mal disposé pour lui » (Il est piquant de constater que tous deux détestaient le « cardinal émeutier » dont Bichi surveillait à Rome, pour le compte de Mazarin, l'activité brouillonne et anti-française). On peut toutefois s'étonner que Giulio n'ait pas voulu garder auprès de lui et associer au gouvernement de la France son mentor et son confident d'autrefois. La dignité, l'expérience et l'âge de Bichi en faisaient son égal, sinon même son supérieur; il n'avait plus besoin de protecteur et peut-être craignait-il un éventuel compétiteur. Il préférait s'entourer d'êtres plus jeunes, plus malléables, pour qui il était le seul « patron ». Et d'ailleurs, Premier ministre du roi de France, il ne convenait pas qu'il employât trop d'Italiens. Le service de l'État, auquel Bichi l'avait si fermement poussé, peut avoir des raisons qui ignorent celles du cœur.

L'abondante correspondance romaine de Mazarin n'émane pas que de parents ou de protecteurs, mais aussi d'anciennes connaissances, d'amis fidèles, de serviteurs dévoués : c'étaient par exemple, dans l'entourage du cardinal Antoine, outre le cher Vincenzo Martinozzi, le poète Ottaviano Castelli, et l'obligeant Gaspare Mugnesi. Les réactions de Barberin lui étaient connues non seulement par Bichi (lui-même renseigné par son frère) mais encore par Antonio Ferragalli, un souple diplomate qui jouissait de la confiance du cardinal-neveu bien qu'il échouât régulièrement dans ses missions. Mazarin qui avait correspondu régulièrement avec lui se dégoûta assez vite de ce prélat intrigant qui, écrivait-il, tenait « plus de la demoiselle que de l'ecclésiastique (6) ».

La plupart de ces lettres reçues de la Ville Éternelle sont conservées avec les papiers de Mazarin aux archives des Affaires étrangères. Les plus anciennes datent des premières missions diplomatiques de Giulio en 1629-1630. Ce n'est que dix ans plus tard, après son départ définitif de Rome, à la fin de 1639, qu'apparaît dans ces recueils l'écriture de celui qui devait devenir son correspondant romain le plus régulier, Elpidio Benedetti.

L'abbé Benedetti est connu de tous ceux qui se sont occupés de Mazarin car il est l'auteur d'une biographie italienne du cardinal. Comme il est le seul contemporain à avoir parlé de la jeunesse de Giulio (à part un « ami d'enfance » dont le témoignage est sujet à caution) son œuvre a été très utilisée. De fait, cet écrit de circonstance, destiné à réfuter les allégations, aussi absurdes que grossières, des mazarinades sur les origines et les premières années du cardinal, est d'une scrupuleuse honnêteté et concorde la plupart du temps avec les quelques documents authentiques qui ont pu être retrouvés. Il serait cependant absurde de lui attribuer une portée exagérée, comme l'a fait l'historien italien Silvagni, qui comptait un Benedetti parmi ses aïeux. Que les parents d'Elpidio aient été clients des Colonna, « à cause de leurs possessions de Genazzano », et que, sous l'égide de la puissante famille romaine, Benedetti ait été lié dès l'enfance avec Giulio, ceci est une pure supposition de Silvagni. En réalité il semble bien n'avoir été qu'un témoin relativement tardif. En 1657 il faisait valoir « vingt et un ans de fidèle service », ce qui signifie probablement que Mazarin le prit comme secrétaire à son retour d'Avignon en novembre 1636. Jusque-là, le jeune prélat n'avait appointé à Rome aucun représentant, sinon quelques informateurs — le plus prolixe d'entre eux s'appelait Andrea Tresoli — dont les feuilles d'avis se retrouvent dans ses papiers.

Benedetti lui servit surtout à mettre de l'ordre dans ses affaires d'argent, à vrai dire fort embrouillées. A son départ de Rome en 1639, il lui confia certains biens et en particulier des joyaux. Ceux-ci servaient alors de gages aisément négociables : il est toutefois assez étonnant de constater que Mazarin en a possédé dès le début de sa carrière politique. N'avait-il pas vendu, en août 1634, au cardinal Antoine, pour 6 000 écus (une somme alors considérable) « une croix avec vingt-sept diamants de poids divers »! Tenait-il ce joyau des largesses de la cour de Savoie (où il obtiendra, quelques mois plus tard, « la restitution d'une bonne somme d'argent »), ou devons-nous accepter l'histoire bien invraisemblable (mais le vrai peut l'être) racontée par « l'ami d'enfance » : le jeune capitaine diplomate aurait découvert sur son chemin un chapelet de diamants qui aurait été le premier fondement de sa fortune!

Quoi qu'il en soit, il avait emporté en France plusieurs dizaines de milliers d'écus en bijoux et lorsqu'il voulut en 1640 acheter le palais Bentivoglio à Rome, il en restait encore pour environ 8 000 écus entre les mains de Benedetti, qui dut les engager aux Borghese; dès la fin de l'année, il put les récupérer et les envoyer à Paris, en même temps que d'autres trésors (montres émaillées, linge précieux) conservés dans un cabinet d'écaille. Privé de gages pour soutenir le crédit de son maître, Benedetti dut désormais attendre l'arrivée incertaine des secours dus aux libéralités de Richelieu. Heureusement, les créanciers de Mazarin ne se montraient pas trop exigeants, étant pour la plupart des amis, comme Martinozzi, Bichi ou le cardinal Antoine, qui misaient sur l'avenir du jeune diplomate.

Giulio, à vrai dire, ne regardait pas à la dépense. Benedetti devait trouver et répandre beaucoup d'argent pour subvenir aux frais d'entretien de la famille Mazarini, loger chez lui les Français que lui adressait son maître et surtout satisfaire ses demandes répétées d'objets d'art. Sa principale occupation consistait à rabattre les chefs-d'œuvre et à engager les artistes en renom à venir en France. A ce sujet sa correspondance est fort instructive, qu'elle raconte ses trouvailles personnelles ou fasse le récit détaillé du séjour de M. de Chantelou, envoyé par Richelieu en 1640 à Rome pour en ramener peintres et sculpteurs. Elpidio fit connaître au messager du cardinal les peintres Sacchi, Poussin, l'Algarde et le fameux sculpteur Bernin : il le mena chez Leonora Baroni, qui, par grande faveur et contre la promesse de « galanteries » qu'enverrait Mazarin (un chapeau de paille tressée... d'Angleterre, etc.) accepta de chanter en leur présence, ce qu'elle fit « divinement ». Dans l'escorte qui accompagnait Chantelou à son retour, il y avait, outre les artistes demandés par le Premier ministre français, « un jeune et bon compositeur de musique » destiné au service du mélomane Giulio Mazarini.

Quelques mois plus tard, c'étaient vingt-trois grandes caisses d'œuvres d'art diverses qui prenaient à Civitavecchia le chemin de Marseille et de la cour de France. Benedetti les avaient remplies de statues destinées, semble-t-il, à orner le château de Richelieu. Pour les réunir, il ne s'était pas montré trop scrupuleux : avec l'aide d'un certain Antonio della Cornia, il avait acheté tout un lot de bustes antiques ou soidisant tels (une cinquantaine !) en plus ou moins bon état, puis il les avait fait restaurer et compléter pour en faire des statues entières. Telle tête isolée devait selon lui convenir fort bien à confectionner un Apollon ! Comme certains collectionneurs, il prisait d'autant plus ses trouvailles qu'il les avait payées moins cher : et pour n'avoir coûté que 70 écus, certain Adonis de marbre lui paraissait *molto bello* !

L'envoi comportait aussi de grands paysages. Toujours par économie, Elpidio les avait commandés à de jeunes peintres inconnus, plus habiles, selon lui, que Claude Lorrain. Ce dernier « n'a pas honte », écrivait-il, « de réclamer pour l'une de ses plus grandes toiles 300 écus et huit mois de délai ! Son impertinente prétention m'a persuadé que votre curiosité se dispensera du désir d'avoir aucun de ses tableaux, qui enfin ne sont pas des miracles... ».

Un tel jugement donne une piètre idée du goût du brave secrétaire, forcé de regarder d'abord au prix et médiocre connaisseur. Tant qu'il ne s'agissait que de remplir les galeries de Richelieu (ce château aux confins du Poitou et de la Touraine que faisait à grands frais construire le premier ministre et qu'il n'eut jamais l'occasion ni la curiosité d'aller voir), Mazarin ne se montrait pas trop difficile. Benedetti, d'ailleurs, mettait soigneusement de côté les meilleures pièces pour son maître, qu'à l'annonce d'une nouvelle visite de Chantelou, en novembre 1642, il rassurait en ces termes : « Je cacherai les statues de Votre Éminence, en particulier les faunes, en un lieu où il ne pourra les voir. »

En fait, Mazarin avait d'autres conseillers artistiques. Son goût avait été formé non seulement par le cardinal Antoine mais aussi par le grand amateur romain Pompeo Frangipani, dont il pleura sincèrement la mort, en 1638. Lorsqu'il voulait faire par lui-même d'importants achats, c'est à Paolo Macarani plutôt qu'à Benedetti qu'il s'adressait. A ce personnage demeuré assez mystérieux, il confia les démarches de l'acquisition du palais Bentivoglio et de certaines pièces des collections du prince Ludovisi (en 1641), de tout un atelier de statues (en 1659). Macarani était probablement un parent éloigné du côté Mazarini (il aurait voulu, à la mort du vieux Pietro, que celui-ci fût traité, lors de ses obsèques, comme un duc). Il était riche et fut l'un des premiers créanciers de Giulio. Celui-ci, devenu tout-puissant en France, le chargea de la plupart de ses opérations financières à Rome, ce qui n'alla pas sans certaines jalousies, en particulier de la part de Lorenzo Mancini. Macarani désormais fit parvenir à Benedetti l'argent dont il avait besoin pour exécuter les ordres de Son Éminence; il pourvut aux embellissements du palais Mazarin, à l'édification des chapelles funéraires de l'église de l'Aracoeli et à la reconstruction de Saint-Vincent et Anastase, dans le quartier de Trevi, où Giulio avait été baptisé... Sa correspondance, toute d'affaires, avec le cardinal se poursuivit jusqu'à la mort de celui-ci. Il est de ces quelques amis romains à qui, trois jours avant la fin, Mazarin adressa un dernier adieu. Il faisait de lui son exécuteur testamentaire à Rome et, lui rappelant leur passion commune des bâtiments, envisageait sa mort prochaine avec sérénité et une gentillesse de vieux camarade : « *Signore Paolo mio*, nous parlons sans cesse de constructions, et peut-être vaudrait-il mieux penser à nous construire une demeure sûre et perpétuelle en Paradis... Je me prépare à ce voyage et dispose de mes affaires comme si je devais quitter ce monde demain. »

Elpidio Benedetti eut droit lui aussi à l'une des ultimes lettres de Mazarin. Il continuait à s'occuper de sa famille romaine (c'est lui qui en 1647 accompagna à Paris ses neveux « comme s'il était un père »), et à provoquer vers la France l'afflux des artistes (il eut sa part dans le voyage à la cour de Leonora Baroni). Sa fortune fut lente et discrète. Il vivait modestement à Rome auprès de sa mère et, en prenant avec l'habit ecclésiastique le titre d'abbé, il n'avait recueilli qu'un bénéfice « misérable ». Enfin Mazarin, sur la recommandation de sa sœur Anna Maria qui plaidait pour le pauvre « abbé seulement de nom », lui accorda en 1657 l'abbaye d'Aumale dont les 1 000 écus de revenu annuel vinrent désormais s'ajouter à la rente de 3 000 livres servie par Son Éminence (7). Attaché par la suite à l'ambassade de France, Elpidio aurait pu, selon Silvagni, se faire bâtir une « admirable villa » aux environs de Rome.

Il avait pourtant espéré autre chose : que le premier ministre d'Anne d'Autriche l'appelât près de lui, le faisant naturaliser Français, « afin, lui écrivait-il en 1643, de pouvoir jouir des grâces qu'il appartiendra à Votre Éminence de départir à ses serviteurs ». Mazarin fit la sourde oreille : il avait trop besoin de Benedetti à Rome, et d'autre part il ne croyait pas l'humble secrétaire capable de l'aider dans sa difficile partie de maître de la France.

Il n'en fut pas de même pour un autre ami romain de Mazarin, Zongo Ondedei, apparenté aux Martinozzi (8). Dès le pontificat de Grégoire XV (1621-1623), il avait été envoyé à Lisbonne comme auditeur de la légation apostolique. Mais ses vrais débuts dans la diplomatie européenne datent de 1636. C'est alors qu'il accompagna le cardinal Ginetti à Cologne, où devait se tenir le congrès de la paix (9). Giulio lui prodigua les meilleurs conseils, lui proposant son propre exemple pour parvenir à passer « de la table du légat à un office plus relevé »; il lui donna aussi sur les dispositions de Richelieu des avis qui eussent été précieux si le congrès avait pu alors se réunir. La mauvaise volonté des puissances en guerre l'en empêcha et Ondedei se retrouva à Rome modeste fonctionnaire *(collaterale)* de l'administration municipale.

C'est là que le joignit, en février 1640, l'invitation pressante de Mazarin à le retrouver à Paris. Giulio s'était adressé à Vincenzo Martinozzi, en le priant de convaincre Zongo : « Je lui offre dès maintenant 300 écus de pension sur mon abbaye, une place à ma table et tous les avantages que le temps me donnera commodité de lui obtenir de cette Cour, au service de laquelle il se consacrera, comme moi... Il me plairait d'avoir près de moi une personne de talent en laquelle je puisse me fier entièrement. Toutes ces qualités étant celles dudit seigneur (Zongo) et sachant l'affection qu'il me porte, je désire que vous parveniez à l'ébranler pour qu'il vienne me trouver. Je l'assure qu'il ne se repentira pas d'avoir changé de pays et qu'il vivra plus libre, moins occupé et plus content. »

Ondedei aurait volontiers accepté. Mais le cardinal Antoine s'opposa à son départ, prétendant qu'il entendait l'avoir à ses côtés dans une mission qu'il projetait en France et que Barberin fit échouer. Quelque temps s'écoula et des obligations familiales empêchèrent Zongo de songer à s'éloigner : « les extravagances » d'une de ses belles-sœurs avaient mis à sa charge quatre neveux, dont deux jeunes filles à établir ! Il accepta tout de même d'aller gouverner les « États de Castro » récemment conquis par les troupes pontificales. Il s'agissait en fait d'une modeste bourgade capitale d'un petit duché : Ondedei fit fortifier la place, la munit de vivres dans l'hypothèse d'un retour offensif du duc de Parme à qui elle avait été prise, et se comporta de manière à faire reconnaître aux habitants que le gouvernement de l'Église était « plus doux et agréable que celui des Farnese ». Ces fonctions ne l'occupèrent d'ailleurs pas longtemps : assez vite il dut reprendre son emploi au Capitole.

Par tous les moyens, Mazarin s'efforça de l'en tirer. En août 1643, il aurait voulu qu'il fît partie de la légation pontificale au congrès de Munster. Zongo remercia, en s'excusant : « M. le cardinal patron (Barberin?) me juge trop nécessaire au Capitole pour m'en éloigner et je suis las d'en partir si souvent pour y revenir toujours. »

Il put enfin céder à l'obstination du cardinal (avait-il dans l'intervalle casé ses nièces?) et accepter son invitation. Il n'eut pas à s'en repentir. Admis dans l'intimité de Mazarin, il devait pendant la Fronde servir d'agent de liaison entre le Premier ministre exilé et la reine régente. Il recueillit bientôt les fruits de son dévouement et de son adresse : nommé en 1654 évêque de Fréjus, il ne cessa de jouir de la confiance et de la faveur du cardinal.

Son intelligence les méritait autant que sa fidélité. Excellent observateur de la Cour pontificale, il avait prévu de longue date les difficultés qu'offrirait la succession d'Urbain VIII et combien serait fatale aux intérêts français la discorde surgie entre Antoine Barberini et Alessandro Bichi. De même, il savait bien que Mazarin ne retournerait jamais dans son pays, quels que fussent les périls qui le menaçaient en France.

Et pourtant, ce Romain ne pouvait s'empêcher de plaider pour sa ville et de laisser déborder son cœur en essayant une dernière tentative, perdue d'avance : « Rome, écrivait-il à Mazarin en octobre 1643, est finalement l'endroit où Votre Éminence est née, où elle a ses amis et ses serviteurs les plus anciens... Si vous restiez ici, avec vos manières incomparables, la faveur et la confiance de la France, dépensant généreusement vos gros revenus, vous seriez l'arbitre du Sacré Collège, de la Cour pontificale et de toute l'Italie. »

Vains regrets, que Mazarin ne pouvait blâmer. S'il avait voulu appeler près de lui son émule, c'était non seulement pour ses brillantes qualités, mais sans doute aussi pour avoir à ses côtés, comme témoin de son labeur et de sa réussite, un fils de cette Rome qui l'avait nourri et formé. C'est à Zongo Ondedei qu'un jour de défaite, il confia ces paroles, d'une fierté vraiment romaine : « Je ferai connaître à ceux qui sont attachés à ma fortune que, dans l'adversité, je suis capable de prendre les résolutions qui peuvent donner de moi une bonne opinion... Assurez-vous que, quelque malheur qui m'arrive, l'Histoire ne parlera que bien de moi, si elle veut dire la vérité. »

CHAPITRE IV

RICHELIEU ET SES CRÉATURES

« J'avais vingt-deux ans, je revenais d'Espagne... Je n'avais absolument jamais fréquenté de Français, quand un serviteur du duc de Parme, qu'on nommait grand astrologue, me demanda pourquoi je m'efforçais tant à servir les Espagnols, alors que tous mes avantages et mes honneurs futurs je devais les recevoir de la France... »

Ces confidences, Mazarin les faisait, quinze ans après l'événement, à son ami français, Léon Bouthillier de Chavigny, pour l'édifier sur « ce que découvrent parfois ceux qui contemplent les étoiles ». « Je ne fis alors aucun cas de ce présage, prétendait-il. Mais j'avoue que la première fois que je vis l'Éminentissime Cardinal-Duc, à Lyon, je m'en souvins et je résolus de me sacrifier entièrement à lui. »

Il avait précédemment révélé : « Je me suis attaché au cardinal par instinct (*per genio*) avant même de connaître par expérience ses grandes qualités. »

Ainsi Mazarin reconnaissait l'importance capitale qu'avait eue dans sa vie sa première rencontre, le 29 janvier 1630, avec le génial ministre de Louis XIII.

Il y avait alors plus de cinq ans que Richelieu dirigeait la politique française; partout il avait rétabli le prestige de son pays. Vainqueur des protestants de La Rochelle, impitoyable envers ses ennemis de la Cour, l'Éminence Rouge était aussi illustre que redoutée. Dur, hautain, discuté et en butte aux attaques du « parti dévot », déjà atteint par l'âge et la maladie, il ne pensait alors qu'à la campagne qu'il désirait conduire en Italie, au secours du duc de Mantoue et de Casal assiégée. Giulio Mazarini, un débutant de vingt-sept ans, parfaitement inconnu, venait lui proposer une trêve ! L'étonnant est qu'il l'ait reçu, qu'il l'ait gardé des heures, qu'il ait même fini par lui faire de légères concessions.

Avant l'entrevue, Giulio avait reçu les conseils du prince de Piémont : « J'ai beaucoup traité avec le cardinal, lui avait dit l'héritier de Savoie, c'est vraiment un grand esprit, mais en toutes choses, il veut que la décision paraisse dépendre de lui seul... » L'habileté de Mazarin fut de laisser cette illusion à son redoutable interlocuteur.

Victor Cousin a raconté l'entretien des deux hommes, en une vingtaine de pages éloquentes inspirées par les meilleures sources : les récits concordants que tous deux en ont donné, surtout les lettres de Mazarin au cardinal Barberin. Ce qui frappe le plus, c'est, malgré la souplesse de l'humble secrétaire de nonciature et son évident désir de plaire, la fermeté qu'il opposa aux refus arrogants du premier ministre français. Ce qu'il s'était fait dénier avec rebuffades, il finit, dans un second et même un troisième entretien, par le regagner en partie : on ne peut qu'admirer son tranquille et patient courage au profit de la cause, à ses yeux sacrée, de la paix en Italie.

L'impression qu'il rapporta de Richelieu fut très vive : à Barberin, il fit l'éloge de « sa parfaite bonne grâce, jointe à tant de prudence et à un génie si élevé ». De son côté, le cardinal avait aimé l'audace du jeune homme relevant les bravades de l'ambassadeur de Venise; il lui avait alors touché le pied pour l'exhorter à la patience, mais il avait aussi soufflé à l'oreille du maréchal de Schomberg : « Il a raison. » Il l'embrassa cordialement lorsqu'ils se séparèrent.

Richelieu avait fini par admettre le principe de négociations directes entre les chefs militaires ennemis et, pendant de longs mois, Mazarin dut s'efforcer de convaincre les généraux espagnols et impériaux, le duc de Savoie, le duc de Mantoue... En fait le cardinal désirait la guerre, ne fût-ce que pour éloigner de la Cour Louis XIII, que sa mère excitait dangereusement contre le premier ministre. Des entretiens, assez vains, qu'il eut les mois suivants (à Casaletto, à Pignerol, à Grenoble, à Chambéry) avec le secrétaire du Saint-Siège, il n'attendait pas grand résultat : « Le sieur Mazariny a beaucoup de bons désirs mais si peu de pouvoir que je ne crois pas que sa négociation puisse produire le fruit qui en pourrait être attendu » (29 mai).

Il était loin de partager la passion qui animait le disert secrétaire pontifical. Le mot de *paix* était celui que la cabale de Marie de Médicis opposait à sa politique belliqueuse. Aussi fut-il particulièrement irrité en apprenant qu'à Lyon, où se trouvait la Cour, « tout le monde demandait avec une curiosité extraordinaire quand Mazarini devait revenir » (24 juin). Après une nouvelle rencontre le 3 juillet, à Saint-Jean-de-Maurienne, il se plaignait amèrement de l'envoyé du Saint-Siège : « Je crois qu'il est du tout (entièrement) affectionné aux ennemis et qu'il est plutôt venu ici pour voir l'état des affaires que pour autre chose... Il est si espagnol et si savoyard que ce qu'il dit ne doit pas passer pour évangile » (6 et 8 juillet).

Le 2 août, les deux hommes eurent une dernière entrevue qui fut encore plus orageuse que la précédente. Le cardinal avait fait à l'avance la leçon à Louis XIII, très bien disposé envers l'apprenti-diplomate : « Il plaira au roi ne témoigner trop de joie de ce que Mazarin revient. » Pour lui, il n'en montra aucune, mais une vive colère de ces inutiles tractations, qui n'avaient pu empêcher la prise et le saccage de Mantoue par les Espagnols. A en croire certaine relation, leur dialogue aurait été presque dramatique : le jeune homme ayant répondu fièrement à ses menaces, Richelieu aurait, de fureur, renversé son siège et piétiné sa calotte rouge. Mais Mazarin, « ferme et résolu », gardant toute sa dignité, le puissant ministre se serait calmé, l'aurait prié de l'excuser et de reprendre ses négociations pour retarder au moins la prise de la dernière forteresse du duc de Mantoue, Casal, vaillamment défendue contre l'armée espagnole par une poignée de Français sous la direction du maréchal de Toiras.

Ce qui est certain, c'est qu'à partir de cette date, le ton de Richelieu à l'égard de Mazarin commence à changer. Il lui écrit bientôt une première lettre, louangeuse et confiante, et loyalement enjoint à ses collaborateurs de se débarrasser de leurs préjugés hostiles à l'envoyé du Saint-Siège. Il croit à son influence sur le duc de Savoie, lequel, par son attitude, peut faire pencher la balance entre Français et Espagnols. Pour lui, il est décidé à forcer la victoire par les armes; passant les Alpes, il prend par surprise Pignerol et envoie au secours de Casal l'armée du maréchal de Schomberg. Celle-ci est inférieure en nombre aux forces de l'ennemi et l'issue du combat est pour le moins douteuse. Ce n'est pas d'avoir rendu la paix à l'Italie mais d'avoir sans doute évité à la France un désastre militaire que Richelieu sera reconnaissant à Mazarin.

Le haut fait de Casal est connu. Le 26 octobre 1630, ayant pu arracher aux Espagnols la promesse d'abandonner le siège de la place forte, Mazarin se jeta au galop au-devant des premiers rangs de l'armée française qui attaquait, criant : *la paix, la paix* ! Certains détails ont pourtant échappé à Victor Cousin, qui ignorait la seule relation que Mazarin ait jamais donnée de son rôle personnel ce jour-là (dans une lettre de 1638). N'en retenons qu'un trait significatif. Expliquant comment il avait réuni les chefs ennemis pour les mettre d'accord sur la condition de la trêve, il écrit : « Je parlai en public environ un quart d'heure, tous consentirent à ce que je dis et commencèrent à s'embrasser, si bien que l'on ne distinguait plus Français ni Espagnols, mais tous paraissaient frères selon la chair, à la stupéfaction des armées qui avaient cru devoir faire d'autres combats que d'embrassements et de courtoisies. »

Mazarin restera ce cavalier italien qui s'est jeté avec intrépidité entre les soldats de France et d'Espagne, les suppliant d'être enfin « frères selon la chair » et d'établir entre eux cette paix qu'il ne verra conclue qu'à la veille de sa mort.

La trêve de Casal n'était qu'un armistice. Pour discuter les conditions de la paix en Italie, Mazarin sollicita et obtint du Saint-Siège d'être envoyé en mission à Paris. Nous savons peu de chose sur son séjour dans la capitale française, sinon qu'il dura près d'un mois (18 janvier-16 février 1631), et que Mazarin put s'y concerter avec le négociateur français, Abel Servien, sur les termes de l'accord entre la France, l'Espagne et la Savoie. Servien devait prendre une telle confiance dans son collègue romain qu'au lendemain de la conclusion du traité (Cherasco, 19 juin 1631), il le chargea d'aller en discuter les clauses à Milan et à Pavie avec le duc de Feria, gouverneur du Milanais.

C'est alors que Richelieu, séduit par l'« adresse et affection à la négociation de la paix » déployées par Mazarin, adressa à l'ambassadeur français à Rome l'ordre de le porter à la nonciature à Paris, lorsqu'elle viendrait à vaquer : « Je ne connais pas, écrivait-il, un sujet dont le Saint-Siège puisse tirer plus de service que lui. » D'autre part, il ordonnait à Servien : « Assurez M. Mazarin que tout ce qu'on lui a dit de moi est faux et que je l'aime et l'estime autant qu'il saurait désirer. » Si la nouvelle mission de Giulio à Paris (2 avril-9 mai 1632) fut un échec politique (1), elle lui permit de renforcer ses liens avec la cour de France; en échange de l'amitié du cardinal, il lui avait « dédié sa volonté ».

De retour à Rome, quelque peu inquiet du silence que garde envers lui l'Éminence, il se rappelle au bon souvenir de ses amis parisiens par des cadeaux : eaux de senteur, gants parfumés au jasmin, (selon un procédé inventé par ses amis, les frères Frangipani, d'où leur nom de « gants à la frangipane ») « pâtes pour les mains » et autre « bagatelles » qui font la joie des ministres et des dames. A Richelieu sont réservées les œuvres de prix, statues antiques, peintures de la Renaissance, « vase doré tout entaillé de corail ». Il a bon goût et ses présents font plaisir.

A défaut du cardinal, Abel Servien est alors son confident. Giulio sait que son correspondant rapportera ses nouvelles à l'Éminence. Il attend de lui qu'il s'entremette pour lui faire verser les pensions promises à Paris. Il sollicite aussi d'utiles renseignements et les derniers potins de la Cour : par exemple, « en quel état sont les affaires » du maréchal de Toiras, tombé dans la disgrâce de Richelieu? Toiras, qu'il a eu l'occasion de connaître et d'estimer, lors de sa brillante défense de Casal, a agi avec lui avec autant de loyauté que d'amitié. Mazarin lui restera fidèle; il obtiendra pour lui la permission de servir le duc de Savoie et que l'Éminence Rouge lui écrive une lettre courtoise, ceci non sans peine et par une intervention délicate qui lui fait le plus grand honneur. Lorsque, peu après, il apprend la mort du vaillant soldat, il écrit à Barberin : « J'ai perdu un ami tel que je n'espère jamais en retrouver. Mais qui n'a perdu avec sa mort? Il aimait l'Italie et, dans l'estime qu'il faisait des gens de bien, il ne s'inquiétait pas de leur nationalité... » En signalant ces traits de caractère qui l'avaient séduit chez le héros mort, Mazarin, comme il arrive parfois, faisait en quelque sorte son propre portrait.

Surtout, il donne à Servien des nouvelles de la cour de Rome et des progrès de sa carrière. Il n'accepte aucun emploi sans le consulter. On lui propose la vice-légation d'Avignon : cette nomination sera-t-elle bien vue à Paris? Sa Sainteté veut l'envoyer en France pour négocier « une paix universelle » : « Vous pouvez bien croire, écrit-il à Servien, que je n'ai pas désiré m'occuper d'une négociation qui ne peut réussir... et que j'ai fait tout mon possible sous divers prétextes pour m'y soustraire » (8 juillet 1634).

En réalité, il brûle de partir, de laisser apparaître son « dévouement » et sa « partialité » pour la France, de retrouver la cour de Louis XIII et le fascinant « cardinal-duc ».

La mission de Mazarin était triple. Il devait s'efforcer de faire rendre par la France la Lorraine à son duc et accepter par Louis XIII le mariage lorrain contracté en secret par son frère, Gaston d'Orléans. Il devait enfin inciter Richelieu à la paix et l'empêcher d'entrer dans une « guerre ouverte » contre les Habsbourgs.

Ces trois objectifs étaient quasi impossibles à atteindre et Giulio ne pouvait escompter le moindre succès. Pourtant, au cours de sa longue route jusqu'à Avignon et Paris, à travers les principautés italiennes, son optimisme naturel prit peu à peu le dessus. A Florence, il avait rencontré, dans le palais du grand-duc, François de Lorraine, dont « l'état misérable, écrivait-il, porte à compassion ». Il espéra émouvoir par sa triste description « ceux dont il dépend de le libérer de tant de mélancolie ». Apprenant près de Modène la victoire remportée à Nordlingen par les troupes impériales sur l'armée de Bernard de Saxe-Weimar, il voyait en cette défaite française « le baume de Tobie qui peut servir à bien des choses » : « Je me persuade de devoir être écouté en France avec plus de courtoisie et d'attention à la suite de cet événement. » Il inclinerait sans doute Richelieu à la paix, qui ne manquerait pas de rendre la Lorraine à son souverain légitime. A Turin, le duc Victor-Amédée le confirma dans cette pensée : la paix générale était l'unique remède, qu'il convenait à tout prix d'obtenir. Lors de son bref passage en Avignon, le lieutenant du roi en Languedoc, marquis de Saint-Chamond, lui laissait entendre que la formation d'une ligue italienne faciliterait grandement une négociation universelle.

Dès sa première entrevue, seul à seul, avec Richelieu, Giulio perdit toutes ses illusions : « Je crois plus à la guerre générale qu'à la paix », confia-t-il aussitôt au cardinal Antoine. Il prédisait « des montagnes de difficultés » dans l'affaire lorraine et « de grands embarras à cause du maudit mariage de Monsieur ».

Il ne se découragea pas. Pendant plus d'une année que dura son séjour à Paris, il ne perdit aucune occasion d'approcher Richelieu pour tâcher de le convertir à la suspension d'armes. Le cardinal l'écoutait volontiers mais invoquait la nécessité pour la France de prévenir un assaut espagnol. A ses raisons, Mazarin répondait par de meilleures en faveur du repos de la Chrétienté : la guerre ne serait-elle pas personnellement défavorable au cardinal, en donnant de l'importance aux chefs militaires qui ne lui voulaient pas tous du bien, en irritant le roi en cas d'insuccès? N'avait-il pas « la nausée des affaires » et ne devait-il pas penser à se reposer des hostilités? Un jour de mars 1635, il s'était montré plus éloquent que jamais en discutant la question lorraine : « Son Éminence, raconte-t-il, répartit en se levant que je courtisais la paix comme si elle était la dame de mes pensées, et, me serrant la main, il conclut : Vous n'êtes pas encore parti de France. »

Malgré ces réconfortantes paroles, Richelieu déclarait officiellement aux Habsbourgs, le 26 mai 1635, une guerre que, depuis le traité de Cherasco, il entretenait sourdement contre eux, en favorisant leurs ennemis protestants de Hollande, d'Allemagne et de Suède. Cette rupture désespéra Mazarin jusqu'à le rendre malade. Mais bientôt il crut voir dans les premiers échecs français, le mécontentement qu'en eut le roi et l'impopularité que la guerre apportait au cardinal de nouvelles raisons de reprendre ses instances. « Paris, comme toute la France, observait-il curieusement à la fin d'octobre, est plein de partisans de l'Espagne plus que de Français : la croyance domine dans le peuple qu'un changement de gouvernement améliorera sa condition. » A son avis, Richelieu ne pouvait se libérer de cette haine qu'en signant la paix.

Il se multiplia, se substituant au nonce ordinaire, le sévère Bolognetti, qui refusait d'écrire à nouveau en Espagne, « comme si, dans des choses de tant d'importance, il était superflu de répéter cent fois la même chose ». Secondé par le père Joseph et Chavigny, il arracha au ministre la désignation des plénipotentiaires français au Congrès de la paix que préconisait le

Saint-Siège. Il venait à peine d'obtenir une nouvelle concession, celle du libre choix par l'empereur du lieu du Congrès, qu'une dépêche de Rome mettait fin à sa mission et lui ordonnait de réintégrer sa vice-légation d'Avignon (janvier 1636).

Mazarin imputa ce brusque rappel aux intrigues des Espagnols, inquiets de sa trop grande familiarité avec Richelieu. D'autre part, son activité avait inquiété les alliés hollandais de la France, et le cardinal souhaitait «dissiper leurs jalousies»: son rappel arrivait donc à propos.

Lorsqu'il quitta Paris, le 14 mars 1636, Monsignore Mazarini pouvait penser que sa mission avait complètement échoué. Il n'avait même pas pu éviter l'envoi à Rome, comme ambassadeur de France, du maréchal d'Estrées, ancien vainqueur des troupes pontificales en Valteline, et sa protestation lui aurait attiré de Richelieu de dures et sèches paroles (« dans les affaires de Rome on ne tiendrait jamais compte de son avis »). En réalité, il ne faut pas prendre au pied de la lettre toutes ses affirmations à son sévère *padrone*, le cardinal Barberin. Quand il assure que les sentiments de Richelieu à son égard sont profondément altérés, il ne cherche qu'à donner le change. La véritable raison de son rappel est son attachement, jugé excessif, aux intérêts français; il le sait, et s'efforce, un peu tard, de détromper ses maîtres romains de sa prétendue faveur à la cour de Louis XIII.

Elle est pourtant réelle. Lorsqu'il apprend l'imminence de son départ, Richelieu s'en plaint en termes significatifs : « Les instances de M. Mazarin et son adresse à servir Sa Sainteté *selon le goût de Sa Majesté* en cette affaire de la paix ont prévalu à des considérations très importantes... Si la chose eût été négociée par un autre, Sa Majesté eût usé de plus grande retenue... Bref, ce n'était pas peu d'avantage à Sa Sainteté d'avoir ici un ministre auquel le roi eût telle confiance. »

Quelle différence, en effet, entre les façons du nonce extraordinaire et celles du représentant permanent du pape, Mgr Bolognetti ! Lorsque ce dernier obtient audience, c'est pour se plaindre sur un ton rogue, reprocher au roi le soutien qu'il apporte aux protestants allemands, imputer au cardinal toutes les misères de la guerre en Europe. Mazarin est autrement compréhensif ! Jamais il ne contredit son interlocuteur, mais il sait le flatter, entrer dans ses raisons pour insinuer les siennes et ses conseils se fondent sur l'intérêt même de la France et du cardinal. Enfin, alors que Bolognetti vit « enfermé dans une chambre et de manière si misérable que c'est une compassion, ne recevant personne à sa table », Mazarin a su se faire admettre dans l'intimité des puissants de la Cour.

Nous savons qu'il avait préparé les voies de longue main. Dès son arrivée à Paris, en décembre 1634, il offrait à Richelieu, de la part du cardinal Antoine, des peintures du Titien, de Jules Romain, de Pierre de Cortone, du Dominiquin; il y joignait parfums et autres « galanteries » et n'oubliait pas dans sa munificence Mme de Combalet, la nièce très aimée de Son Éminence, ni ses principaux collaborateurs, Chavigny, Bullion, Servien... Si bien qu'il fut accueilli par Richelieu « avec beaucoup de courtoisie. Deux fois sur trois, écrivait-il, Son Éminence me fait rester à dîner. Il ne se fait pas de fête en sa maison qu'il ne m'y invite et il insiste pour que je l'accompagne à celles du roi. Il use avec moi dans le privé de beaucoup de familiarité et en public d'un respect particulier. Quand il veut se divertir à jouer pour passer le temps, il m'oblige toujours à lui tenir compagnie ». Car aux charmes de sa conversation, Mazarin joint divers talents de société : il ne rougit pas de son adresse aux cartes; s'il joue, c'est, assure-t-il, « plus par politique que par vice, un bon diplomate (*ministro*) devant se prévaloir des moyens qui peuvent lui faciliter l'accès auprès de ceux dont dépend la bonne issue de ses négociations ». D'autre part, sa passion pour la musique et le théâtre le fait rechercher comme un connaisseur : avant toute représentation, son avis est sollicité et il ne faut pas s'étonner de le voir dater une lettre « de la chambre de Son Éminence, au commencement du ballet »; d'Avignon, il continuera d'envoyer des conseils pour les spectacles de la cour de France et même se mêlera de composer des livrets de comédie musicale : « mais, ajoutera-t-il, quand je pense à celles de *L'Aveugle* (« Philarque, l'amant aveugle ») et de la *Pastourelle* (alors représentées à la Cour), les bras m'en tombent et le cœur me manque... »

Bientôt, on ne voit plus que lui auprès de Richelieu, qui l'affluble de sobriquets d'une affectueuse ironie : *Rinzama* (anagramme de Mazarin), *Nunzinicardo* (le cher petit nonce), et surtout *Colmardo*, avec son diminutif *Colmarduccio*, mot ignoré des dictionnaires mais que Richelieu a eu un jour l'obligeance de traduire pour la petite histoire : « frère Coupechou », l'humble moinillon chargé au couvent des tâches domestiques et des humbles besognes. Telles sont les complaisances de Mazarin !

Cette conduite de « l'illustrissime Colmardo » lui permet, lorsque surgit le moment favorable, de quitter son rôle d'amuseur en titre pour redevenir l'inlassable négociateur de la paix, « si bien versé, comme le reconnaît le cardinal, dans toutes les affaires de la Chrétienté ». Car, explique Mazarin, « il y a des heures où le cardinal de Richelieu supporte toute chose, d'autres où il s'offense de tout. Il faut négocier brièvement, car il se lasse vite. Parfois, on peut traiter avec lui vingt affaires en une heure, mais il arrive plus souvent que l'on n'en puisse traiter une seule en vingt jours; comme il convient s'accommoder à son humeur, c'est un grand avantage de le voir souvent et il est très nécessaire de se valoir à cet effet de toutes les occasions... »

Mazarin n'a garde de les laisser échapper. Sa correspondance nous le montre au courant de toutes les nouvelles, des rivalités des ministres comme des plans de la future campagne, et ne craignant pas de donner librement son avis, quitte à contredire l'influent surintendant des finances, Bullion. La partie est gagnée lorsqu'il peut écrire : « J'ai fait rire Son Éminence. » Si Richelieu, tout à ses projets guerriers, ne regrette pas le départ du représentant du Saint-Siège, il pleure la perte d'un ami et rêve de l'attacher désormais au service de la France. Mazarin l'a conquis, mais il lui reste à le conquérir à sa politique. Pourquoi cet enthousiaste de « la paix entre les couronnes » ne suivrait-il pas l'exemple du père Joseph, dont l'évolution pourrait lui servir de salutaire leçon?

Singulière figure que celle de « l'Éminence Grise » et toujours aussi énigmatique qu'elle le fut à ses contemporains ! Depuis la fin du siècle dernier, des érudits ont rassemblé sur le père Joseph une vaste documentation; ils ont écrit d'énormes volumes qui n'ont fait souvent que rendre son mystère plus profond. Ainsi, en attribuant au père Joseph le *Discours sur la légitimité d'une alliance avec les hérétiques et les infidèles* et *Le Catholique d'État*, le savant abbé Dedouvres ne semble pas s'être étonné qu'à la même époque où son héros rédigeait ces écrits ultra-nationalistes (1624-1625), il ait cherché à susciter contre l'Islam une croisade européenne, exaltée par lui dans le rocailleux poème de la *Turciade*. Un peu plus conscient, semble-t-il, du paradoxe, Gustave Fagniez crut-il l'avoir expliqué en louant l'Éminence Grise d'avoir « concilié en sa personne... le cosmopolitisme religieux et l'esprit national... l'ascétisme et les affaires »? Ce sont, écrivait-il, « des choses qu'on considère à tort comme incompatibles ». En réalité, il s'est bien gardé de nous montrer comment elles pouvaient être conciliées : il étudie les activités si diverses du capucin en autant de chapitres séparés que l'Éminence Grise présente de contradictions. Son rôle politique même est soigneusement fragmenté : le très long chapitre (122 pages) sur ses tractations avec l'empereur et les électeurs à Ratisbonne est indépendant de celui qui retrace les débuts de l'alliance suédoise. Et pourtant ces négociations ont été menées de front : au moment même où le père Joseph promettait l'appui de Louis XIII au duc de Bavière et à la Ligue catholique, il pressait Richelieu d'envoyer de l'argent au luthérien Gustave-Adolphe qui s'apprêtait à envahir l'Empire allemand (lettre du 15 septembre 1630) ! Il y a mieux : le *jour même* (13 octobre) où, dépassant d'ailleurs ses instructions, le capucin venait de signer avec l'empereur un traité par lequel les souverains Bourbon et Habsbourg réglaient leurs différends et promettaient d'abandonner leurs Alliés respectifs, il écrivait à son maître, le cardinal : « Pour ce qui est du Roy de Suède, j'estime qu'il ne le faut pas du tout rejeter... : il sera utile de conserver quelque intelligence avec luy pour... que par son moyen... le roy soit médiateur de la paix de l'Empire. »

Richelieu, plus honnête que son tortueux complice, qu'il appelait *Tenebroso-cavernoso*, préféra dénoncer un engagement incompatible avec l'alliance suédoise. Quant à celle-ci, le bon père capucin avait bien prévu que « les catholiques (allemands) en pâtiroient » et « qu'il serait après difficile d'y remédier »; mais il espérait que le simulacre de paix de Ratisbonne retiendrait Gustave-Adolphe « en quelque modération », car, expliquait-il cyniquement, « il faut se servir de ces choses (l'invasion suédoise en Allemagne) ainsi que des venins, dont le peu sert de contre-poison et le trop tue » (22 août 1630). Bien entendu, l'apprenti-sorcier ne put réfréner le « héros du Nord » et ses troupes fanatisées!

Pour expliquer un tel comportement, pouvons-nous accepter l'essai de justification de Fagniez et de Dedouvres? Le père Joseph qui n'avait pu aboutir, par suite de la mauvaise volonté de l'Espagne, à la formation d'une croisade contre les Turcs, se serait efforcé d'y contraindre les Habsbourgs en dirigeant contre eux une guerre acharnée. Ce « rêve obstiné » était une « illusion », reconnaît Fagniez. Le Saint-Siège, qui nourrissait, avec plus de sincérité et de continuité, de semblables projets d'expédition contre l'Islam, pensait que la seule manière de les réaliser était le rétablissement de « la paix entre les couronnes ».

En réalité, le père Joseph ne s'était-il pas pris plus ou moins consciemment au jeu nationaliste de Richelieu? « La politique annexioniste, reconnaît Fagniez, se trouva en conflit avec la politique d'équilibre et de suprématie morale », dont, assez gratuitement, il fait de l'Éminence Grise le représentant. Sa conclusion est, pour le moins, paradoxale : « grâce au père Joseph, ce fut la seconde qui l'emporta ». Mais l'opinion absolument inverse est aussi suspecte. L'histoire du père Joseph est-elle, comme le veut Aldous Huxley, celle d'un mystique progressivement perverti par la politique?

La thèse est séduisante, mais il est pour le moins excessif de rendre Richelieu et le père Joseph responsables de toutes les horreurs de la guerre de Trente Ans. Cette lutte religieuse, devenue une compétition pour la suprématie européenne entre Louis XIII et les souverains Habsbourgs, dut, pour une grande part, à l'intransigeance de ces derniers de se prolonger si cruellement. Leur puissance menaçait directement la France qui n'avait pas intérêt à la voir se développer en Allemagne, aux Pays-Bas, en Italie, partout où Impériaux et Espagnols poussaient leurs efforts de conquête et d'hégémonie. Mais qu'à une attitude d'abord de simple défensive, Richelieu, imitant ses adversaires, ait fait succéder des vues d'acquisitions territoriales, Fagniez ne peut s'empêcher de le reconnaître, tout en affirmant qu'une telle politique n'eut pas l'appui du père Joseph.

Comment départager panégyristes et détracteurs du capucin-homme d'État? Peut-être en l'interrogeant lui-même. Trop de biographies de l'Éminence Grise ont pris pour base soit des écrits quasi-hagiographiques (comme la *Vie* de Lepré-Balain) soit des pamphlets calomniateurs. Il est curieux qu'on n'ait jamais songé à réunir les lettres politiques du père Joseph et que Fagniez, qui les a connues et utilisées dans son récit des événements, ne les ait que très peu citées. Or ces missives, dont le ton passionné anime une langue pesante, sont pour nous le meilleur et probablement le seul moyen d'entrevoir quel était ce curieux personnage, cet homme de Dieu que son siècle traita de « démon », et qui apparut à Aldous Huxley « comme la plus attachante des énigmes ». Sa correspondance inédite avec Mazarin nous permettra peut-être de connaître un peu mieux sa pensée politique et d'apprécier quelle influence elle put avoir sur le jeune diplomate pontifical : elle recouvre les années 1636-1638, les dernières et les moins connues de la vie du père Joseph. Mais avant de l'analyser, il nous faut parler des relations antérieures des deux hommes.

C'est en avril 1630, à Pignerol, lors d'une entrevue entre le cardinal Antoine et Richelieu, que Mazarin avait rencontré pour la première fois l'Éminence Grise. Bientôt tous deux allaient avoir, au nom de leurs maîtres, l'occasion de s'entretenir de ces négociations de paix en Italie pour lesquelles Giulio, depuis plusieurs mois, s'efforçait d'obtenir une trêve des armées en présence. C'est lui qui aurait insinué à Richelieu que, pour obtenir l'assentiment impérial, il serait bon de profiter de la présence de l'empereur Ferdinand II à la diète de Ratisbonne et de lui envoyer le père Joseph comme messager de paix. Le fait est que le capucin fut envoyé à la diète et Mazarin, qui l'y avait souhaité, se prit bientôt à redouter qu'il ne lui enlevât la gloire de la suspension d'armes : l'« esprit dominateur » du capucin « qui le pousse toujours à agir comme s'il ne relevait que de lui-même » et son tempérament « quelque peu ambitieux » (*alquanto ambizioso*) ne l'inciteraient-ils pas à dépasser ses pouvoirs? Giulio prévoyait juste et, dès qu'il apprit la nouvelle du traité de Ratisbonne du 13 octobre, il s'empressa de l'utiliser, se doutant qu'il ne tarderait pas à être désavoué par Richelieu : sous les murs de Casal, il parvint à insinuer aux généraux ennemis le doute de l'utilité d'un combat, alors que les chefs d'État venaient de s'accorder. Dès le lendemain, 27 octobre, il apprenait le désaveu du traité, mais l'armistice en Italie, établi par ses soins, devait rester valable et se transformer bientôt en paix, d'ailleurs précaire : le jeune diplomate avait battu sur son propre terrain son aîné d'un quart de siècle! En effet, le père Joseph n'avait réussi à Ratisbonne qu'à diviser un peu plus profondément l'Allemagne, en faisant, selon l'expression prêtée à l'Empereur Ferdinand II, « entrer dans son étroit capuchon de moine les six bonnets des électeurs ».

Richelieu ne pouvait en vouloir à son ancien compagnon d'avoir semé dans l'Empire les germes de prochaines tempêtes. Le père Joseph, quelques jours en disgrâce, reprit bientôt son rôle dans l'ombre du cardinal. Une ombre dont Richelieu s'efforça de le faire sortir en demandant à Rome, dès 1632, le chapeau rouge pour *Tenebroso-cavernoso*. De retour à Rome, Giulio, pour plaire à ses protecteurs français, sonda les autorités pontificales : il ne dissimula pas aux représentants de Louis XIII que la requête du cardinal était quasi désespérée et que jamais Urbain VIII n'accepterait d'élever à la pourpre un personnage aussi discuté que le capucin-homme d'État.

Il n'ignorait pas cependant son influence sur le Premier ministre français : « C'est, écrivait-il à la fin de 1634, le plus grand favori qu'ait le cardinal de Richelieu », qui « lui laisse la disposition des affaires les plus importantes ».

Durant sa mission à Paris comme nonce extraordinaire, Mazarin eut plus d'une fois à faire à l'Éminence Grise. C'est à lui que Richelieu l'adressa pour discuter de la désignation de plénipotentiaires français à la conférence pour la paix que désirait réunir le Souverain Pontife. Le capucin l'accueillait aimablement, lui parlait « avec tant de résolution, d'ordre et de sûreté » qu'on eût dit qu'il avait longuement étudié son discours, promettait son concours le plus dévoué : « la paix sera conclue dans un an », se flattait-il, mais pour cela il faudrait sans doute « que les armes la facilitent »; à son avis, « la rupture » entre la France et l'Espagne était inévitable et sans doute y travaillait-il; mais si la guerre devait éclater, il ne fallait pas pour cela abandonner l'idée d'une négociation... Toujours ce double visage de *Tenebroso-cavernoso!* Dix jours avant la déclaration de guerre (19 mai 1635), qu'il avait soigneusement préparée, il écrivait au comte d'Avaux : « La vraie intention du roi est de faire le plus tôt qu'il se pourra une paix générale... » Toute la science de Gustave Fagniez n'est point parvenue à élucider de telles contradictions !

Mazarin lui-même en fut désorienté. Ses efforts de la fin de 1635 pour ramener la paix furent mal vus du capucin qui lui conseillait d'aller porter la bonne parole en Espagne. « C'est une belle chose, s'étonnait Giulio, dans une lettre à Barberin, que le père Joseph veuille que je parte d'ici pour ôter la jalousie aux Alliés du roi, et qu'il ne s'aperçoive pas qu'ils l'auraient bien plus grande si j'allais en Espagne !

Je me demande si c'est le zèle que le dit Père a pour la paix qui le pousse à avoir de telles pensées, ou quelqu'autre raison particulière. Je ne veux pas encore me résoudre à juger, bien que quelqu'un m'ait suggéré que la grande confiance qu'a en moi le cardinal de Richelieu ne plaise pas au dit Père... » (1er janvier 1636).

Sans doute Giulio exagérait-il ses difficultés avec l'Éminence Grise, qu'il savait mal vue du Saint-Siège. Elles ne l'empêchèrent pas d'entretenir avec lui, d'Avignon ou de Rome, une correspondance qui devint bientôt régulière. Le père Joseph avait pourtant attendu deux mois et d'avoir reçu trois lettres (aujourd'hui perdues) avant de répondre à ses premières avances et de lui promettre l'envoi d'un « discours pour le dessein de piété aux lieux esloignés » (toujours la guerre sur le papier contre les Turcs !) Il confirmait aussi une bonne nouvelle : « Le Roi et tous ses Alliés consentent de se trouver à Cologne » au congrès de la Paix. Bientôt les événements changèrent les dispositions des ministres de Louis XIII. La France envahie par les armées espagnoles, le père Joseph dut se multiplier pour relever le courage de Richelieu. Il attendit les premiers succès de la contre-offensive française pour reprendre sa correspondance avec Mazarin.

Il lui donnait ses instructions personnelles pour la cour de Rome, où il lui était bien dur d'être « tenu pour réprouvé ». Ses belles phrases ne marquaient pas une confiance excessive en son correspondant : « Je ne demande point d'autres grâces de vous que la continuation de votre amitié, vous suppliant de vous assurer de la mienne. Je me promets qu'en cela nous éviterons le blâme que l'on donne ordinairement aux Italiens, par une erreur populaire, de n'être pas amis constants par trop de prudence et d'adresse pour s'accommoder aux occasions, et aux Français par trop de faiblesse et d'inconstance pour n'attendre pas les occasions et se lasser avec le temps. »

Mazarin eut à cœur de dissiper ses doutes dans une lettre de plus de trente pages dont la copie nous a été heureusement conservée (Rome, 8 décembre 1636). Il le suppliait de croire qu'il ne serait jamais comme le père Joseph prétend que le sont certains Italiens, « instables par trop de finesse », et lui jurait « une vraie et parfaite amitié ». Il ferait tout à Rome pour l'obliger.

Et d'abord, il n'oublierait rien pour lui faire avoir le chapeau, puisque tel était le vœu secret de son correspondant. Déjà, prétendait-il, il était parvenu à faire croire au pape et à Barberin que le père ne désirait pas lui-même cet honneur et même qu'il ne connaissait pas les démarches officielles françaises à ce sujet ! Mais il se heurtait à une difficulté quasi insurmontable : Urbain VIII se refusait obstinément à nommer cardinal un fils de saint François, voué par vocation à la plus grande humilité : ce serait, disait le pape, « ruiner l'ordre des Capucins » par un exemple désastreux. Et Mazarin de suggérer une solution que, par pudeur peut-être, il attribue au cardinal Antoine : pourquoi le père Joseph ne changerait-il pas de congrégation, jetant aux orties sa bure de capucin?

Ainsi Giulio ne se faisait pas d'illusions sur l'ambition de son correspondant. Il n'en avait pas moins, assurait-il, loué en présence du pape la « vie exemplaire » du père, « son zèle en faveur des missions et des œuvres pies en France comme pour procurer la paix à la Chrétienté ». En fait, le projet de croisade avait été assez froidement accueilli par le cardinal Barberin et Urbain VIII, tout en reconnaissant les vertus du religieux, n'avait pas caché à Mazarin que « de divers côtés on en parle d'autre manière ». N'avait-il pas favorisé l'alliance du roi avec les protestants, objet de scandale pour la catholicité? A quoi Giulio répondait en rappelant la prise de La Rochelle, à laquelle le père avait poussé Richelieu depuis le début de leurs relations, au temps où le futur cardinal, alors évêque de Luçon, rêvait déjà du pouvoir.

Cette longue lettre n'éclaire pas seulement les visées du père Joseph, mais aussi celles de Mazarin. En retour de ses démarches en cour de Rome, il attendait du capucin qu'il le gardât « dans la mémoire » de Richelieu, ce qu'il estimait, avec une belle assurance, « ne pas être très difficile »; il le priait aussi de lui faire confirmer le bénéfice de l'abbaye de Saint-Avold, en Lorraine (2), sur laquelle le prince de Condé avait des prétentions (pour cette affaire, son homme de confiance à Paris, le sieur Charles, voyait régulièrement l'Éminence Grise); il lui demandait enfin des nouvelles des armées françaises et de leurs succès, que sa « partialité envers la France » lui rendrait particulièrement agréables.

Les mêmes affaires reviennent dans la correspondance des deux hommes en 1637 et 1638. La principale resta jusqu'au bout celle du chapeau à obtenir pour le père Joseph. Même si l'intéressé se réfugiait dans une fausse humilité (« Vraiment, cette affaire est tellement indifférente et éloignée de moi que je n'y pense pas sinon quand mes amis m'en écrivent... »), la question ne cessait de le préoccuper et c'était pour hâter l'événement qu'il s'empressait d'envoyer à Rome des nouvelles de ses prétendus efforts en faveur de la paix. Mais que pouvait Louis XIII, feignait-il de se lamenter, puisque l'empereur refusait aux Alliés protestants de la France des passeports pour leurs plénipotentiaires à l'assemblée de Cologne? Barberin proposait alors de recourir à l'intermédiaire de l'Électeur de Bavière, que l'Éminence Grise aurait bien voulu, de son côté, ramener dans le camp français. Mais les ravages commis dans ses États par les troupes de Gustave-Adolphe avaient définitivement rejeté Maximilien de Bavière du côté de l'empereur.

En désespoir de cause, « Ezechiely » (ainsi le moine inspiré signait-il parfois ses lettres) se rabattait sur de vagues prédictions : « Sous le temps du pape ou de son successeur, choisi par les cardinaux Barberin et Antoine, s'accompliront des choses merveilleuses... C'est en vérité ce qui a été connu tout d'une suite et par des voies bonnes et non vulgaires. » Ou bien il se lançait dans des diatribes furieuses contre les Espagnols : « Voilà comme ils se moquent du monde, mais aussy les plus sages se moquent d'eux, les Suédois et Hollandais ne feront point la paix sans le Roi et feront une bonne guerre. »

Ces mots de « bonne guerre » résonnaient sinistrement à Rome, où l'on ne se payait pas des faux-fuyants du père Joseph. Urbain VIII se disait résolu à ne faire la « promotion des couronnes », c'est-à-dire réservée aux candidats des souverains catholiques, qu'après avoir reçu des preuves effectives de la volonté pacifique de ces derniers. Dans ces conditions, elle ne pouvait être proche : à l'humeur guerrière de Richelieu correspondaient les « rodomontades continuelles » (l'expression est de Mazarin) d'Olivarès, le Premier ministre espagnol, et le légat attendait en vain à Cologne les députés des puissances belligérantes. Fagniez a prétendu sans preuve que l'hostilité du pape vis-à-vis de la candidature du père Joseph avait fini par désarmer et que celui-ci allait être cardinal quand il mourut. En réalité, malgré son parti pris d'optimisme, Mazarin ne pouvait donner cette assurance au capucin : le 15 décembre 1638, il lui transmettait des propos peu encourageants d'Urbain VIII : « alors que toute la chrétienté était sens dessus dessous, son devoir de pape était de lui procurer la paix » et, pour ce faire, de maintenir sa pression sur les souverains en guerre. L'Éminence Grise ne reçut pas lui-même cette lettre : il était mort (le 18) lorsqu'elle arriva à Paris.

En apprenant la disparition du père, un ami de Mazarin lui écrivait qu'il était « l'héritier de ses espérances ». Il faisait ainsi allusion à sa désignation par Louis XIII pour succéder à l'Éminence Grise comme candidat de la couronne de France à la pourpre cardinalice. Peut-on dire que, dans d'autres domaines, Giulio ait hérité des ambitions d'« Ezechiely »? Celle de mener une croisade contre le Turc, lorsque la Chrétienté serait réconciliée, paraissait bien lointaine et le père Joseph avait une curieuse manière d'en préparer l'avènement en négociant (l'année même de sa mort) l'appui du Croissant dans une insurrection des Transylvains contre les Habsbourgs. Toutefois Mazarin devait la reprendre, vingt ans plus tard, lorsque, la paix des Pyrénées une fois signée avec l'Espagne, il envoya des renforts français pour la délivrance de la Crète. Mais n'avait-il pas été lui-même, dès son enfance romaine, bercé de l'idée grandiose de la reconquête chrétienne?

Entre le père Joseph et Mazarin, les influences semblent avoir été pour le moins réciproques. Peut-être même, le capucin mit-il plus d'empressement à rechercher le jeune prélat, si dévoué à sa promotion, que celui-ci à courtiser le confident de Richelieu. Il y a dans les lettres du moine une singulière humilité qui témoigne d'une admiration sans doute sincère pour son adroit autant qu'enthousiaste correspondant romain. Il portait très haut son « habileté coutumière », son « ingénuité (*sic!*) et constance d'âme, qualités dans lesquelles, bien qu'inférieur à M. Mazarin en toutes autres choses, j'espère pouvoir correspondre » ... Et sans doute le bon père ne manquait pas lui-même de naïveté, pas plus que de courage! Il était persuadé que « leur amitié (était) destinée pour le service de Dieu et le bien commun » et ne cessait d'entretenir Mazarin de ses vastes chimères politiques. Il revenait sur terre pour solliciter, par personne interposée, des faveurs bien précises. Ainsi son secrétaire, le père Ange, faisait savoir que « des objets de dévotion » seraient bien reçus. Alors Giulio s'empressait de faire adresser par le cardinal Antoine à l'Éminence Grise rosaires, médailles, reliquaires, agnus-dei, tableaux religieux et même parfums... Mais lorsque le saint homme demandait d'être dispensé de la lecture du bréviaire pour pouvoir mieux se consacrer à la politique, il fallait bien lui conseiller de ne pas insister, de peur d'indisposer Sa Sainteté.

En tout cas, il n'apparaît pas que, dans ses lettres destinées à flatter les milieux romains, le père Joseph ait cherché à convertir Mazarin à son nationalisme de plus en plus accentué. C'est toujours de paix qu'il s'agit, et des intérêts de la Chrétienté plutôt que de ceux mêmes de la France. En réalité, pour lui rappeler ces derniers et le souvenir des jours heureux passés à la cour de Louis XIII, pour conserver ses liens d'amitié autant que d'ambition avec Richelieu, Mazarin avait un correspondant plus régulier que le père Joseph, un ami plus intime, plus proche de lui par l'âge et le tempérament, le jeune et brillant secrétaire d'État Léon Bouthillier de Chavigny.

Car Mazarin, dès sa jeunesse, a aimé la France. Ou pour mieux dire, le tempérament français plutôt que le pays lui-même (rien dans ses lettres ne trahit un sens de la nature, peu fréquent d'ailleurs à cette époque). Ses premiers contacts avec les hommes de chez nous lui ont fait chérir « cette ouverture de cœur et d'esprit, particulière à la nation française ». Ah, cette « nation française », libre, ardente, spontanée, sans détours, combien lui, l'Italien, habitué aux finesses, aux trompeuses flatteries, aux irritantes et vaines lenteurs de la Cour romaine, il l'a tout de suite appréciée comme la vraie patrie de son esprit vif, sociable, audacieux, peu ami des formalités, aimant brusquer le destin ! « Cette nation, écrivait-il au timoré cardinal Barberin, est de sa nature aventureuse et elle compte sur sa valeur »; elle est, dit-il encore, « portée aux choses de substance et croit que les apparences ne sont pas nécessaires et il n'y en a point au monde qui réussisse plus heureusement dans les actions hardies et dangereuses ». Il a tout de suite sympathisé avec ses militaires, ses diplomates, ses hommes d'État, qu'il se soit agi des maréchaux de Créquy, de Schomberg, de Toiras, dont il a goûté la rude franchise, d'Abel Servien avec qui, dès 1631, il a traité avec la plus absolue confiance puis échangé une correspondance sans fard, ou de tous ceux que sa mission extraordinaire de 1635-1636 lui a permis d'approcher, le cardinal soldat Louis de Nogaret de La Valette, les joyeux courtisans et habiles diplomates

Bautru et Senneterre, ou le jeune secrétaire d'État aux Affaires étrangères, Léon Bouthillier de Chavigny.

Qui était donc ce dernier? Le fils du cardinal, comme le prétendaient les médisants, étonnés de voir ce jeune homme devenir secrétaire d'État à vingt-quatre ans (en août 1632), ou plus naturellement et probablement celui de Claude Bouthillier, surintendant des finances et l'un des plus anciens amis de Richelieu?

« Homme de plaisir », d'après l'ambassadeur anglais Leicester, c'était aussi un travailleur acharné, une des « créatures » les plus soumises de Richelieu, qui se servait de lui comme d'un intermédiaire auprès du roi et de Gaston d'Orléans. L'éloquent et séduisant Chavigny faisait merveille dans ce rôle délicat, quand il ne se laissait pas emporter par son tempérament impatient et hautain.

Comment n'aurait-il pas ébloui Mazarin? Dès 1633, Giulio envoyait de Rome pommades, eaux de toilette et gants parfumés de petit-maître à cet homme élégant et galant. Son correspondant était « le favori en tête de M. le Cardinal » et il tenait à se l'acquérir entièrement. Il y parvint, dès le début de sa mission extraordinaire, lorsque l'accueil empressé que lui réserva Richelieu lui valut la considération des courtisans les plus haut placés et du roi lui-même : « de ce que Sa Majesté me voit volontiers, j'infère que Son Éminence s'est employée à dire du bien de moi, écrivait-il alors, et ce qui me confirme en cette opinion est la manière dont me traite *maintenant* Bouthillier, qui est son benjamin (3) ».

Bientôt, les deux hommes furent des intimes. Mazarin devint le familier du luxueux hôtel parisien de « Bouthillier le Jeune » : « On l'y appelait le *Signor Jule*, on se mettait même à table sans l'attendre et s'il venait que l'on avait déjà commencé, on lui remettait son couvert » (Segrais). L'un et l'autre étaient, avec le roublard diplomate Senneterre « trois têtes en un bonnet » (Tallemant)... Ce que nous rapportent les mémorialistes est confirmé par les documents. 1635 est l'année de la grande faveur de « M. le Jeune », celle au terme de laquelle l'achat d'une terre tourangelle en fait M. le comte de Chavigny. Dès la fin février, par la volonté de Richelieu, il a été mis, comme « chancelier », à la tête de la maison de Gaston d'Orléans, pour surveiller le prince, dont on craint l'esprit turbulent. « Monsieur », frère de Louis XIII, a exactement son âge : c'est un étourdi de vingt-sept ans, plein d'esprit et de vivacité, joyeux vivant s'il en fut qui, las des complots contre Richelieu et des fugues à l'étranger, est revenu depuis quelques mois en France partager sa vie entre Paris et Blois, dont le château devient avec lui une véritable abbaye de Thélème. Chavigny est séduit par ses manières ouvertes, sa gaieté, la liberté de sa petite cour bien différente du morose entourage royal; et Gaston pour sa part s'attache à ce Mentor souriant, cet « espion domestique » du cardinal qui, en badinant, lui donne de sages conseils. « Pour aider à le divertir », il réclame sa compagnie et celle de son commensal ordinaire : « Samedi, j'irai souper et coucher chez vous, où vous ferez trouver... le seigneur Julio, si faire se peut », et encore : « Emmenez avec vous le seigneur Julio pour assister à mes dévotions de la messe de minuit... »

Si Monsignore le nonce extraordinaire se prête à de telles complaisances, c'est pour mieux se rendre maître de l'esprit du « benjamin » des secrétaires d'État. Il a besoin de son aide dans une forte partie : celle dont dépend la guerre ou la paix entre Bourbons et Habsbourgs. Sa correspondance avec Barberin laisse entrevoir autour de Richelieu deux clans qui n'osent se déclarer, restant suspendus aux décisions du cardinal, assez tranchés toutefois pour s'opposer sourdement : les bellicistes sont menés par Servien, secrétaire d'État à la guerre, qui pense sans doute qu'un conflit ouvert augmenterait son importance, les pacifistes par Bullion, surintendant des finances avec Bouthillier père, dont les plans seraient ruinés par de nouvelles dépenses militaires. De l'avis du premier est, sans l'avouer, le père Joseph, qui prêche la paix mais attise les ambitions suédoises. Chavigny se rangerait plutôt dans l'autre camp, si l'on en croit Mazarin.

Certes, la déclaration de guerre française n'a pu être évitée, mais n'est-ce pas un résultat appréciable que d'avoir amené l'un des confidents du cardinal à lui répéter « qu'il ne devait penser à rien d'autre qu'à la paix comme au plus opportun remède pour mettre les affaires publiques et les siennes particulières en sûreté »? Chavigny a-t-il vraiment prononcé ces paroles? Mazarin l'assure aux Barberins et que la disgrâce de Servien, qui se produit à la fin de 1635, marque la déroute d'un esprit belliqueux. Le nonce extraordinaire compte alors sur le crédit de « Monsieur le Jeune », trop amoureux des délices de la paix pour se plaire aux projets guerriers. S'illusionne-t-il et quelle fut en réalité l'influence sur la politique générale du secrétaire d'État aux Affaires étrangères? Devons-nous penser, avec M. Ranum, le récent historien américain des *Créatures de Richelieu*, que « dans l'immensité des sources pour l'histoire diplomatique, il n'est pas possible de discerner quels ont été les rôles du roi, de Richelieu, de Chavigny ou de tout autre ministre »? La très abondante correspondance (plus de cent lettres) que, pendant son exil de Paris, Mazarin échangea avec son ami français nous permettra-t-elle de mieux apprécier la part méconnue de Chavigny dans la politique du cardinal?

En réalité, ces lettres sont singulièrement réservées. On y trouve beaucoup de compliments et peu de confidences, du moins sur les Affaires étrangères, car Chavigny rapporte volontiers les potins de la Cour, les nouvelles des amours platoniques du roi pour Mlle de La Fayette ou l'adolescent Cinq-Mars, celles de la santé et de l'humeur des principaux collaborateurs de Richelieu. Le jeune secrétaire d'État y apparaît comme un exécutant, et de toutes sortes de besognes, qu'il s'agisse de convaincre le roi des bonnes intentions du cardinal, d'assister Monsieur dans ses campagnes militaires, d'arracher de l'argent au rude surintendant Bullion ou de solliciter des faveurs en cour de Rome. D'une façon générale, les affaires d'Italie lui sont réservées, mais c'est le père Joseph qui s'occupe des relations avec l'Allemagne et les cours du Nord, Bullion qui traite d'ordinaire avec les ambassadeurs anglais; enfin Sublet de Noyers, secrétaire à la guerre depuis la disgrâce de Servien, entend donner son avis lorsque des armées françaises se trouvent en pays étranger.

Le « département des Affaires étrangères » ne remplit donc qu'une part restreinte des activités de Chavigny. Il lui arrive rarement de laisser échapper des vues générales. Cet esprit froid, peu imaginatif, semble avoir été pacifique par tempérament. Dans une lettre chiffrée de la fin de 1636, écrite par surcroît de précaution en italien, il confie à Mazarin : « La Chrétienté ne doit pas croire que la paix trouve des difficultés de notre part, car tel est notre intérêt... Notre alliance avec les Suédois n'est pas encore renouvelée et ils paraissent peu désireux de conclure, demandant des conditions très dures... Il faut, à mon avis, conserver notre réputation (pacifique) et annoncer le départ de nos députés (à Cologne) dès que nous saurons la dernière résolution des Suédois. Faites moi connaître de grâce sur ce sujet votre opinion à laquelle je me conformerai »...

En fait, l'alliance suédoise fut renouvelée et le congrès de Cologne remis aux calendes grecques. Mais dès que les hostilités se calmèrent quelque peu, Chavigny crut pouvoir se réjouir avec Giulio : « On ne parle point, par la grâce de Dieu, de faire voyage (c'est-à-dire campagne) cette année... Cela me donne moyen de jouir de ma maison et du bois de Vincennes (il était gouverneur du château) où je me divertis le mieux que je puis. Je vis en grand repos et... rien ne manque à mon contentement si vous m'aimez toujours... » (8 septembre 1637).

Chose curieuse ! Entre le puissant factotum de Richelieu et le modeste prélat romain, client mal récompensé des Barberins, c'est de ce dernier que viennent suggestions et conseils. De loin, Frère Coupechou-*Colmardo* continue à seconder, parfois même à inspirer la politique française.

Il a commencé par s'ennuyer prodigieusement en Avignon, où le cardinal Barberin l'a confiné quelques mois après son départ de Paris. « La vie que je passe en ce pays, écrit-il à Chavigny, est la plus mélancolique du monde. J'ai converti un de ces salons antiques (du palais des papes) en un tripot, mais, après avoir joué une heure, je m'ennuie plus que jamais. »

Les souvenirs de la cour de France lui reviennent avec un regret lancinant : « Volontiers je changerais mon sort avec celui du jardinier de Rueil (le château de Richelieu, près de Paris) et travaillerais toute la journée aux fontaines sous les ordres rigoureux du comte de Nogent pour recevoir enfin toute consolation en m'entendant appeler tantôt *Colmarduccio*, tantôt *Nunzinicardo* par ce personnage auquel il faut s'abstenir de parler une seule fois pour ne pas l'adorer. »

Hélas ! Richelieu ne peut pas grand-chose pour lui, pas même lui faire payer l'argent qui lui est dû. Contraint par « la nécessité », Giulio se plaint à l'ami Chavigny de « la mauvaise volonté que M. de Bullion a conçue gratuitement contre moi... Si j'avais dormi avec son épouse et mis le feu à Wideville (son château, près de Versailles), il ne pourrait penser à se venger de façon plus maligne ». La poursuite de la guerre absorbe tous les crédits disponibles. Durant l'automne de 1636, la France est envahie et les Espagnols s'avancent jusqu'aux portes de Compiègne. Mazarin ne reste pas inutile. Il réconforte Chavigny en l'assurant que les ennemis ont tort d'espérer un soulèvement de Paris : « Les Français les plus affectionnés à l'Espagne et désireux d'un nouveau gouvernement changeront de volonté lorsqu'il s'agira de défendre leurs maisons. » Afin de prouver son dévouement au pays que son cœur (et son ambition) ont adopté, il fait rassembler les munitions qui peuvent se trouver en Avignon, envoie vingt quintaux de poudre à Lyon, se propose de lever un régiment. Richelieu le remercie chaleureusement : « Il faut avouer qu'il n'y a que les Italiens et particulièrement les Jules qui savent faire les choses comme il faut. En temps de paix, ils distribuent des poudres odoriférantes et, en temps de guerre, des fulminantes. »

Mais bientôt Giulio va pouvoir, du moins il s'en flatte, rendre des services qui seront plus de sa compétence. Ayant obtenu de Barberin la permission de revenir à Rome, il se refuse à partir avant de connaître les intentions de Richelieu. Il quitte Avignon, au début de novembre, muni d'instructions qui feront de lui auprès du pape un agent secret... de Louis XIII.

Ces instructions accompagnaient une lettre de Richelieu, du 7 octobre : elles témoignent de l'influence que Mazarin avait déjà acquise sur le cardinal.

Que disaient-elles en effet? Que le roi et son ministre avaient une « sincère volonté pour une bonne paix générale » et qu'ils étaient prêts à sacrifier l'alliance de la protestante Angleterre à celle de l'électeur de Bavière.

A Mazarin était même confié un « mémoire sur le sujet d'une guerre sainte » contre les Turcs, dont il lui était toutefois recommandé de se servir avec circonspection. De telles assurances ne devaient-elles pas être bien reçues d'Urbain VIII et valoir à leur porteur d'être bientôt désigné comme nonce ordinaire en France?

De fait, Giulio, dès son retour à Rome, réconforté par l'accueil du cardinal Antoine et avec son aide, s'employa avec ardeur pour faire aboutir l'assemblée de paix de Cologne ou du moins un projet de trêve générale. De leur côté, Richelieu et Chavigny ne doutaient pas qu'en reconnaissance de ses efforts et pour les appuyer à la cour de Louis XIII, le pape ne tarderait pas à le renvoyer à Paris. « Je vous ai fait préparer un appartement dans mon logis qui ne vous déplaira pas », lui écrivait Chavigny, et le cardinal ordonnait à Boisrobert, son poète bouffon et amuseur en titre, de faire traîner jusqu'au retour de Colmardo la comédie de *Philarque l'amant aveugle.*

C'était une comédie à machines « avec les plus beaux décors et changements de scènes jamais utilisés en France. On y voyait s'ouvrir en un instant le temple de Diane, avec une perspective d'arcs et pavement de marbre et dans le fond la statue de la déesse ».

Le correspondant de Mazarin à Paris, qui s'occupait de ses intérêts et lui donnait ces alléchantes nouvelles de lieux tant regrettés, s'appelait Charles (4). Il n'était personnage influent à la Cour, qui ne lui fît ses amitiés en souvenir de l'exilé. « Quand je rencontre Charles, je sens en moi un grand contentement, croyant voir notre bon ami, M. Mazarini », s'exclamait en l'embrassant le comte de Bautru, familier du cardinal et de Gaston d'Orléans. Le père Joseph, Sublet de Noyers, Monsieur et Richelieu lui-même rivalisaient de prévenances envers lui. Mais celui que Charles mettait au-dessus de tous, c'était sans conteste Chavigny, « qu'on peut dire votre ami parfait ». Entre le secrétaire d'État aux Affaires étrangères et Giulio Mazarini la correspondance était remplie de compliments amphigouriques, dont l'expression outrée ne doit pas trop étonner. N'oublions pas que Chavigny fréquentait le salon précieux de Mme de Rambouillet, lorsque nous lisons sous la plume de ce père de famille nombreuse (il eut vingt enfants !) : « Je ne souhaite pas moins votre retour en France que celui d'une maîtresse, car je suis à vous plus qu'à moi-même. »

A quoi Giulio répond de la même encre : « Pour l'amour de Dieu, ne me faites plus languir à concéder à Charles une demi-heure de temps pour qu'il puisse faire votre portrait. La plus belle dame du monde se serait pliée aux supplications continuelles d'un de ses amants. »

Il ne se fait plus d'illusions sur ses chances d'être envoyé nonce à Paris. Sa nostalgie de la Cour, de « la conversation familière » du cardinal, des prévenances amicales de Chavigny est telle qu'il se promet de revenir au plus vite, même sans emploi et ne serait-ce que « pour quelques jours » : « Qui me dirait que je n'aurai jamais à retourner en France prononcerait mon arrêt de mort. »

En fait, il attendra trois ans d'avoir ce bonheur. Trois ans pendant lesquels il ne se montra jamais plus actif, s'occupant de mille affaires, au double service du pape et du roi : la « protection de France » pour le cardinal Antoine, le chapeau du père Joseph, la médiation entre l'irascible d'Estrées et les Barberins, la formation d'un parti français dans le Sacré Collège, la recherche des œuvres d'art pour la galerie du cardinal, les sondages pour une trêve générale auprès des représentants des Puissances en guerre, le maintien ou l'établissement de bonnes relations entre la France et les princes d'Italie, en particulier les ducs de Parme et de

Savoie... Sur cette dernière question, son influence auprès des souverains savoyards le fait tenir à Paris comme le meilleur expert : d'ordre de Richelieu, la correspondance officielle de l'ambassadeur français à Turin, d'Hémery, lui est communiquée. Après l'échec des propositions de paix générale, il s'élève contre l'idée d'une « trêve particulière » en Italie, car c'est le point sensible de la puissance espagnole.

Le médiateur de Casal commencerait-il à se rallier aux thèses du père Joseph? Ses déceptions lui font penser, comme à *Tenebroso-Cavernoso*, que seule une défaite espagnole peut assurer la paix en Europe. Il se mêle à cette conviction naissante le patriotisme d'un Italien, soucieux de voir chassé l'occupant de son pays. Le projet qu'il conçoit alors (novembre 1637), a de l'avenir : c'est celui de la conquête du Milanais par Français et Piémontais réunis. Ce serait un moyen d'attacher à jamais la maison de Savoie à la France, de libérer de la pression espagnole Piémont et Montferrat, dont « les peuples applaudiraient la résolution du roi ». La conquête serait facile, « tout le pays du Milanais étant réduit à une extrême misère, les peuples dégoûtés et incapables de donner (aux Espagnols) les assistances nécessaires, les places mal pourvues et mal fortifiées et sans chefs de guerre expérimentés ». L'idée sera retenue, mais non exécutée. A partir de 1638, les traités successifs d'alliance « offensive et défensive » de la France avec la Savoie prévirent cette entreprise, seule capable, selon Mazarin, de contraindre les Espagnols à la paix.

La paix, Giulio y rêve toujours. Il ne désespère pas de convertir les Espagnols à la trêve acceptée par l'empereur et, par l'intermédiaire de Chavigny, il s'efforce de convaincre Richelieu qu'elle lui apporterait « l'amour de tous les peuples de ces royaumes tandis que Sa Majesté jouira des avantages des succès remportés par la guerre ». Cette conclusion des combats laisserait donc à Louis XIII le fruit de ses conquêtes (8 décembre 1637).

Richelieu n'est pas loin d'être convaincu. Dès cette époque (octobre 1637), il reconnaît à *Colmardo* trois qualités principales : « l'esprit, l'adresse et la chaleur », auxquelles il pourrait ajouter une imagination jamais en défaut et un optimisme non dénué d'illusions. Il ne cesse de l'assurer de son « estime » et de sa « tendresse ». Cependant ses bienfaits ont été jusqu'à présent assez rares : Giulio a eu du mal à se faire confirmer l'abbaye de Saint-Avold, au diocèse de Metz, que le pape lui avait donnée dès 1634, mais sur laquelle le roi de France, ayant conquis la Lorraine, a prétendu avoir des droits; on lui fait miroiter l'octroi d'une autre abbaye, à Soissons, sans le lui confirmer officiellement; d'ailleurs, de l'une comme de l'autre, les revenus sont rares et irréguliers et à certains moments Giulio, qui se ruine en cadeaux pour ses amis français, est obligé de solliciter humblement Chavigny. « On est si court d'argent que c'est une pitié », répond son ami, qui adjure en vain Bullion de venir à son secours.

Richelieu cependant lui reste fidèle. L'amitié promise, il saura bientôt l'acquitter : « *Colmardo* ne peut être oublié ,particulièrement par le cardinal de Richelieu, lui écrit-il. Si vos ennemis sont puissants, votre protection n'est pas faible. Le roi vous aime ... » Il ne va pas tarder à lui donner une preuve éclatante de son attachement. Au début de janvier 1639, Giulio apprend la mort du père Joseph et que Louis XIII l'a désigné pour lui succéder comme candidat de la couronne au chapeau de cardinal. Richelieu accompagne la nouvelle d'un mot bien dans sa manière, d'une brièveté impérieuse, d'une fierté chaleureuse, d'une aristocratique négligence, enfin de ce style inimitable qui fait reconnaître à Mazarin : « Dans aucun siècle il n'est né un homme semblable » :

« *Monsignore Colmardo* connaîtra combien il fait bon s'attacher au service des grands princes et bons maîtres, comme est celui que nous servons. Il connaîtra ensuite qu'il fait bon avoir de bons amis et que je ne suis pas des moindres qu'il ait au monde. »

Il était temps. Mazarin avait cherché toutes les issues à son impossible situation romaine. S'il ne peut aller à Paris, comme représentant du Saint-Siège, pourquoi pas à Turin, ou même à Londres? Si la nomination de couronne française est réservée au Père Joseph, pourquoi ne pas essayer d'obtenir celle de Pologne? L'année 1638 est occupée à tenter des combinaisons désespérées qui échouent l'une après l'autre. Mais en réalité, Mazarin a depuis longtemps choisi : puisque le pape refuse de l'employer, il veut servir Richelieu en France.

Tout de suite, il va au-devant de l'objection majeure : « Je ne suis pas né sujet du roi, mais je crois pouvoir vraiment dire que les déclarations des Espagnols m'ont canonisé français, de sorte qu'avec justice on peut me permettre d'appeler la France ma patrie. »

Peu lui importe comment Son Éminence l'emploiera : si ce n'est dans des affaires importantes, « que ce soit comme aumônier » ou pour « installer les statues et avoir soin du château » de Richelieu. Las des intrigues de la Cour pontificale, il veut quitter Rome où il estime sa présence inutile.

C'est alors que survient la désignation royale au chapeau de couronne. Elle lui rend l'espoir : « Vous êtes mon bienfaiteur, écrit-il à Richelieu, à tel point que c'en était fait de *Colmardo* s'il n'avait pas été relevé par l'affection de Votre Éminence. »

Il reste un certain temps optimiste : le pape, depuis sa désignation, a changé de ton envers lui et lui montre de la considération. A la fin de février 1639, il croit la promotion toute proche, mais, un mois plus tard, il commence à en douter sérieusement. Les nouvelles qu'il reçoit de Chavigny ne sont guère encourageantes : le nonce Bolognetti a été trouver Richelieu et lui a fait savoir, de la part d'Urbain VIII, que Mazarin, étant sujet du pape, ne peut être candidat de la couronne de France. Cette objection, a reconnu le nonce, n'est qu'une formalité, mais Giulio ne peut s'empêcher d'y voir un prétexte à la mauvaise volonté pontificale.

Est-ce alors et pour cette raison qu'il s'est décidé à demander la naturalisation française? Nous avouons avoir douté de celle-ci, ou pour mieux dire des lettres de naturalité d'avril 1639, découvertes en copie par Chéruel il y a moins d'un siècle (1879) : il nous semblait étrange que le fait ait échappé aux contemporains et surtout qu'il n'en fût absolument pas question dans la correspondance de Mazarin avec Chavigny, si confiante et si abondante. Et pourtant, une découverte déjà ancienne (1923) de Léonce Celier, dans le « plumitif » de la Chambre des comptes, prouve que ces lettres, dont l'original a disparu, ont bien été enregistrées et vérifiées en juin 1639 par l'administration financière.

En réalité, de telles lettres ne constituaient pas un événement et il ne faut pas s'étonner si elles passèrent inaperçues : à l'étranger qui en bénéficiait, elles ne faisaient pas perdre sa nationalité d'origine; elles n'avaient pour résultat que de le relever de certaines incapacités : celle de léguer ses biens dans le royaume, celle surtout d'y posséder des bénéfices ecclésiastiques. Des souverains ou grands seigneurs étrangers, qui ne songeaient nullement à devenir sujets du roi de France, demandaient des lettres de naturalité pour sauvegarder leurs biens ou acquérir des abbayes en France : tels les princes de Savoie et (en 1652) le cardinal Antoine Barberini.

Le cas Mazarin paraît être similaire. Depuis son départ de la Cour, ses amis français lui faisaient miroiter les sommes que devait lui rapporter l'abbaye de Saint-Médard de Soissons : le titulaire de ce monastère bénédictin, François Hotman, venait de mourir en mars 1636, et dès la fin de l'année, ses revenus étaient versés au correspondant de Mazarin, Charles. En 1637, ils se montèrent à 4 000 écus et devaient par la suite rapporter davantage, car les domaines de l'abbaye étaient fort bien administrés : « Celui qui en a le soin, écrivait Chavigny, croit que c'est pour un de mes enfants et je le lui ai fait croire exprès. » Ainsi les moines ne savaient pas qui touchait les revenus de leur abbaye, dont le bénéficiaire, Mazarin, s'obstinait à écorcher le nom, transformant le peu illustre Médard en Saint-Marc l'Évangéliste !

Cette situation ne pouvait se prolonger indéfiniment. Depuis qu'il avait été nommé au chapeau de couronne, Giulio n'avait plus à cacher les bienfaits de Louis XIII. Le 13 janvier 1639, il écrivait donc à Chavigny qu'il ne voyait pas d'inconvénient à ce que sa nomination d'abbé de Saint-Médard fût connue. Trois mois plus tard, Chavigny envoyait donc à Rome les expéditions officielles de l'abbaye. Dans l'intervalle, et pour permettre cette publicité, le roi avait dû accorder à Mazarin les « lettres de naturalité », sans lesquelles les étrangers n'avaient pas droit de détenir des bénéfices dans le royaume.

Dans le préambule de ces lettres, Louis XIII se référait aux « importants et recommandables services que le sieur Jules Mazarin... a rendus au public en diverses négociations, traités et affaires concernant principalement la paix et le repos entre les plus puissants princes de la Chrétienté ». Est-ce à ces termes flatteurs que Giulio faisait allusion lorsqu'il écrivait, le 9 juin, au souverain : « Je n'ai pas de devoir ni de désir plus grand en ce monde que de pouvoir apparaître en effet ce serviteur à l'immense dévouement et respect que la bonté de Votre Majesté me fait gloire d'être ». Ce serait, en tout cas, dans sa correspondance, la seule référence à un acte qu'il n'a pas, semble-t-il, sollicité, le considérant comme une simple formalité.

Or Mazarin est le moins formaliste des êtres. « Au galant homme, tout pays est patrie », écrivait-il dès 1637 (5). Il restera fier d'être né Romain mais, avant même d'être naturalisé, il s'est proclamé Français « par reconnaissance et par tempérament ». Il s'est senti définitivement adopté le jour où il a été nommé au chapeau de couronne : « les lettres de naturalité » ont seulement consacré juridiquement un état de fait.

Urbain VIII accepte de lui donner les bulles de Saint-Médard, mais il se hâte beaucoup moins à le promouvoir cardinal. Les derniers mois de 1639 sont pénibles à Mazarin, qui voit la méfiance et même l'hostilité grandir à la Cour pontificale contre le client du roi de France. Si encore il trouvait des compensations à l'ambassade ! Mais le maréchal d'Estrées, dans sa fureur contre les Barberins, est jaloux de l'ami du cardinal Antoine et de la faveur de *Colmardo* auprès de Richelieu. Giulio n'en peut plus d'être, des deux côtés, le bouc émissaire et certains soirs il s'endort avec l'espoir de ne pas se réveiller : « Ah, confie-t-il à Chavigny, lorsque j'aurai la chance de pouvoir vous raconter la vie que j'ai menée à Rome pendant ces trois ans, vous serez forcé de vous attendrir. »

La mort de son beau-frère, Geronimo Martinozzi, au début de septembre, achève de le démoraliser. La vie est devenue pour lui « un enfer ». Il supplie Chavigny qu'on le fasse revenir à Paris : « Une fois près de Son Éminence, mon cher patron, et de vous, je jouirai du paradis. »

L'invitation royale arrive enfin : elle lui cause « une joie immense ». Il lui suffit d'un mois pour faire ses adieux à la Cour pontificale et solliciter des passeports que les Espagnols lui refusent. Tant pis ! il voyagera par mer. Le 13 décembre 1639, il quitte Rome à la nuit, va attendre à Civitavecchia une « tartane » qui n'arrive pas, mais y trouve en revanche « un vaisseau français bien armé et prêt à faire voile ». Par « un temps de printemps », il se dirige droit sur Marseille : « Nous nous y rendîmes en trois jours et je rencontrai dans les vents cette sécurité que me disputaient les Espagnols. »

Fin décembre, il est à Lyon et, le 5 janvier 1640, il peut enfin se jeter aux pieds du roi et du cardinal. Le « galant homme » est de retour dans la patrie qu'il s'est choisie ; il ne reviendra jamais dans celle qui lui a donné le jour.

L'accueil qu'il reçoit est chaleureux, aussi bien de Chavigny qui s'occupe de lui trouver un logement parisien, que de Richelieu dont il peut écrire : « Son Éminence me traite avec tant de confiance et de tendresse qu'à la vérité je ne saurais prétendre davantage. » Le cardinal lui demande conseil pour le théâtre qu'il veut aménager dans son palais et se fie à lui pour en organiser les spectacles. Mazarin n'ose pas encore proposer l'opéra italien, qui risque de choquer les habitudes françaises :

« Tous sont d'avis que la comédie en musique ne

recevrait pas d'applaudissement en ce pays et, bien que je croie le contraire, je ne veux pas me hasarder à en faire la dépense, craignant que beaucoup persistent à dire que cela ne vaut rien. »

Il ne tardera pas à convertir Louis XIII et son ami Bichi l'en félicitera : « Je me réjouis d'entendre que le roi pense faire une petite comédie en musique, car s'il s'accoutume au style récitatif, je crois qu'il y trouvera plaisir et que cette façon de représenter est plus pathétique et agréable. »

Bien entendu, il s'occupe aussi de politique. Il s'efforce d'abord de réconcilier son nouveau maître avec l'ancien et obtient de Richelieu le rappel de Rome du maréchal d'Estrées qui se cramponnera à son poste pendant plus d'un an.

L'affaire qui lui tient le plus à cœur reste celle qui a guidé sa carrière de diplomate pontifical : la paix de la Chrétienté. A peine arrivé à la Cour, il s'est fait nommer par Louis XIII « plénipotentiaire de Sa Majesté » au Congrès qui doit se tenir à Cologne. Mais son départ, qu'à la fin de janvier 1640 il croit imminent, est retardé par Richelieu. Ce sera « après Pâques », lui promet le cardinal. Après Pâques, il s'agit de bien autre chose! Mazarin doit suivre la Cour qui s'est établie à Amiens pendant le siège d'Arras : la place, défendue avec acharnement par les Espagnols, se rend le 8 août. Richelieu ne songe toujours pas à l'envoyer en Allemagne : il se fie au « Dieu des batailles » plus qu'au Dieu de paix et réserve à son protégé une ingrate besogne.

Cruelle épreuve pour le nouveau Français! il doit partir à Turin régler *manu militari* les affaires de Piémont, aux dépens de la duchesse Chrétienne. Les instructions de Richelieu sont impératives; durement il écarte les timides objections et les appels à la clémence de Mazarin :

« Que Colmardo se souvienne que les puissances supérieures à la sienne (le cardinal lui-même) ne font état que des exécutions et méprisent fort les esprits qui sont plus capables de propositions aériennes et de discours vaniteux que de pratiques salutaires. »

Giulio se le tint pour dit, encouragé de loin par Chavigny qui échange avec lui une correspondance secrète, parfois critique pour l'Éminence : « Ne vous chagrinez pas, quelque succès qu'ait votre négociation. Conservez votre santé et croyez que rien n'est capable de vous nuire ici (6). » Le jeune secrétaire d'État le considère toujours comme son « meilleur ami » (son « propre frère » disait-il naguère), surtout depuis la mort de ses intimes, le cardinal de La Valette et le saint père de Condren, aumônier de Monsieur : « après l'avoir perdu, j'ai peur pour vous et je m'imagine que je ne saurais plus aimer tendrement personne qu'il n'en arrive faute ».

Mazarin se tire habilement de sa difficile ambassade à Turin et revient à la Cour en juin 1641, après une absence de neuf mois. Il y trouve la récompense de ses peines : il est, enfin, sérieusement question de « l'assemblée de la paix » qui doit maintenant se tenir à Munster. En septembre, il écrit à Rome : « J'ai bonne occasion de croire qu'à la fin du mois prochain, je prendrai le chemin de Munster. » Et l'observateur parisien Henri Arnauld note, le 20 octobre : « M. le cardinal travaille tous les jours aux instructions de l'ambassade de la paix. Mazarin mènera plus de quatre-vingts personnes en son voyage. »

La nouvelle ne pouvait manquer de faire impression sur le pape, soulagé d'autre part d'être enfin débarrassé du maréchal d'Estrées. N'ignorant point la part qu'avait eu à ces décisions le zèle de Mazarin, il lui décernait le chapeau longtemps attendu.

Lorsque, le 30 décembre au matin, frère Coupechou

eut appris son accession à la pourpre, il s'empressa d'accourir à Versailles en remercier Louis XIII. L'astrologue de Parme n'avait pas menti : comme il l'avait prédit, il devenait cardinal à moins de quarante ans et devait sa dignité à la protection de la France.

Ses instructions lui sont remises en janvier 1642, et Giulio attend d'avoir reçu la barrette des mains de Sa Majesté pour partir à Munster. La négociation de la paix s'annonce difficile. Louis XIII ne veut renoncer à aucune de ses conquêtes (7). Bien mieux, dès la fin de janvier, il quitte Saint-Germain pour s'en aller assiéger Perpignan et joindre le Roussillon à son butin espagnol. Mazarin doit bientôt le suivre et l'ambassade de Munster est à nouveau remise. Pourtant, Richelieu « ne voit personne capable en ce royaume de pouvoir démêler les diverses intrigues qui se trameront en la négociation de la paix que ledit cardinal (Mazarin) »; il loue « son flegme, sa patience et sa prudente dissimulation, toutes qualités peu ordinaires aux Français » et fort nécessaires. Mais de nouvelles affaires surgissent. A Rome, on s'attend d'un jour à l'autre à la mort du pape. Mazarin est chargé d'aller diriger le parti français dans un futur conclave et, en attendant, de régler la querelle des Barberins avec le duc de Parme. Il reçoit pour cela des instructions précises et se targue d'avoir, malgré l'hostilité du duc de Parme à son égard, parlé à Richelieu de cet allié du royaume « comme le doit un bon Français » (c'est la première fois qu'on le voit se réclamer de sa nouvelle nationalité). Il est alors avec la Cour dans la région d'Avignon : il lui sera facile de s'embarquer à Marseille. Un navire doit justement appareiller pour Rome, portant des pères de la Mission. Le prendra-t-il? Il s'interroge avec inquiétude :

« Il s'agit de revoir ma patrie et mes parents, chargé d'honneurs... et cependant je déplore tous ces avantages qui ne sont pas comparables avec celui d'être auprès du protecteur le plus accompli, le plus aimable, le plus parfait qui se soit jamais trouvé... » (Montpellier, 10 mars 1642).

C'est à une femme qu'il se confiait ainsi, la duchesse d'Aiguillon, nièce chérie du cardinal. Dès 1630, il avait rencontré auprès de son oncle cette femme intelligente, cultivée jusqu'à la préciosité (ce sera un pilier de l'hôtel de Rambouillet) et assez cérémonieuse. Il n'avait pas craint de lui demander... son portrait. « Je confesse, devait-il avouer en mai 1639, que ma prétention fut injuste au début, mais après une insistance de neuf ans elle devrait être justifiée et en conséquence avoir mérité une favorable sentence... » On voit que, pour lui écrire, il employait le jargon du royaume de Tendre. Il s'était d'abord discrètement moqué de ses affectations : lorsque, de retour en France en 1634, il vint lui porter des cadeaux au nom du cardinal Antoine (un tableau et une petite table de pierre dure), elle entra dans des compliments si outrés du benjamin des Barberini que Mazarin, rapportant la scène à son *padrone*, se permit de plaisanter : « Si je ne me rappelais que Votre Éminence est prêtre, je m'avancerais à traiter son mariage, me persuadant qu'aucune des deux parties ne me le reprocherait. »

Il n'en avait pas moins une haute estime de cette femme profondément religieuse (restée veuve à dix-huit ans, elle avait rêvé d'entrer au Carmel). « Elle a de l'esprit pour gouverner deux royaumes », reconnaissait-il et il n'ignorait pas l'empire qu'elle exerçait sur son oncle, le premier ministre.

C'est à elle (en même temps qu'à son ami Bichi) qu'il adressa de Narbonne, où s'était arrêtée la Cour pendant le siège de Perpignan, des nouvelles de la santé du cardinal. Nouvelles peu rassurantes : quelques jours après son arrivée, Richelieu atteint de fièvre, rongé de tumeurs et d'abcès, devait s'aliter. Giulio pouvait-il quitter son cher « patron » dans un moment si périlleux? Son affection autant que son ambition le lui interdisaient. Pendant plusieurs mois (de mars à août), il resta à son chevet, l'assistant avec une activité remarquable, car le cardinal continuait à s'occuper de toutes les affaires de l'État. Comme Noyers et Chavigny, il faisait la navette entre Narbonne et le camp de Louis XIII. Plus qu'eux, toutefois, il resta auprès de l'illustre malade, et ce fut devant lui et en leur absence que, le 23 mai, Richelieu dicta son testament. Nul doute que cette présence de tous les instants n'ait contribué à resserrer des liens déjà puissants.

Grâce à lui, la nièce et l'ami suivent les progrès de la maladie : les innombrables saignées, les douloureuses incisions de la tumeur au bras qui ne parviennent pas à abattre « le courage et la constance de Son Éminence », le mieux soudain du 14 avril, « la nature ayant fait d'elle-même une ouverture par laquelle se sont répandues toutes les mauvaises humeurs dont l'art des médecins n'avait pu venir à bout ». Au début de mai, il promet à la duchesse qu'il n'abandonnera pas son oncle (il est toujours question de son départ pour Rome) et qu'il le tirera de l'atmosphère pestilentielle de Narbonne :

« Je ne partirai pas avant de voir Son Éminence loin de cette cité hors de laquelle il serait guéri. Ainsi l'assurent M. Juif (8) et les autres médecins. J'ai reconnu en cette occasion à quel point peut arriver une douleur, mais la mienne ne m'ayant pas ôté la vie, je l'estime ordinaire. Un jour, j'aurai l'honneur de vous entretenir tout au long de ce qui s'est passé en cette maladie et, en attendant, je me contenterai de vous dire que Dieu a voulu sauver miraculeusement mon Éminentissime Patron pour déclarer au monde comme Il prend visiblement part à sa conservation et approuve sa conduite. »

Ce qu'il ne peut pas confier au papier, c'est que Richelieu n'est pas seulement victime de la maladie mais des intrigues de la Cour, où le jeune favori du roi, Cinq-Mars, s'efforce avec un succès apparent de le brouiller avec son maître. Lorsque le cardinal, accompagné de Mazarin, quitte Narbonne le 27 mai, c'est non seulement pour rechercher un air plus sain mais pour mettre sa personne en sûreté en Provence, dont le gouverneur est de ses amis : il n'a même pas prévenu Louis XIII, qui l'assure seulement quelques jours plus tard de son indéfectible attachement : « Quelque faux bruit qu'on fasse courir, je vous aime plus que jamais... il y a trop longtemps que nous sommes ensemble pour être jamais séparés. »

Richelieu reçoit cette lettre des mains de Chavigny, le 6 juin, à Frontignan. Quelques jours plus tard, le 11, un mystérieux courrier lui révèle l'existence du traité signé avec l'Espagne par ses ennemis. Chavigny galope dans la nuit pour en apporter la nouvelle au roi.

Désormais toute l'énergie du cardinal est tendue dans son désir de vengeance. Fixé à Tarascon avec Mazarin, qu'il reçoit deux heures chaque jour, il commence à se lever, après avoir souffert « avec une patience et une constance incroyables ». Depuis l'annonce de la trahison de Cinq-Mars, Louis XIII lui est revenu. Il s'agit maintenant de faire avouer les coupables avant de les châtier. Mazarin lui devient indispensable, son voyage est décidément ajourné : il a ordre de faire revenir ses bagages de Marseille à Paris.

Giulio va rester tout l'été entre Tarascon et Lyon, où se rassemblent les pièces du procès des conjurés. Sollicité par les accusés qui l'adjurent d'user de son influence pour porter Richelieu à la clémence, il est utilisé par celui-ci pour les faire parler et se découvrir. Partie délicate dont il se tire à son honneur. Il ne peut rien pour Cinq-Mars et c'est en vain qu'il a essayé de sauver le « pauvre Monsieur de Thou » : « M. de Chavigny et moi (confie-t-il à l'ambassadeur à Rome, Fontenay) qui aimions ledit seigneur, aurions désiré le voir exempté d'un sort si misérable, bien que la grâce que nous avions obtenue pour lui il y a deux ans à Amiens, lorsque fut découverte son intelligence avec Mme de Chevreuse, eût dû le rendre plus prudent... » Mais Richelieu avait prononcé : « Il faut que de Thou meure. » Du moins les deux amis, à qui Gaston d'Orléans avait écrit des lettres de repentir, ont eu la satisfaction de voir le prince frivole s'en tirer par une « ingénue confession ». Quant au duc de Bouillon, autre conjuré, il obtiendra sa grâce contre la remise au roi de sa citadelle de Sedan.

C'est Mazarin qui a été chargé de confesser Bouillon : il est parvenu à arracher au duc la dénonciation de Cinq-Mars et à Richelieu ce cri de triomphe : « M. le cardinal Mazarin a négocié si adroitement que M. de Bouillon en a dit assez pour rendre notre preuve complète. Son intervention est si nécessaire en toutes ces affaires que je l'ai prié de retourner demain (à Lyon) pour faire faire à Monsieur ce qu'il faut et au dit sieur de Bouillon aussi. »

Du coup, le ministre, que la nouvelle a mis en belle humeur, demande au roi la grâce de Bouillon. Mazarin s'en réjouit, « étant ami très partial et serviteur du vicomte de Turenne » frère de l'accusé.

A la mi-septembre, les deux cardinaux se quittent à Lyon, l'un revenant à Paris, par petites étapes, dans sa litière de malade, l'autre partant pour Sedan prendre possession au nom du roi du repaire de Bouillon. Tous deux sont enchantés l'un de l'autre et le premier ministre ne cache pas sa satisfaction à Chavigny : « La présence du cardinal Richelieu et de son *frère Coupechou* Mazarin n'ont pas été inutiles. En affaires, la diligence fait tout, je vous l'ai dit cent fois et vous me l'avez vu pratiquer toute ma vie. » On ne sait si Chavigny apprécia cette sentencieuse leçon et ces louanges vraiment trop insistantes de l'humble ami italien d'autrefois, en passe de devenir son compétiteur.

Mazarin retrouve à la mi-octobre, à Paris, le premier ministre. Richelieu, avant même son retour, l'a chargé de rédiger les instructions au comte d'Avaux « pour le traité de la paix ». Il lui fait accorder la riche abbaye de Corbie, « qui en temps de paix rapportait environ 80 000 livres », et s'enferme avec lui pour le mettre au courant des grandes affaires : « Ma nièce, j'instruisais un ministre d'État tandis que vous étiez à la Comédie », aurait-il dit à la duchesse d'Aiguillon, le jour de la représentation d'*Europe*, pièce politique de Desmarets de Saint-Sorlin, jouée le 18 novembre au Palais-Cardinal. Il aurait aussi laissé échapper : « Je ne sache qu'un homme qui me puisse succéder, encore est-il étranger. » Il se sent épuisé et n'ignore pas que la fin est proche. « Frère Coupechou » est près de lui, le 29 novembre, quand à Rueil la fièvre le reprend pour ne plus le quitter. Il se fait transporter au Palais-Cardinal, à Paris, où il s'éteint le 4 décembre.

A-t-il avant de mourir désigné Mazarin pour son successeur? Celui-ci, dans sa correspondance, fait allusion à des recommandations dernières de Richelieu au roi. En mourant, il aurait conseillé à Louis XIII d'*employer* Mazarin qui n'avait alors aucune fonction officielle. Le roi suivit cet avis en « appelant dans ses Conseils » la créature du premier ministre défunt (c'est alors seulement qu'il devint « ministre d'État »). Ce n'était pas exactement lui donner sa place.

En réalité, Louis XIII semble avoir eu alors des velléités de gouvernement personnel. Il partagea les responsabilités du pouvoir entre un triumvirat composé, avec Mazarin, de Chavigny et de Sublet de Noyers, dont il aimait l'extrême dévotion et qui paraît avoir joui un certain temps de sa préférence. La correspondance de l'ambassadeur de Savoie confirme à ce sujet les assertions de Tallemant des Réaux.

Pour se débarrasser de Noyers, Chavigny et Mazarin auraient insinué au roi que son ministre favori s'entendait avec Anne d'Autriche pour lui faire donner la régence. Louis XIII « qui n'aimait la reine que médiocrement » se mit en colère : Noyers, accusé d'hypocrisie, reçut son congé le 10 avril 1643.

Les deux anciens et apparemment toujours amis restaient seuls en présence. Depuis quelque temps, leurs relations, ouvertement cordiales (9), s'étaient détériorées. Un premier signe déjà lointain avait inquiété Mazarin : en décembre 1640, Chavigny avait recommandé à Rome pour le cardinalat l'abbé Paul de Fiesque et la Cour pontificale feignit quelque temps de croire que le chapeau de couronne avait changé de titulaire. L'incident, peut-être involontaire, fut vite apaisé, Chavigny ayant protesté n'avoir pas voulu faire tort à son ami Giulio. Il n'empêche que son élévation à la pourpre, un an plus tard, et son empressement au chevet de Richelieu excitèrent sa jalousie : il ne put s'empêcher un jour, à Narbonne, de grommeler que frère Coupechou « devrait se contenter de voir la France lasse d'avoir élevé au cardinalat un moinillon (*fratiere*) », propos qui, rapporté à Mazarin, fut aussitôt noté par lui dans ses Carnets. Après la mort de Richelieu, voyant la nouvelle Éminence disputer le pas aux princes du sang, Chavigny osa lui écrire : « Je ne me mettrai guère en peine qu'un autre cardinal se mît toute la France sur les bras pour entrer dans les mêmes prétentions de feu Monseigneur le Cardinal. » Tant que vécut Louis XIII, leur entente parut toutefois complète. La faveur de la Reine-Régente devait bientôt départager les deux intimes dont l'ambition avait fait deux rivaux.

CHAPITRE V

TROIS SOUVERAINES

Rome et Paris n'étaient pas les seuls pôles de l'intérêt et de l'activité de Giulio Mazarini. Le voyage qu'il avait accompli, jeune homme, en Espagne avec Girolamo Colonna, ses missions de diplomate pontifical auprès des petites cours d'Italie, ses négociations pour la réunion du Congrès de la paix en Allemagne lui avaient permis ou lui permettraient de connaître d'autres horizons, d'aborder d'autres problèmes, de se faire d'autres amis. La religion catholique n'est-elle pas universelle? Giulio, qui devait un jour rechercher la nomination de Pologne au chapeau de couronne, se disait prêt à servir sa foi jusque chez les hérétiques ou schismatiques : en Angleterre, dont il espérait la conversion, et même... en Russie. Ne lui avait-on pas affirmé que les Moscovites « embrasseraient pour la plupart la religion catholique romaine si on leur donnait une partie du corps de saint Nicolas de Bari »? Mais c'est en vain qu'il tentait de faire partager au peu imaginatif cardinal Barberin son enthousiasme pour cette sainte cause.

En réalité, l'inspirateur des traités de Westphalie qui donnèrent à l'Empire allemand une constitution durable s'est, avant son ministère, très peu occupé des pays germaniques, comme de tous les pays protestants, à l'exception de l'Angleterre. S'il lui est arrivé d'entretenir le père Joseph de la Bavière, c'est que cet État catholique était sensible à l'influence romaine : mais les renseignements qu'il pouvait fournir sur la politique du duc Maximilien Ier lui provenaient de son ami Bagni, depuis longtemps en relations épistolaires avec Munich (1).

Quant aux cours italiennes, Giulio n'y séjournera guère : celle de Milan, où il fut secrétaire de la nonciature, était espagnole et il ne fit que passer à Florence ou à Modène. S'il se flattait d'être le serviteur empressé d'Odoardo Farnese, duc de Parme, combien n'était-il pas plus attaché à la maison de Savoie! Mais la cour de Turin était-elle vraiment italienne?

Lorsque le jeune Mazarini la découvrit en octobre 1629, elle était animée par deux princesses françaises, belles-filles du vieux duc Charles Emmanuel. On y parlait français et les rapports avec le grand royaume voisin étaient aussi obligatoires que fréquents (pas toujours excellents d'ailleurs). Ces cinq jours que Giulio vécut alors à Turin, remplis d'entretiens diplomatiques avec le duc et ses fils, il ne devait pas les oublier. Messager de la paix, il avait été fort bien reçu des princes qui ne craignaient rien tant qu'une invasion française. Sa jeunesse et son ardeur, l'aspect martial que lui donnait sa tenue de capitaine avaient d'autre part impressionné favorablement la belle princesse de Piémont, Chrétienne de France, qui avait porté à Turin l'éclat et la frivolité de la Cour de son père Henri IV, de glorieuse et galante mémoire.

Par la suite, Mazarin eut plus d'une occasion de revoir ses amis les princes savoyards. Il n'avait pu empêcher l'armée française de passer les Alpes ni Louis XIII de s'emparer de la forteresse piémontaise de Pignerol. La petite cour de Turin était maintenant éparpillée : les princes à la tête de leur armée, Mme Chrétienne dans diverses résidences d'été (Chieri, Cherasco), ayant dû fuir les menaces de la guerre et de la terrible peste qui, de Milan, se répandait dans les grandes villes voisines. Tous fort désemparés. Usant de son influence sur son époux, la princesse de Piémont s'efforçait d'incliner la politique savoyarde vers la France, tout en intercédant auprès de Louis XIII en faveur de sa nouvelle patrie. Dans ce rôle difficile, elle eut Mazarin pour allié : elle transmettait ses avis à son mari, non sans quelque agacement de les voir préférés à ses bons offices : « Si vous voulez quelque chose, mandez-le moi... Je crois que je le ferai aussi bien que Mazarin et plus sincèrement : c'est un causeur, croyez-moi. » Vers le même temps, Giulio se faisait accuser par Richelieu d'être « tout Espagnol et Savoyard ». Sa faconde juvénile et méridionale, son obséquiosité, ses promesses souvent démenties inquiétaient. Le cardinal voulait savoir « jusqu'à quel point M. de Savoie s'y confie pour faire le même » (12 août 1630).

« M. de Savoie » était maintenant, depuis peu, le cher Victor-Amé. Sans hésiter, il remit à Mazarin le soin de ses intérêts à la cour de France et c'est sur sa demande que Giulio fut envoyé au début de 1631 à Paris par le Saint-Siège. Il s'y efforça avec succès et à l'insu de Rome de se faire « l'entremetteur de la réunion de M. de Savoie avec la France ». Alliance que reconnut, contre la livraison de Pignerol, le traité de Cherasco, en avril, suivi de celui de Mirafiori, en octobre : sur les instances de Mazarin, Richelieu acceptait de donner à Victor-Amé une satisfaction illusoire : la garnison française quitterait Pignerol. En fait, à peine sortie par une porte, elle revint par une autre. L'année suivante, Giulio ne fut pas plus heureux lorsqu'il vint présenter à Richelieu le projet savoyard de conquête de Genève destiné à compenser le sacrifice de Pignerol. L'acceptation de principe du cardinal était assortie de dures conditions : la France garderait Genève, le duc devant se contenter du pays de Vaud. En réalité, Richelieu ne tenait pas à se brouiller avec ses fidèles alliés Suisses pour les beaux yeux de Leurs Altesses de Savoie.

Victor-Amé n'en voulut pas au négociateur malheureux. En 1632, Mazarin ne quitte guère Turin et le duc continue à le consulter sur toutes choses, malgré les jaloux qui lui reprochent « d'avoir une si grande confiance en un jeune homme étranger qui cherche encore sa fortune ». Quant à Mme Chrétienne, Giulio s'est acquis son amitié par ses prévenances, ses cadeaux (les habituels gants parfumés et les huiles de beauté qu'il réserve aux dames) et la puissante recommandation de Richelieu, qui écrit à la sœur du roi : « Votre Altesse prendra, s'il lui plaît, une entière confiance en (M. Mazarin), l'ayant toujours connu passionné en tout ce qui la concerne. » A Turin, les heures semblent trop brèves au jeune diplomate pontifical. « Les extraordinaires courtoisies reçues de Mme Royale et de Son Altesse » le duc lui rendent « très sensible l'éloignement de cette cour », lorsqu'à la fin d'octobre il doit céder aux instances du cardinal Barberin.

De retour à Rome, il se fait l'avocat auprès du Saint-Siège des prétentions assez chimériques de Victor-Amé au titre de roi (sans royaume) de Chypre. Il ménage à la cour pontificale un fastueux accueil au maréchal de Toiras tombé dans la disgrâce de Richelieu, bien que resté l'intime de Leurs Altesses de Savoie, et surtout de Madame : « Je sais qu'il est votre ami, écrit-elle à Giulio, et étant le mien nous en pouvons parler librement. Mon esprit est assez vif pour vouloir dire mon sentiment en toutes choses, mais sur ce particulier je me tairai pour vous laisser plus penser que je n'en veux dire. »

Fin septembre 1634, Giulio est de passage à la cour de Turin, deux ans après l'avoir quittée. Il s'y attardera une quinzaine de jours et ne manquera pas de décrire à son « patron » romain la réception chaleureuse de Leurs Altesses. Victor-Amé l'a conduit auprès de Madame « par une galerie secrète ». La princesse était au lit, entourée de ses dames. Il est resté longtemps auprès d'elles, leur racontant son séjour romain avec tant de verve et de volubilité que son audience a duré près de six heures.

Les jours suivants, les entretiens avec le duc succèdent aux fêtes. Leurs Altesses l'invitent à un festin au Valentino, le beau palais que Mme Chrétienne fait édifier au bord du Pô, dans un site délicieux. Des musiciens charment le repas, auquel assistent les principaux seigneurs de la Cour. Madame avec sa fille de cinq ans et son beau-frère, le cardinal Maurice, vient surprendre les convives à la fin du repas. Mazarin est ravi de ces retrouvailles et de recueillir des preuves nouvelles de l'attachement de Victor-Amé : « Son Altesse m'aime et me croit beaucoup. Il m'a confié des choses cachées à tout autre. Il parlait sans cesse de ma venue, l'attendant avec grande impatience. »

Si bien qu'à son arrivée, le mois suivant, à la cour de France, il y est précédé de la réputation de « savoyardissime » et aucun de ses entretiens avec Richelieu ne s'achève sans qu'il ait plaidé les intérêts de Victor-Amé.

A vrai dire, les affaires qui agitent celui-ci sont d'importance relative et elles échouent pour la plupart. Ainsi Richelieu refuse avec obstination de remplacer par Toiras le maréchal de Créquy, chef des armées françaises en Italie, brouillé avec le duc. Ce que cherche surtout Mazarin dans ses longues correspondances avec Turin, c'est de fortifier Victor-Amé et son ministre, le comte de Verrue, dans l'alliance française, quitte à leur conseiller de se rendre favorables les ministres de Louis XIII par des cadeaux appropriés (des « galanteries » qu'il se chargera de distribuer avec à propos), ou même de résister avec fermeté à certaines exigences du cardinal.

Cette union se matérialise, au traité de Rivoli, du 11 juillet 1635, en une ligue offensive et défensive « pour la conquête du duché de Milan ». Mais les opérations militaires ne sont pas aussi heureuses ni leur succès aussi rapide que le désirerait l'impatient Mazarin : cela tient à l'insuffisance des secours français et à la désunion des généraux alliés. Les lettres de Giulio à Turin stimulent l'ardeur guerrière de Victor-Amé et s'ingénient à rétablir la concorde entre lui, Créquy et l'ambassadeur français, d'Hémery. En septembre 1637, au combat de Monbaldone, le duc a défait les Espagnols et s'est comporté, au témoignage même de Créquy, « en généreux et expérimenté capitaine ». Hélas ! un mois plus tard, au sortir d'un banquet offert par le général français, il est saisi, en même temps que le comte de Verrue, d'un mal mystérieux qui les emporte tous deux en quelques jours dans d'atroces souffrances.

La nouvelle navre Mazarin : Verrue était « un de ses plus grands amis ». Quant à Victor-Amé, son « affection extraordinaire » et sa confiance en lui étaient telles qu'il lui avait récemment proposé de venir personnellement plaider auprès du pape la cause de son avancement en cour de Rome. Que va devenir dans ces tristes circonstances l'entente franco-savoyarde? Des deux frères de Victor-Amé, l'un, le prince Thomas de Carignan, a rejoint dès 1634 les rangs de l'Espagne, dont il est devenu un des plus brillants capitaines; l'autre, le cardinal Maurice, a abandonné en 1636 la protection de la France à Rome pour celle de l'Empire. Tous deux voudraient ravir la régence à leur belle-sœur, la succession de Victor-Amé revenant à un enfant de cinq ans. Malgré tout, Giulio fait confiance à Madame Chrétienne : il l'aide de ses avis, lui signale le départ précipité de Rome du cardinal Maurice, permettant ainsi à la duchesse d'interdire à son beau-frère l'accès de l'État savoyard. Certains de ses conseils peuvent étonner : Madame doit se méfier des Piémontais et les écarter du gouvernement; comme elle n'a plus de raison de craindre le père Monod, confesseur du feu duc, elle n'en a plus de l'aimer... Pour comprendre ces recommandations, il faut avoir, comme lui, percé ce « secret de la cour de Savoie » que, cinq ans auparavant, Servien découvrait à Richelieu.

Les historiens piémontais du siècle dernier se sont pieusement voilé la face lorsqu'ils ont dû aborder le chapitre délicat des *Amours de Madame Chrestienne* (2). Sous ce titre alléchant ou sous celui, plus anodin, de *Relation de la cour de Savoie*, des écrits, restés manuscrits mais répandus dans les archives princières, ont, du vivant même de la duchesse régente de Savoie, dénoncé en elle « la femme la plus tyranne, débauchée en toutes sortes de lubricités et paillardises ». Ces expressions sont fortes et certes outrancières. Les papiers de Richelieu et de Mazarin conservent toutefois assez de preuves de la légèreté de Madame pour qu'on ne

Chrétienne de Savoie. Gravure (Cabinet des Estampes)

puisse plus la contester. Au XVIIe siècle même, Hamilton, l'auteur des *Mémoires de Gramont*, avait écrit de cette « digne fille de Henri IV » : « A l'égard de ce qu'on appelle la faiblesse des grands cœurs, Son Altesse n'avait pas dégénéré. »

Elle avait été mariée en 1619, à treize ans, au prince de Piémont, de près de vingt ans son aîné. « Loin de vous, je suis un corps sans âme... ». « Je vous envoie autant de baisers qu'il y a de minutes en un jour... » écrivait la jeune femme à son époux. Ces gentillesses prouvent seulement la précocité et l'ardeur de son tempérament. Il semble qu'elle n'ait pas été comblée, Victor-Amé se montrant plus vaillant au métier des armes qu'aux joutes amoureuses. Pendant dix ans, le couple princier demeura sans enfant, et la petite fille dont accoucha Madame en 1629 fut attribuée à un premier galant, un Français nommé Pommeuse.

Chassé honteusement de la cour de Turin, Pommeuse fut bientôt rejoint dans l'exil par un autre Français, Saint-Michel, qui avait pris, à son tour, sur Madame un ascendant excessif : pour faire bonne mesure, on éloigna aussi une fille d'honneur de la princesse, Mlle de Sesy, qui s'était compromise ouvertement avec un officier français, le chevalier de Senneterre. Le duc Charles-Emmanuel vivait encore : il ne badinait pas avec la réputation de sa belle-fille et de sa maison.

Le souvenir de ces amourettes devait bientôt s'effacer devant l'éclatante faveur d'un nouveau venu, le comte Philippe San Martino d'Aglié.

C'était un très beau jeune homme, de noble famille piémontaise, élevé à la cour du cardinal Maurice et qui s'était rendu fameux, à dix-neuf ans, par un duel retentissant. Il en avait vingt-six et venait d'être fait lieutenant des gardes du nouveau duc, lorsque Madame le distingua. Fut-ce dès le mois d'août 1630, alors que la cour de Turin, fuyant la contagion de la terrible peste lombarde, s'était réfugiée à Cherasco, fut-ce un peu plus tard? Le fait est qu'à la fin de l'été 1631, le bruit de leurs amours se répandait à la cour de France.

Philippe d'Aglié y avait accompagné le cardinal Maurice qui, las de l'état ecclésiastique, cherchait à faire un riche mariage avec la nièce de Richelieu, Mme de Combalet. La beauté du « comte Philippe » (ainsi l'appelait-on familièrement) lui avait valu des succès auprès des dames de la cour; elles avaient trouvé toutefois sa présomption assez ridicule. Laissait-il deviner ses bonnes fortunes princières? Un autre personnage de la petite ambassade piémontaise se chargea d'éclairer Richelieu.

C'était un jésuite fort intrigant, créature du prince Maurice et confesseur de Victor-Amé, le père Monod, d'origine savoyarde. Les révélations de ce digne religieux indignèrent le cardinal qui le traita de « méchant esprit », dont il fallait se garder « comme d'un serpent venimeux ».

Mais bientôt, de Turin même, sous la plume de Servien, arrivait la confirmation des propos les plus audacieux du jésuite. Ce que celui-ci n'avait pas dit, c'est qu'il était lui-même « le confident du comte Philippe et l'entremetteur de ses amours ». Avec le prince cardinal, il aurait favorisé la liaison de Chrétienne, estimant qu'il valait mieux, puisque Madame avait « toujours quelque affection », que la place fût occupée par un Piémontais plutôt que par un Français. Ainsi, le confesseur menant le duc et le lieutenant des gardes la duchesse, une politique moins servilement française, plus soucieuse des intérêts piémontais, pourrait être instaurée. Tel aurait été le calcul du prince Maurice et de son âme damnée.

Estimant la situation périlleuse, Servien revint à l'attaque. Le 3 mai 1632, il précisa ses accusations dans une véritable philippique (l'expression cicéronienne semble bien de circonstance) :

« Les déportements de Philippe deviennent tous les jours plus scandaleux; non seulement il fait publiquement l'amoureux de Madame mais il le fait avec insolence... Il passe presque toutes les soirées à la vue de tout le monde pour aller trouver Madame dans un petit cabinet reculé où il demeure avec elle des trois heures par intervalle... Le peuple dans Turin en discourt ouvertement et le prince cardinal fomente ces bruits pour un très mauvais dessein, n'épargnant, lui ni les siens, aucun artifice pour rendre la grossesse de Madame suspecte... », etc.

Mazarin se trouvait à la cour de France lorsque cette lettre y parvint; elle lui fut transmise comme à un spécialiste des questions savoyardes (Servien l'avait présenté à son départ de Turin comme « parfaitement instruit de toutes les affaires et particulièrement des diverses intrigues de cette cour »). Elle eut le don de l'exaspérer. Non seulement son ami Toiras était dénoncé, en termes fort vifs, comme un vieux débauché, favorisant les amours de Madame pour sauvegarder les siennes avec la marquise de San Germano, dame d'honneur de la duchesse et belle-sœur de Philippe, mais ces révélations lui semblaient tout à fait inopportunes. Eh quoi! ses efforts pour « insinuer à M. le Cardinal » que la duchesse était victime de calomnies allaient-ils être ruinés? Il se plaignit amèrement à Servien :

« Considérez quelle est mon affliction quand, après avoir écarté la mauvaise idée qu'on s'était formé ici injustement de Madame, je vois arriver chaque jour des avis qui détruisent tout ce que je puis dire pour son service... Je vous proteste que le cœur m'en crève... »

Croyait-il vraiment à l'innocence de la princesse,

qui n'aurait été coupable que d'imprudence? Ou estimait-il plus politique de fermer les yeux? Mme Chrétienne répondait de l'influence française à Turin et il était trop tard pour y renvoyer, comme le proposait Servien, le galant Français Saint-Michel, pour l'opposer au Piémontais Philippe. Celui-ci d'ailleurs n'était pas déplaisant : musicien, poète et même metteur en scène, il avait fait jouer à la cour de France son divertissant « ballet des montagnards du Piémont »; homme de plaisir, il ne se mêlerait pas de politique. Bien plus néfaste était le père Monod, digne de haine « pour avoir parlé si malignement de Son Altesse ». Les raisons de Giulio convainquirent Richelieu. Lorsqu'en octobre, un des principaux officiers de l'armée de Piémont, Saint-Aunais, vint à la cour crier sur les toits, avec sa rude franchise de militaire, ce qu'avait déjà insinué le jésuite et affirmé l'ambassadeur, le cardinal premier ministre fit mine de s'indigner. Jamais il ne croirait « tant d'infamies de Madame » : « Tant s'en faut que j'ose les écouter, je ne voudrais pour rien du monde les penser ! »

Il ajoutait toutefois : « Je voudrais bien que Madame ne se portât point de préjudice à elle-même par certaines apparences qui peuvent beaucoup lui nuire. Je ne fais point état d'être son censeur. Je ne pris jamais cette charge auprès de personne. Je serai toute ma vie son serviteur, recherchant les occasions de la servir sans lui déplaire. »

Servien était prévenu. Pour des raisons politiques les amours de Madame et du comte Philippe étaient un fait tacitement accepté, bien qu'officiellement nié.

Le plus déconcertant dans l'affaire était l'attitude de Victor-Amé. « Ce pauvre prince, écrivait l'intempérant Servien, est si trompé qu'il voudrait qu'on fît du bien à Philippe pour maintenir Madame en bonne humeur ». Chrétienne avait acquis sur lui un « grand pouvoir » que la naissance d'un héritier, le 14 septembre 1632, ne fit qu'accroître. Toute la famille d'Aglié profitait sans vergogne de la faveur de Philippe. « Il n'est point besoin de vous dire combien j'aime ces personnes », écrivait Madame à Mazarin, en toute simplicité, en lui recommandant leurs intérêts en cour de Rome.

A Turin, où Servien avait été remplacé par Du Plessis Praslain, le plan du jésuite se développait tout à loisir : « Le père Monod et le comte Philippe ne sont qu'un; ce dernier gouverne Madame et l'autre M. de Savoie. » Lorsqu'il repassa en Piémont en octobre 1634, Mazarin se rendit bien compte que le climat politique s'était modifié. Monod et les d'Aglié se méfiaient de lui; connaissant ses liens d'amitié avec leur adversaire politique, l'influent comte de Verrue, ils l'avaient dénoncé au duc comme l'homme du cardinal Barberin, réconcilié avec les Espagnols pour obtenir la nonciature de France. Giulio n'eut pas trop de mal à réfuter de si grossières calomnies, mais elles avaient bien failli faire impression sur Victor-Amé. « Ce coup si infâme » l'inquiéta vivement (« J'ai été une nuit sans dormir ») de même que les tendances gallophobes qu'il découvrait chez les membres de la cabale : « Monod et Philippe concluent leurs discours contre la France, tuent bien souvent le roi en paroles et prédisent la ruine imminente de ce royaume. »

Comme il n'y avait rien à faire, il se résigna à appliquer une de ses maximes favorites : « il faut flatter les gens habiles, si l'on ne peut les perdre ».

Un attachement réel au ménage ducal le poussait à cette attitude. A quoi servirait-il de soulever le scandale? C'était une épreuve à épargner au duc, si confiant envers lui : d'ailleurs, l'avis lui était donné « de ne pas se plaindre à Son Altesse de ses ministres pour de très bonnes raisons ». La liaison de Madame était si connue que, dans les cours d'Europe et dans les milieux diplomatiques, le nom de « comte Philippe » était synonyme d'amant récompensé. Le ménage à trois fonctionnait sans anicroche et, tous les ans, Chrétienne donnait un nouvel enfant à Victor-Amé. La vie s'écoulait fort douce au château du Valentino, à l'ornement duquel Mazarin avait soin de contribuer par des envois fort appréciés de tableaux : « animaux et fleurs », scènes de chasse et bouquets galants, les goûts du couple princier étaient satisfaits.

C'est alors que survint la disparition, aussi étrange que subite, de Victor-Amé. Doit-on l'attribuer, comme n'hésite pas à le faire la *Relation de la cour de Savoie*, à un empoisonnement concerté par les deux amants, effrayés à l'idée d'une dénonciation? Il est permis de douter que la liaison quasi publique et déjà invétérée de Mme Royale ait eu besoin d'être révélée au duc.

Sa mort, en tout cas, comme celle du comte de Verrue, permit à Chrétienne d'associer son amant au gouvernement; pendant trois ans, Philippe, nommé gouverneur de Turin, dirigea en fait, avec la duchesse, l'État savoyard.

Le résultat ne fut guère brillant. Malgré les avis de Mazarin, Philippe et Monod, resté en faveur, s'obstinèrent à pratiquer une politique de neutralité, souhaitée sans doute par les Piémontais, mais que les circonstances rendaient impossible. Les pressions françaises finirent par décider Madame à renvoyer Monod; mais le pape refusa de nommer évêque le brouillon jésuite, et pour mettre un terme à ses intrigues, il fallut que les Français le fissent enfermer à la citadelle de Montmélian.

Devant les progrès des Espagnols, la duchesse et son amant furent bien obligés de faire appel à Richelieu. Ce geste tardif n'empêcha pas la prise de Verceil et bientôt de nouveaux désastres. Au printemps de 1639, sous la conduite du prince Thomas, les Espagnols envahirent le duché.

A cette nouvelle, Giulio sentit se réveiller son ancienne tendresse pour la maison de Savoie. Il supplia Louis XIII de venir au secours de Madame, au service de laquelle il aurait voulu, assurait-il, « répandre son sang ». Mais le comte Philippe, jouant au patriote piémontais, refusa de livrer les places fortes alpines à l'armée française de secours. Le résultat fut la prise de Turin, le 27 juillet, par le prince Thomas. Madame et ses enfants ne durent leur salut qu'à la valeur personnelle de Philippe : l'épée dégainée, à la tête des cavaliers de la garde noble, il ouvrit au carrosse de la duchesse un passage au milieu des troupes espagnoles.

La leçon aurait dû servir. Il n'en fut rien. A Grenoble où Louis XIII, à la fin de septembre, rencontra sa sœur, Philippe fit échouer par son intransigeance les plans français de reconquête du Piémont. Sur le moment, Richelieu se contenta de pester sur le papier contre Madame, « la faiblesse de ses sens, la légèreté de son esprit », maudissant sa confiance exagérée « en un jeune Piémontais insolent, avare et destitué de cœur, d'honneur et de toute expérience ». Mais il n'oublierait pas de se venger du malencontreux comte Philippe !

De cette vengeance, l'exécution revint à Mazarin. Comme elle lui fut pénible cette mission que, peut-être pour éprouver sa fidélité, lui confia le cardinal ! Les militaires français avaient fini par reprendre l'avantage : le 20 septembre 1640, Turin s'était rendue au comte d'Harcourt. Parti quatre jours plus tôt de Paris, Giulio arrivait à étapes forcées, vrai commissaire politique de Richelieu, pour veiller à la mainmise de la France sur le Piémont recouvré. Le 22, il retrouvait Madame à Chambéry, le 29 il était à Turin et y préparait avec d'Harcourt le retour de la duchesse, « si secrètement, selon les termes imagés des instructions de Richelieu, que leur propre chemise n'en eût pas connaissance ». L'entrée solennelle eut lieu à la mi-novembre. Chrétienne était inquiète de l'accueil que réserverait le peuple à sa frivole souveraine, revenant dans les fourgons de l'étranger :

— M'acclamera-t-il? demanda-t-elle à Giulio.

— Je n'en sais rien, Madame, mais il nous faudra trouver bon tout ce qu'il lui plaira de crier.

Philippe qui avait paradé à la tête des gardes à cheval, vêtu d'un buffle recouvert de broderies, ne semblait pas se douter du péril dont le menaçait le ressentiment de Richelieu. Mazarin eut beau plaider sa cause, le cardinal demeura inflexible. Il fallut bien céder : le comte, arrêté le 31 décembre, à la fin d'un souper chez un colonel français, M. de Montpezat, qui l'avait invité à finir gaiement l'année, fut conduit à Pignerol. A son appel de détresse, Chrétienne répondit noblement :

« Comte Philippe, il faut céder à la force qui vous sépare de moi... Que votre courage ne vous manque point... Tous n'ont pas la pitié que j'ai de vous... Je ferai paraître que je vous serai toujours bonne maîtresse et amie. »

En réalité, la nouvelle l'avait atterrée. Mazarin, qui avait eu le cruel devoir de la lui annoncer, en était tout retourné : « Si vous voyiez, confiait-il à Chavigny, comme Madame est réduite et comme elle a changé de visage, elle vous ferait compassion. Elle n'a point encore quitté le lit et avec tout l'effort qu'elle fait, elle ne peut s'empêcher de pleurer à tout moment. »

Inquiète du sort de Philippe, auquel elle aurait voulu éviter la prison, elle l'était aussi de sa propre réputation, craignant que les populations ne s'écriassent au passage de son amant : « Voilà le favori de Madame ! » Mais elle n'avait plus de conditions à faire et ses scrupules paraissaient bien tardifs !

Transféré de Pignerol au château de Vincennes, le comte y fut traité « avec beaucoup de civilité »; Richelieu lui permit même d'assister à un ballet monté à la cour à grands frais par des artistes italiens. Philippe n'était-il pas orfèvre en la matière? Au donjon de Vincennes, il se consolait comme il pouvait de l'absence de Madame (« sa femme », disait d'elle dédaigneusement Richelieu à l'ambassadeur de Savoie), en composant une plaintive élégie : « La prison de Filinde le constant »

Mazarin était plusieurs fois intervenu en sa faveur, parfaitement en vain. Le comte dut attendre la mort de Richelieu pour retrouver la liberté : « J'y ai contribué du peu qui pouvait dépendre de moi, assurait modestement Giulio à la duchesse, et je me suis réjoui de pouvoir faire apparaître en cette occasion le désir particulier que j'ai de vous servir. »

Mais si « Filinde » était resté constant, Chrétienne s'était lassée de l'attendre. Après un an de séparation, elle lui avait donné un rival en la personne du jeune comte Tana, à peine hors de page. Philippe désespéré songea à quitter le monde et se faire prélat à Rome :

« J'avoue, écrivait-il en juin 1643, de Paris d'où il ne se décidait pas à partir, qu'en me remémorant les choses passées, elles ne m'incitent guère à me plonger de nouveau dans les périls et les inquiétudes insupportables de notre cour... »

Il s'y résigna cependant et n'eut pas à le regretter. Pour le dédommager de sa faveur perdue, Madame, toujours régente, le combla d'honneurs lucratifs : il devint maréchal de camp général et chef de l'armée, puis surintendant des finances et majordome de la maison du jeune duc. Par fidélité envers Chrétienne, il ne s'était point marié et la duchesse l'en récompensa en le couchant sur son testament auprès du comte Tana. Ainsi se souvint-elle à l'heure de la mort des deux beaux gentilshommes qu'elle avait aimés.

Plus encore que Philippe d'Aglié, Walter Montagu est un héros de roman. Ce jeune aristocrate anglais, fils du comte de Manchester, à peine sorti d'un collège de Cambridge, s'était trouvé faire partie de l'ambassade britannique venue chercher à Paris la fiancée française du prince de Galles. Il avait alors vingt ans et une âme sentimentale. Pour être un peu plus âgés, ceux qui l'entouraient étaient aussi fous que lui : le prince de Galles avait chevauché incognito en Espagne et en France pour y découvrir la princesse de ses rêves, le fastueux Buckingham, son compagnon de route, devait bientôt s'amouracher avec fureur de la reine de France et le comte de Holland devenir l'amant de la duchesse de Chevreuse, confidente d'Anne d'Autriche. Quant à l'adolescent Montagu, il s'éprit passionnément de celle qui allait devenir sa souveraine, Henriette-Marie de France, troisième fille et dernier enfant d'Henri IV, une enfant de quinze ans au teint pâle et aux grands yeux noirs.

Walter était un insulaire timide et « d'humeur mélancolique ». « De lui-même, il n'est pas fort gai », devait le juger plus tard l'insouciante petite reine française d'Angleterre. Est-ce pour cacher sa passion inavouée, ou plus simplement par attirance pour le pays où il avait découvert l'amour et dont il écrivait, fort correctement la langue qu'il passa le plus clair des années suivantes sur le continent? Mais bientôt, le nouveau roi Charles Ier, ayant rompu ses relations avec Louis XIII pour venir au secours des protestants de La Rochelle, les missions de Montagu devinrent périlleuses. Celle de 1627 qu'il mena en Lorraine, en Savoie, à Venise, en Suisse et en Hollande, cherchant partout à susciter des appuis au parti protestant et des alliés à l'Angleterre, s'acheva dans un cachot de la Bastille. Un parti de cavaliers français s'était saisi de sa personne, un soir qu'il faisait étape en Barrois, non loin de la frontière du royaume. Les papiers saisis sur lui démontrèrent l'ampleur de ses intrigues contre la France. Il fut pourtant relâché au bout de quelques mois et put regagner l'Angleterre en avril 1628. Ce fut pour se trouver, le 2 septembre, à Portsmouth parmi les rares témoins de l'assassinat de Buckingham par un Puritain exalté. Le favori de Charles Ier donnait ordre aux derniers préparatifs de la flotte de secours aux Rochelois. Sa mort tragique mit fin à l'expédition projetée et, dès la fin de l'année, Montagu pouvait revenir en France, cette fois-ci en négociateur officiel d'un échange de prisonniers.

Un nouveau lien allait le retenir à Paris. Lors de son passage en Lorraine, l'année précédente, il était tombé, sans trop de remords semble-t-il, dans les filets de Mme de Chevreuse. La duchesse avait trouvé Walter fort à son goût : les voyages avaient formé sa jeunesse et il était devenu, comme l'écrit Louis Batiffol, « un cavalier bon vivant et sans préjugés ». Tous deux s'étaient rencontrés autrefois à la cour de France et ne tardèrent pas à faire plus ample et intime connaissance : comme Mme de Chevreuse possédait les secrets d'Anne d'Autriche, Montagu pouvait alors se targuer de la confiance de Buckingham et sans doute de la reine

Henriette. La duchesse était, depuis, rentrée en grâce auprès de Richelieu, soucieux d'utiliser son influence sur Anne d'Autriche contre l'insupportable reine mère Marie de Médicis. De 1629 à 1633, années pendant lesquelles Walter Montagu demeura en permanence à Paris, attaché à l'ambassade britannique, Mme de Chevreuse régna avec éclat sur la cour de France. Elle n'en fut à nouveau éloignée qu'à la découverte des intrigues du garde des sceaux Châteauneuf, un barbon fou d'amour pour elle, qui trahissait en sa faveur les secrets d'État; elle dut se retirer près de Tours d'où elle continua, d'ailleurs, à correspondre secrètement avec Anne d'Autriche.

Parmi les documents compromettants conservés par Châteauneuf, l'on avait trouvé, outre un monceau d'épîtres enjôleuses de la duchesse, une trentaine de lettres de Montagu et autant de la reine Henriette, ce qui permet de supposer que, dès cette époque, Walter agissait en accord avec sa souveraine. Craignant peut-être d'être inquiété, il revint à Londres, délaissant prudemment le métier de diplomate pour celui de courtisan et... d'auteur dramatique. Il se piquait en effet d'écrire et fréquentait un milieu d'écrivains, grands seigneurs, pour la plupart, et joyeux compagnons aux goûts semblables (3). En cette année 1634, alors que Mazarin dirige pour le cardinal Antoine les répétitions d'un opéra au palais Barberini et que Philippe d'Aglié monte des ballets à la cour de Savoie, Walter Montagu fait jouer devant la cour d'Angleterre une pastorale de sa composition, « La complainte du berger » : tous les rôles sont tenus par des demoiselles d'honneur de la reine et par Henriette elle-même, pour qui Walter a créé le personnage, au nom flatteur, de *Bellezza*.

Le « berger » n'était pas très explicite (4). Sa « complainte » restait platonique. Il fallait autre chose pour émouvoir la reine inaccessible de son cœur de pâtre. Walter décida de frapper un grand coup.

A la mi-octobre 1635, l'envoyé pontifical en Angleterre, Gregorio Panzani, pouvait annoncer à Rome une importante nouvelle : Henriette l'avait convoqué à Hampton Court, son palais aux environs de Londres, et lui avait révélé en grand secret que Montagu avait décidé de se faire catholique. Selon la reine, il avait eu depuis un certain temps l'intention de se convertir et l'aurait fait lors d'un voyage récent à Rome s'il n'avait voulu auparavant mûrir sa décision. Panzani, pour sa part, était persuadé que « le bon exemple de Sa Majesté » avait opéré ce miracle; il le dit à la reine qui écouta volontiers ce propos : « Jamais, écrit-il, je ne l'ai entendue parler avec tant de passion *(con tant'affetto)*. »

Quelques jours plus tard, Walter quittait l'Angleterre pour la France, sans révéler ses projets. Il s'arrêta quelque temps à la cour de Louis XIII. C'est alors qu'il fit la connaissance du nonce extraordinaire à Paris, Monsignore Giulio Mazarini.

La situation religieuse de l'Angleterre n'avait pas manqué d'attirer l'attention de Mazarin. Familier des Barberins, il avait été tenu au courant de l'envoi à Londres de Panzani. A son passage en Avignon, sur la route de Paris, en novembre 1634, il avait rencontré un récent ambassadeur français en Angleterre, le marquis de Saint-Chamond (5), qui l'avait assuré que le roi Charles Ier était très bien disposé envers le catholicisme : il le prouverait quand il serait plus absolu et ne craindrait plus les Puritains et les diverses sectes protestantes de son royaume. Par la suite, Panzani, arrivé à Londres en décembre, avait envoyé à Rome des rapports très optimistes sur un éventuel retour des Anglicans au bercail catholique, à des conditions très acceptables (mariage des prêtres, liturgie en langue vulgaire, communion sous les deux espèces) : il signalait l'évolution vers le « papisme » de certains membres de l'entourage royal. La conversion secrète de Montagu était le couronnement d'une série de faits favorables, dus en partie à l'influence grandissante d'Henriette sur son époux.

Il y a donc lieu de penser que Walter, à son passage à Paris, ne dissimula pas ses intentions au nonce extraordinaire. On sait en tout cas que les deux jeunes gens se rencontrèrent. Montagu lui ayant donné des chevaux, Mazarin lui montra ses pierreries, dont il avait déjà une jolie collection, et lui laissa une croix de diamants. Le 19 novembre, il annonçait à la cour de Turin la prochaine arrivée en Piémont de son nouvel ami anglais, chargé d'aller présenter les compliments de la reine Henriette à sa sœur Chrétienne.

En réalité, Walter n'avait pas pris la route directe de Turin. Il ne pouvait manquer, en effet, de rendre au passage visite à Mme de Chevreuse. Auprès d'elle, il entendit parler des religieuses possédées de Loudun et l'archevêque de Tours, l'engageant à se rendre dans la petite ville poitevine, lui remit une lettre pour les exorcistes, les priant de donner « satisfaction » au noble lord. Le 29 novembre, Walter et ses compagnons anglais virent donc à Loudun d'étranges merveilles : le diable choisit le jour de leur visite pour sortir du corps de la mère prieure, Jeanne des Anges, en laissant gravé sur sa main, en lettres de sang, le nom de « Joseph ». Dès le lendemain, Montagu donnait part officiellement à Richelieu de sa conversion en même temps que des faits extraordinaires auxquels il l'attribuait :

« J'ai vu à Loudun des preuves si miraculeuses de la puissance de l'Église catholique que je dois, *par-dessus ma croyance*, une perpétuelle reconnaissance à Dieu d'une grâce si singulière. C'est pourquoi je ne vous dis pas seulement que je suis parti avec une ferme croyance que ces religieuses sont possédées par le diable mais que des gentilshommes anglais, possédés par un esprit de mécréance et contradiction, sont retournés avec confession de la même opinion (6)... »

Walter était enchanté. Il croyait tenir le motif qui allait lui permettre de justifier devant l'opinion anglaise son adhésion à l'orthodoxie romaine : il adressa à son père, sur les circonstances de sa conversion, une longue lettre qu'il eut l'imprudence de rendre publique. L'effet fut bien contraire à celui qu'il avait souhaité : de telles nouvelles rendirent « enragés » Presbytériens écossais et Puritains anglais, tandis que le comte de Manchester maudissait son fils rénégat et préparait une réponse qui eut les proportions d'un volume. Dans ces conditions, il ne pouvait être question pour Montagu de rentrer de si tôt à Londres.

Il ne semblait guère s'en soucier. Toute l'année 1636, il s'attarde aux diverses étapes de son voyage : à Rome, où il séjourne de mars à mai, entretenant les Barberins des chances d'une restauration du catholicisme en Angleterre, surtout à Turin, où il revint par trois fois, méditant l'exemple instructif du comte Philippe. Les deux sœurs, Henriette et Chrétienne, sont liées de tendre affection : le souvenir les unit de leur enfance française. Mais le cœur d'Henriette ne bat-il que pour « la patrie »? N'a-t-elle pas aussi, comme Chrétienne pour Philippe, quelque tendresse plus ou moins cachée pour son fidèle et pastoral soupirant? On le croirait à la façon dont elle remercie sa sœur « des faveurs que vous avez fait à Walter Montagu » : « Je sais que ça a été en ma considération, quoique véritablement il les mérite bien sans cela... Je suis entièrement aise que Wat vous ait rendu quelque service; j'ose répondre que cela a été de tout son cœur ». D'ailleurs, *Wat* ne demeure pas en reste : il entretient avec sa souveraine une correspondance régulière et, comme elle se plaint de son absence, il lui répond en termes amphigouriques et enflammés : il ne se nourrit que de ses lettres, sa vive image est empreinte en son âme, elle est infiniment plus belle que toute rivale (pense-t-il à Anne d'Autriche, ou plutôt à la duchesse de Chevreuse?).

Entre les affaires de la foi et celles d'un amour éthéré, Montagu a réservé sa place à l'amitié. A la fin d'août, il vient de Turin, rendre visite à Mazarin exilé en Avignon. Il restera plus d'un mois près de lui et l'accompagnera, en octobre, jusqu'à Gênes, où Giulio, rappelé par les Barberins, va s'embarquer pour Rome. Dans le sévère palais des papes que dore le soleil automnal, les deux amis pleins d'enthousiasme se montent mutuellement la tête. Walter parle de Rome, de l'accueil plein de bonté du cardinal Barberin, de sa visite de l'atelier du Bernin : il espère retourner bientôt en Angleterre et médite une grave réponse à la longue lettre de controverse de son père. Giulio se réjouit de le voir « si satisfait d'avoir embrassé la vraie religion » et « tellement échauffé pour l'avancement de la religion catholique qu'il ne se peut dire plus »; partageant les illusions de son ami, il n'hésite pas à prédire : « Il me semble de voir le cœur de ce roi (Charles Ier) touché de la main divine et poussé... à retourner à l'antique dévotion et obédience »!

Walter lui a-t-il confié que sa conversion avait déjà ému un autre cœur royal, celui d'Henriette? On peut le supposer et penser que Mazarin n'hésita pas à encourager son ami à la double conquête de la reine et de l'anglicanisme.

Portrait de la Reine Henriette Marie par Van Dyck (Château de Windsor)

Bien qu'Henriette espérât son retour « avec passion très grande », Montagu dut attendre encore quelques mois sur le continent que la colère de son père se fût apaisée. Pour lui faire prendre patience, Mme de Chevreuse lui offrit à Tours une tendre hospitalité.

Bientôt le langoureux Walter devait revoir sa chère souveraine. Il apprenait en effet, au début d'avril 1637, que son père ne lui reprochait plus que son imprudence (7). « La bonté de la reine » avait tout arrangé et, comme Montagu l'écrivait à Mazarin, « surmonté et mon démérite et la malice de tout le zèle qui s'opposait à mon retour ». Le 16, il arrivait à Londres, où il fut reçu « avec une infinie bienveillance » par Henriette, mais beaucoup plus froidement par le roi, qui ne lui adressa pas la parole. Sans trop se soucier de l'accueil de Charles Ier, qui finit d'ailleurs par se dérider, Walter retrouva auprès de la reine « l'habituelle familiarité joyeuse » d'autrefois.

Jusqu'où allait cette familiarité dans le cercle fort libre de l'aimable princesse, bien différent de celui, assez guindé, du roi Stuart? Le cher *Wat* avait auprès d'elle toutes facilités d'accès et Henriette lui fit même l'honneur de venir déjeuner en cachette *(incognita)* dans sa nouvelle et fastueuse résidence londonnienne (8).

Devons-nous cependant ajouter une foi entière au bruit dont Chavigny se faisait, en septembre 1637, l'écho auprès de Mazarin?

« M. de Seneterre est depuis peu de retour d'Angleterre. Il m'a entretenu de l'état auquel s'y trouve M. de Montegut, qui n'est pas le plus fâcheux du monde. Il n'a pas grande part aux bonnes grâces du roi; mais la reine fait ce qu'elle peut pour le faire comte Philippe. Il est quelquefois deux mois sans l'être, mais c'est manque d'occasion. Vous pouvez vous réjouir discrètement avec lui de sa bonne fortune. »

Nous savons ce qu'il faut entendre par l'expression « faire comte Philippe »; les succès galants de l'amant de Mme Chrétienne étaient alors la fable des cours. Quant à Henry de Senneterre, comme ambassadeur de France à Londres, il avait été bien placé pour connaître les secrets d'Hampton Court. Lié avec Montagu par le goût d'une vie joyeuse, il resta en rapports avec lui et lui écrivait d'Espagne : « Vivez heureux dans l'île de votre naissance où certainement les lys et les roses des jardins n'ont pas tant de beauté et d'éclat que celles qui se voient sur le teint de vos dames... » Mais en lui répondant, Walter atténuait singulièrement un aveu qui n'avait probablement été que forfanterie : « La reine ne fait jamais rien à demi, que (sauf) à une seule chose que nous savons. » On ne peut guère douter que cette dernière chose ne soit le jeu de l'amour et que *Wat* n'en ait reçu les faveurs qu'à demi.

Malgré l'invitation qu'il en avait reçue de Chavigny, Mazarin se garda toujours de faire allusion à la « bonne fortune » de son ami anglais. Il est vrai que leur correspondance nous est parvenue fort incomplète, du moins en ce qui concerne les lettres de Giulio. Il n'y est question que de politique et d'intérêts personnels (Walter se lamente de la triste situation de Mazarin en cour de Rome et voudrait le voir nommer nonce à Paris ou à Londres) (9). Surtout, Giulio se fait à la cour de Londres, comme à celle de Paris, l'ambassadeur de l'art italien. Contre des chevaux ou des lévriers, il envoie de Rome des tableaux « de l'école de Raphaël », accompagnés de son portrait et de « quelque galanterie à donner à la reine ». Mais la grande affaire est le buste du roi Charles, commandé au Bernin par le pape et dont Montagu a pu voir à Rome la première ébauche; il ne cesse de harceler Giulio jusqu'à ce qu'arrive à Londres le chef-d'œuvre de marbre.

A la cour de Charles Ier, dont la galerie est fameuse,

l'impression est profonde que fait la noble tête du roi des « cavaliers » à laquelle l'artiste baroque a conféré une fierté presque agressive, une audace et une vitalité que ne possédait pas hélas! le modèle. Interprétant largement les « profils » de Van Dyck, Bernin avait fait du mélancolique et délicat Stuart l'incarnation d'une royauté triomphante. Ce buste, écrivait Montagu à Mazarin, « a plus fait pour la doctrine des images en ce pays-ci que n'a jamais (fait) le cardinal Bellarmin (fameux théologien catholique) »; il ne restait plus au génial artiste qu'à « fournir à la religion catholique un plus bel ornement qu'à l'autre » en représentant la reine Henriette : « Vous, Monseigneur, qui le gouvernez, êtes aussi obligé à lui persuader ce reste de sa gloire (10). »

Et pourtant une anecdote, peut-être apocryphe, attache à cette statue une signification funeste. Lorsque, dans les jardins de Greenwich, le buste fut découvert, un épervier aurait surgi du fond du ciel clair, tenant dans ses serres une perdrix ensanglantée : en survolant le groupe des courtisans, il aurait laissé tomber sur la sculpture un filet de sang qui entoura le cou du roi d'un mince liséré rouge. Les témoins de cette scène ne devaient pas oublier cet avertissement du destin et s'en souvinrent avec douleur lorsque, onze ans plus tard, Charles Ier gravit les marches de l'échafaut de Whitehall (11).

La situation de la monarchie en Angleterre n'allait pas tarder en effet à se détériorer. Charles Ier gouvernait son royaume en faisant fi de l'opinion : il négligeait de réunir le Parlement, laissant s'alourdir le poids des impôts et patronnant les efforts de l'archevêque de Cantorbery, William Laud, pour ramener les sectes protestantes aux lois d'un anglicanisme de plus en plus proche du catholicisme.

Les premiers à réagir avec vigueur furent les presbytériens d'Écosse. Au début de 1638, ils s'unirent par un solennel *Covenant* pour repousser la nouvelle liturgie que Laud voulait leur imposer. L'affaire inquiéta le cercle de la reine et le nouvel envoyé pontifical, Giorgio Cuneo, y vit le présage de nouvelles persécutions contre les catholiques. « Nos affaires d'Écosse grondent toujours, mais j'espère qu'elles ne mordront pas », se consolait Montagu qui, inconscient du danger, prévoyait avec optimisme : « Nous traduirons l'Église d'Écosse en anglais. Je souhaiterais que le tout fût en latin. » Il devait bientôt entreprendre une vaste collecte chez les catholiques pour soutenir l'effort de guerre contre les Écossais. Mais la campagne militaire à laquelle il participa aux côtés de son souverain fut décevante. Charles dut se résigner à donner gain de cause à ses sujets révoltés (1639).

Pour prendre sa revanche, le roi avait besoin d'argent et d'un ministre énergique. Il trouva ce dernier en la personne du vice-roi d'Irlande, Strafford. Quant aux subsides, il espéra en obtenir en convoquant le Parlement qu'il n'avait pas réuni depuis onze ans (avril 1640). Mais les députés, hostiles aux innovations de Laud autant qu'aux progrès du catholicisme, lui refusèrent leur aide. Le roi dut dissoudre leur assemblée... pour la rappeler cinq mois plus tard, lorsque les Écossais victorieux devinrent menaçants. Les premiers actes du « Long Parlement » furent de signer une trêve avec les révoltés et de faire arrêter Strafford et Laud. C'est en vain que Montagu avait prêché la résistance à Charles Ier, lui reprochant de n'avoir pas le cœur assez « vigoureux ». Lui-même, accusé devant la Chambre des communes d'avoir opéré des conversions et surtout d'avoir participé à la levée du subside des catholiques, fut obligé de s'exiler. Un mois après son départ de Londres, Strafford était décapité (12 mai

1641) et bientôt Charles Ier devait abandonner sa capitale et Henriette envisageait de se réfugier en France. Mais Richelieu s'opposait à son passage sur le continent : « en telles occasions qui quitte la partie la perd : sa sortie d'Angleterre tirera indubitablement après elle la ruine des catholiques et peut-être la sienne propre pour toujours et celle du roi son mari et de ses enfants... ».

A vrai dire, le premier ministre français n'avait pas attendu ces tragiques événements pour marquer son désaccord avec la politique du souverain britannique (12). C'est en vain que son ambassadeur, le marquis de Bellièvre, avait prêché à Charles Ier la modération envers les Écossais et reproché aux plus excités « papistes » leurs excès de zèle; il était mal vu au palais d'Hampton Court et Henriette avait fait l'affront à sa femme de lui refuser une place dans son carrosse. C'était l'époque où les souverains anglais accueillaient Marie de Médicis en exil et la duchesse de Chevreuse en fuite, toutes deux ennemies déclarées du cardinal. Se jugeant victime de « l'impertinence du sexe », le peu galant Richelieu n'était pas plus indulgent pour Henriette qu'il ne l'avait été pour sa sœur Chrétienne : « Outre que le naturel des femmes les porte plutôt à suivre leurs humeurs que la raison, la constitution particulière de cette princesse fait qu'elle est peu capable de suivre d'autres avis que ceux qu'elle puise en son propre esprit ou qui lui sont suggérés par d'autres, aussi peu capables de la servir en de pareilles affaires qu'ils ont bonne intention de le faire. »

Parmi ces conseillers d'une désarmante maladresse, le cardinal incluait assurément Montagu. Walter avait en effet gardé sur la reine une influence qui, pour avoir semblé un moment décliner, n'en restait pas moins réelle. Henriette s'était quelque peu piquée que son cavalier servant fût retombé sous la loi de Mme de

Chevreuse, dès le moment où la turbulente duchesse eut mis le pied en Angleterre (avril 1638) et jusqu'à son départ deux ans plus tard. D'autre part, Montagu fut déçu de n'avoir pas été nommé secrétaire particulier de sa souveraine (le roi Charles s'y opposa) ni envoyé à la cour de France féliciter Anne d'Autriche sur son heureux accouchement (cette fois-ci, le refus vint de Richelieu). A sa place, un autre aimable cavalier vint à Paris de la part d'Henriette et fut d'ailleurs aussi froidement reçu que l'aurait été Montagu : c'était le jeune lord Henry Jermyn qui devait bientôt devenir grand écuyer de la reine... et pour Walter un rival sérieux.

Si bien que, dès la fin 1638, prétendant recevoir peu de satisfactions de sa souveraine, Montagu parlait de se retirer à Rome à la Chiesa Nuova, siège de la Congrégation de l'Oratoire. De ce projet, dont il ne manqua pas d'entretenir Mazarin, il fut détourné par la force des événements, la guerre en Écosse, la levée de la subvention des catholiques, et par un regain de faveur de la reine qui, devant la montée des périls, lui rendit toute sa confiance, sinon son entière affection. C'est alors (début 1640) qu'il conçut l'ambition assez extravagante d'être nommé... cardinal.

On le sait, le pape réservait dans certaines promotions un chapeau à la désignation des principaux souverains catholiques. Henriette, bien que régnant sur un pays en majorité protestant, avait depuis longtemps espéré faire nommer elle aussi un « candidat de couronne ». Le poste avait été longtemps réservé à l'adroit envoyé pontifical, « il signor Giorgio » Cuneo, qui était parvenu à se faire bien voir de Charles Ier lui-même, avec qui il avait de fréquents entretiens sur des sujets de religion; pour faciliter le succès de ses prétentions, il s'était fait passer pour descendant d'une ancienne famille écossaise et avait pris le nom, assez peu euphonique, de George Con. Lorsqu'il quitta l'Angleterre pour Rome, en septembre 1639, il croyait devoir y trouver bientôt la récompense de son zèle mais sa mort subite, en janvier 1640, devança la promotion attendue.

Le « chapeau de couronne » n'avait plus de titulaire. C'est alors que Walter, soutenu par Henriette, pensa qu'il représenterait dignement l'Angleterre dans le Sacré Collège. Avant de tâter le terrain à Rome, il s'ouvrit timidement de ses visées à l'ami Mazarin, depuis peu de retour à Paris, lui demandant son appui auprès des Barberins.

La réponse de Giulio n'a pas été conservée mais on peut penser que la perspective ne lui sourit guère de voir le frivole cavalier, l'amant de Mme de Chevreuse, le soupirant d'Henriette revêtu (peut-être même avant lui !) de cette pourpre que tant de labeurs au service de la paix n'avaient pu encore lui obtenir. Il ne fut peut-être pas étranger au dur jugement qu'en apprenant la prétention de Montagu, Richelieu porta sur cette « personne fort suspecte, tant à raison de son humeur que du peu de temps qu'il y a qu'il s'est fait catholique et du sujet qu'il y a de craindre qu'il ne l'ait fait pour plaire à la Reine ».

A Rome même, ses amis Bagni et Bichi firent valoir à Barberin que ce converti de fraîche date « et de religion suspecte d'hérésie » était en outre fort mal vu du roi Charles. Si bien que le sévère et soupçonneux cardinal-neveu s'enquit discrètement des « mœurs et fortune » du protégé d'Henriette « et si vraiment la reine lui portait une affection singulière, comme on l'a répandu ». Selon le représentant français à Londres, peu bienveillant il est vrai pour la pauvre princesse, si celle-ci envisageait de fuir en France, n'était-ce pas « pour le mécontentement qu'elle a du Parlement d'Angleterre et la crainte que les sieurs Germyn et

Montagu y soient maltraités »? En fait, persécuté par ses compatriotes, renié par Rome, désavoué par ses amis français, abandonné même, et malgré elle, par sa souveraine, le pauvre Walter dut, en avril 1641, prendre seul le chemin de l'exil.

Aussitôt débarqué sur les côtes de France, Montagu se rendit à Paris pour plaider auprès de Richelieu la cause de ses souverains en péril. Le cardinal restait mal disposé envers le ménage de Charles Ier, coupable, à ses yeux, de trop de bienveillance envers l'Espagne et ses agents (au premier rang desquels il plaçait Mme de Chevreuse). D'ailleurs, le représentant français à Londres, fort bien introduit dans les milieux parlementaires hostiles au monarque, lui écrivait que les affaires du roi étaient « entièrement désespérées » : « Je puis mander assurément qu'il n'y a rien du tout à faire maintenant en ce pays » (23 mai 1641). Walter dut se contenter de recevoir « toutes les civilités imaginables ».

Il était prêt maintenant à accepter toute déception personnelle. Il se résignait à l'avance à ce que son concurrent au chapeau de couronne britannique, l'aumônier français d'Henriette, Jacques du Perron, évêque d'Angoulême, fût nommé à sa place et même, dans une lettre à Mazarin, il prétendait souhaiter ce dernier choix « avec la même passion que vous pourriez faire mon succès ». Giulio ne se le fit pas répéter et n'hésita plus à recommander lui même à Bichi la candidature de « M. d'Angoulême ».

Walter montra le même désintéressement envers un autre rival : il alla lui-même accueillir à Dieppe, en juin, lord Jermyn, contraint à son tour de fuir l'Angleterre. Assez désemparé de sa personne, après s'être reposé pendant l'été dans la station thermale normande de Forges, il vint s'établir à Pontoise, auprès du couvent des Carmélites, dont la reine de France lui avait fait connaître la supérieure, la mère Jeanne Séguier. Il y vit passer à la mi-novembre, Antoine van Dyck, qui regagnait l'Angleterre pour y mourir. Le grand peintre flamand avait été l'inoubliable portraitiste de la cour de Charles Ier et d'Henriette-Marie. En le retrouvant malade, « au point de ne pouvoir pas travailler », et en essayant en vain de le retenir (13), Montagu a-t-il pensé qu'avec celui qui les ferait entrer dans l'éternité, une époque et une société, celles des derniers aristocrates, étaient en train de mourir?

Pour le faire sortir de sa retraite — « Vous savez que je ne suis pas fort friand de la cour » écrivait-il à Chavigny — il fallut qu'il apprît la résolution d'Henriette d'abandonner à son tour, avec ses enfants, un royaume dont son époux n'était plus le maître. Prévenu à l'avance, le bon *Wat* l'attendait en Hollande, où la reine parvint, non sans mal, après neuf jours d'une traversée périlleuse sur l'océan déchaîné (février 1642). De La Haye, il adressa à Mazarin une relation des dangers qu'avait courus la jeune femme, de son courage, de son mépris de la mort, de sa foi ardente, relation destinée à « attendrir toute la dureté possible » de Richelieu envers elle : « Je ne doute pas que Votre Éminence ne s'emploie de tout son possible à seconder les intentions de Dieu qui semble destiner cette princesse à quelque chose de notable. Il serait trop étrange que la sœur eût le cœur de tant hasarder et que le frère (Louis XIII) ne l'eût pas à s'acquérir du mérite devant Dieu et le monde, en l'assistant... »

Désormais pour les exilés, bien plus que Chavigny, trop servile envers le cardinal premier ministre,

Mazarin paraît le seul recours et Montagu le tient « comme notre ange gardien ». Dès son retour à Pontoise, il lui adresse dans le Midi (où Giulio, nouvellement cardinal, a suivi Richelieu et la Cour) un « estat des affaires d'Angleterre » : la cause de Charles Ier n'est pas désespérée, car il se trouve « avec la plus grande partie de la noblesse et la plupart des provinces déclarées pour lui », mais la France doit se hâter de le secourir, si elle veut éviter la ruine de la monarchie et de la religion catholique en Grande-Bretagne. De Rome aussi, s'exercent sur Mazarin des pressions dans le même sens. Richelieu est alors gravement malade. Mais dès que Giulio peut à nouveau l'entretenir d'affaires, il se hâte de rassurer le cardinal Barberin : « Je sais la passion que Votre Éminence a pour les affaires d'Angleterre et pour cette bonne Reine (Henriette). Je ne manquerai donc pas de m'employer dans cette intention comme je dois, espérant que Dieu permet toutes ces révolutions pour établir sur elles quelque chose de grand pour son service. »

Est-ce à lui qu'il faut attribuer l'initiative de l'envoi d'un messager de Louis XIII à La Haye, offrant à Henriette-Marie l'hospitalité dans le royaume? L'intrépide Henriette a d'autres visées que le repos sur sa terre natale : en février 1643, elle reprend la mer pour rejoindre Charles Ier avec les forces de secours (environ 5 000 hommes) qu'elle s'est acharnée à réunir depuis un an qu'elle réside en Hollande, et parmi lesquelles l'on distingue un contingent français. Si lord Jermyn l'accompagne, le fidèle Montagu demeure sur le rivage hollandais. Au reste, depuis que les événements l'ont séparée de son mari, la reine s'est entièrement dévouée à sa cause et ne pense plus qu'à lui. Dans son premier exil s'ouvre avec Charles (« mon cher cœur ») une émouvante correspondance : l'insouciante souveraine d'autrefois s'y montre, par la fermeté de son esprit et son courage dans les épreuves, la digne fille d'Henri-le-Grand.

La France dans laquelle rentrait Montagu pour y défendre les intérêts de ses souverains n'était plus celle de Richelieu, mort depuis quelques mois, ni tout à fait celle de Mazarin. C'était toujours le royaume de Louis XIII, pas encore celui d'Anne d'Autriche.

Walter connaissait de longue date la reine de France ; depuis le temps de Buckingham, il « avait toujours conservé beaucoup de familiarité avec elle » (Mme de Motteville). Leur lien vivant était Mme de Chevreuse : l'un comme l'autre avaient été mêlés aux mêmes intrigues. On peut penser que Walter et la trépidante duchesse avaient eu connaissance de la récente conspiration de Cinq-Mars. Un informateur anonyme de Richelieu nommait alors comme complices de l'imprudent et malheureux Grand Écuyer, non seulement Anne d'Autriche, mais encore la reine Henriette, Mme de Chevreuse, Montagu « et autres papistes du parti malin d'Angleterre qui ont cru ne pouvoir être assistés que par une paix entre la France et la Maison d'Autriche ».

Cette dénonciation suspecte provient d'un adversaire politique, agent des parlementaires britanniques. La suite des événements devait prouver que Montagu ne cherchait pas à provoquer un changement radical dans le gouvernement du royaume des lys. Quoi qu'il en ait été, lorsque, le 14 mai 1643, Louis XIII expire, c'est vers l'ami de Buckingham que se tourne d'abord la reine désemparée. Walter ne refuse pas ses avis (« Je me trouve peut-être la seule personne désintéressée de qui vous en pouvez prendre »), et dans un écrit solennel indique à la nouvelle régente le devoir sacré auquel elle est appelée : « Présentement Dieu semble vous vouloir employer à donner la paix à la Chrétienté. »

Pour y parvenir, il faut éviter « une brouillerie domestique en votre Cour »; or « il n'y a nul moyen de l'empêcher que votre union avec le Conseil des ministres établi par le roi », c'est-à-dire en conservant ces serviteurs éprouvés de la Couronne que sont le chancelier Séguier, le secrétaire d'État Chavigny et... le cardinal Mazarin.

Les deux derniers sont ses amis. Quant au chancelier, il est le frère de la supérieure des carmélites de Pontoise, près desquelles il s'est retiré et qui est très chère à la reine. Entre ces divers personnages, Walter s'efforce de nouer les liens d'une solide union. Pendant les mois de mai et de juin, il échange avec Giulio des petits billets pressés et mystérieux qui témoignent de son zèle à servir ses intérêts :

« Vous savez que le Saint-Esprit descendit sur ceux qui étaient *perseverantes in oratione.* (C'est) pourquoi il faut tâcher de l'attendre ici à Pontoise pour la Pentecôte...

« Je travaille encore avec plus de ferveur pour vous qu'à Paris.

« J'ai fait ouverture à la mère Jeanne (Séguier) de ce qu'il fallait pour nouer une amitié entre vous et son frère... Il s'offre à tout ce que vous pouvez désirer de lui... Je ne doute pas que vous n'en receviez grande satisfaction car assurément il est fort homme de Dieu, ce qui est une caution infaillible pour ce monde-ci même. »

Pendant quelques mois, la faveur de Mazarin reste contestée. Il a contre lui le clan des Vendôme qui soutiennent « les dévots », Sublet de Noyers et l'évêque de Beauvais. Son plus dangereux adversaire est Mme de Chevreuse qu'Anne d'Autriche n'a pu s'empêcher de rappeler. La duchesse s'est mis dans la tête de faire revenir, à la place de Séguier, son vieux soupirant Châteauneuf et de bouleverser le gouvernement. Montagu, qui a pourtant été au devant d'elle au nom de la reine, à son arrivée en France, ne peut la suivre sur ce terrain. Giulio note avec satisfaction dans ses Carnets que les deux anciens amants sont proches de la brouille et que « les Importants » (ainsi nomme-t-on par dérision le parti aristocratique des mécontents) « sont furieux contre Montagu ». Le fidèle appui de Walter auprès d'Anne d'Autriche lui facilitera la déroute de ses ennemis. En effet, Montagu n'a eu de cesse de vanter à la régente l'habile conduite de son ministre. Lorsqu'il apprend la prise de Thionville par les armées françaises, il accourt se réjouir avec Anne d'Autriche :

« L'occasion était belle pour parler de vous, écrit-il à Mazarin. Je lui ai fait souvenir comme on vous la devait à vous seul... et là-dessus vous pouvez juger du discours que nous avons eu » (Pontoise, 11 août 1643).

La faveur de la reine de France ne fait pas oublier à Montagu sa touchante souveraine qui s'efforce assez maladroitement de reconquérir son royaume les armes à la main. Il est resté avec elle en constante correspondance, bien que ses lettres tombent parfois aux mains de leurs ennemis. Les nouvelles sont meilleures : Henriette a pu joindre son mari. « Nous avons eu grande consolation de notre bonne Reine », écrit Walter à Giulio, le 11 août, ajoutant : « Il faut que je vous somme de votre parole un de ces jours. »

Quelle promesse avait pu faire Mazarin à son obligeant ami anglais? Il ne pouvait pas engager sur le sol britannique les armées françaises poursuivant la lutte contre la Maison d'Autriche, et n'avait pu que favoriser le recrutement d'une petite troupe de secours. Du moins, à l'automne de 1643, il envoie vers Leurs

Majestés britanniques des ambassadeurs mieux disposés que ne l'étaient ceux de Richelieu et décidés à ramener la paix intérieure en Grande-Bretagne en se portant médiateurs entre le roi et le Parlement. Le premier, Gressy, assure à Mazarin que Charles et Henriette lui ont « protesté n'avoir eu dans leur disgrâce de consolation plus grande que celles qu'ils tirent des offres de votre amitié que les effets ont suivi de près ». En octobre, c'est le comte d'Harcourt qui débarque à Douvres, porteur des plus réconfortantes assurances. Walter Montagu a obtenu la permission de l'accompagner sous un déguisement mais, dès le lendemain de son arrivée sur le sol anglais, il est reconnu à Rochester par un postillon et arrêté par le gouverneur de la ville. Seules, les lettres dont Anne d'Autriche l'a chargé le garantissent « du mauvais traitement que lui pouvait faire encourir sa religion et la haine dont tout ce peuple est animé contre lui ».

« Il est mon ami particulier et je crois que vous disant cela je vous en dis assez », écrivit Mazarin à d'Harcourt dès qu'il apprit la nouvelle, mais les sollicitations pressantes des ambassadeurs français furent vaines. Du château fort de Rochester, Walter fut transféré à la sinistre Tour de Londres, où il devait rester enfermé près de quatre ans.

Il ne retrouva la liberté que pour être condamné au bannissement perpétuel. Rentré en France, fait abbé de Nanteuil, puis de Saint-Martin de Pontoise, il montra dans la retraite qu'il s'était imposée le désintéressement le plus absolu et une piété sincère (14). Jusqu'à la Restauration des Stuarts, il resta fidèle à l'infortunée Henriette, réfugiée au couvent de Chaillot et dont il devint l'aumônier. Depuis la mort tragique de Charles Ier, décapité en 1649 sur l'ordre du Parlement, la reine s'était de plus en plus attachée à Henry Jermyn, qui dirigeait sa maison et dont les mauvaises langues prétendaient qu'il était secrètement son époux. Lorsqu'elle revint triomphante en Angleterre, en 1660, Walter Montagu ne l'accompagna pas, sinon pour un temps très bref. A la fin de l'année, il se fit prêtre et, Mazarin étant mort quelques mois plus tard, il s'attacha désormais sans retour à Anne d'Autriche. C'est lui qui l'assista dans sa dernière maladie, ne quittant pas son chevet. C'est vers lui qu'elle se tourna à l'ultime moment, vers lui qui n'ignorait rien des secrets de sa vie :

« M. de Montagu que voilà sait ce que je dois à Dieu, les grâces qu'il m'a faites et les grandes miséricordes dont je lui suis redevable. »

Nul doute que, parmi ces faveurs divines, elle n'ait placé très haut certaines rencontres, que ce fût celle de Montagu lui-même, de la duchesse de Chevreuse, du beau Buckingham... ou de Giulio Mazarini.

La rencontre de Mazarin avec la reine remonte probablement à son premier séjour à Paris au début de 1631.

A la cour de France, le nonce pontifical, qui venait de rétablir la paix en Italie, n'était pas un inconnu. Dès ses premières négociations, il avait soulevé l'intérêt général, en particulier dans la coterie pacifiste des deux reines et du chancelier de Marillac. Par la suite, son exploit de Casal suscita l'enthousiasme et mérita d'être popularisé par les almanachs. Lorsque moins de trois mois plus tard, le 18 janvier 1631, à minuit, il arriva à Paris, il fut, selon le nonce Alessandro Bichi, « accueilli avec joie dans cette cour où était déjà enracinée sa renommée et tout récent le souvenir de son courage. »

Or Giulio arrivait en pleine crise, au milieu du « grand orage ». Entre la Journée des Dupes (11 novembre 1630) (15) au terme de laquelle Louis XIII avait donné la préférence à Richelieu sur sa mère, et l'exil à Compiègne (23 février 1631) de Marie de Médicis qui sera suivi de sa fuite à l'étranger. Ses tentatives de réconciliation avec la reine mère ayant échoué, le cardinal était parvenu à s'assurer le soutien provisoire de Monsieur, frère du roi (6 décembre). Dans la partie serrée qu'il jouait contre son ancienne protectrice, il lui restait à s'acquérir la neutralité, à défaut de la bienveillance d'Anne d'Autriche, la reine régnante, comme on disait pour la distinguer de sa belle-mère. Pourtant il avait dû sévir contre son entourage, chasser sa suivante, Mme du Fargis, en correspondance suivie avec Bruxelles, interdire à l'ambassadeur d'Espagne, Mirabel, de la voir en audience particulière (30 décembre). La reine s'était répandue en propos vengeurs puis amers, elle avait reçu en cachette Mirabel, au couvent du Val de Grâce, où elle se rendait régulièrement faire ses dévotions. Mais bientôt, elle devait reconnaître que la peine de ses imprudences était légère, « qu'on la pouvait traiter autrement et qu'on en avait sujet sans qu'elle pût raisonnablement s'en plaindre. »

Pour l'entretenir dans de bonnes dispositions, Richelieu avait fait revenir à la Cour son ancienne amie, Mme de Chevreuse, celle qui jadis avait voulu lui faire aimer le beau duc de Buckingham, sans parvenir à la faire céder mais non sans la troubler. La duchesse disposait de la troupe jamais découragée de ses soupirants : le 20 janvier, c'est Montagu qui, sous un déguisement, vient prendre à la grille du Val de Grâce la place de Mirabel pour persuader Anne « que le roi ne pouvait faire sur le sujet de la reine sa mère que ce qu'il avait fait »; dès le 13, à défaut du garde des sceaux

Portrait de Mazarin. Collection particulière

Buckingham par Rubens. Palais Pitti — Florence

Chasteauneuf, haï de Marie de Médicis, une autre « créature » de la duchesse avait tenté la difficile entreprise d'apaiser les deux reines : Abel Servien. L'entourage de Richelieu fait confiance à ce « fort bon esprit et fort honneste homme », mais, comme il est « bien nouveau dans les intrigues de la Cour », Servien doit faire flèche de tout bois. Pourquoi n'aurait-il pas songé à utiliser le prestige du pacificateur de Casal, arrivé depuis peu à Paris pour négocier avec lui? N'a-t-il pas provoqué l'entrevue mémorable que son neveu Lionne racontera en ces termes à Tallemant des Réaux :

« La première fois que le cardinal de Richelieu présenta Mazarin à la reine (c'était après le traité de Casal), il lui dit :

— Madame, vous l'aimerez bien, il a l'air de Buckingham. »

Quoi qu'il en ait été, le *Journal* de Richelieu témoigne que l'envoyé pontifical ne resta pas inactif pendant ses trois semaines parisiennes : il vit plusieurs fois en particulier le roi, le cardinal, l'ambassadeur d'Espagne. Il est vraisemblable qu'il rendit aussi visite à la reine mère, qui se souviendra de lui quatre ans plus tard (en septembre 1635), le choisissant comme intermédiaire pour une ultime et vaine tentative de réconciliation avec son fils. Il serait étonnant qu'il n'ait pas rencontré Anne d'Autriche. « Il y en a qui ont cru, poursuit Tallemant, que le cardinal avait fait dessein de gouverner la Reyne par le cardinal Mazarin, s'étant aperçu dès leur première entrevue qu'elle avait de l'inclination pour lui » ou du moins que « sa ressemblance avec Buckingham lui donnait lieu de l'espérer (16). »

Qu'il se soit ou non servi dès lors de Mazarin, Richelieu parvint à désolidariser Anne d'Autriche de sa belle-mère et à la rapprocher de son mari. Le bruit courut même, en mars 1631, que la jeune princesse était enceinte...

La nouvelle était controuvée. La mission de Mme de Chevreuse avait échoué, aurait pu dire le sardonique Gaston d'Orléans qui prétendait que la duchesse était revenue « pour donner plus de moyen à la reine de faire un enfant ». Qu'aurait-il pensé, lui qui venait de fuir avant sa mère la cour de France, s'il avait su le bruit qu'y répandait un an plus tard le confesseur du duc de Savoie? « Monod a faict connaître ici que Mazarin était un autre Philippe en la passion que vous savez », écrivait, le 27 janvier 1632, Richelieu à Servien. Par quelle « passion » Giulio aurait-il pu imiter le comte Philippe, cet étalon européen des favoris, si ce n'est en courtisant la reine de France? S'était-il à Turin vanté d'une bonne fortune imaginaire, ou doit-on accuser Servien de s'être conduit en hâbleur indiscret? Bien entendu, Richelieu avait repoussé avec dédain les propos du père Monod, mais on peut penser que le secret commun du cardinal et de Servien, cette « passion que vous savez » avait au moins existé dans des plans hasardeux et des imaginations romanesques.

Anne d'Autriche était espagnole. Or c'est en Espagne que Giulio Mazarini adolescent s'était éveillé à l'amour. Certes, l'« ami d'enfance » anonyme du futur cardinal qui nous a conté son intrigue avec la fille d'un notaire de Madrid est médiocrement digne de foi et le dévoué (ou trop servile?) Elpidio Benedetti a récusé sur ce point précis son témoignage. Mais nous gardons celui de Mazarin lui-même qui affirmait à Chavigny être revenu d'Espagne « très affectionné aux dames de ce pays ». A un âge susceptible d'impressions durables, son séjour de deux ans dans la péninsule ibérique n'avait pu manquer d'exercer sur lui une séduction fort vive. Il en avait rapporté une connaissance de la langue castillane qui lui permettra, ministre, de s'entretenir confidentiellement avec Anne d'Autriche et qu'il conservera jusqu'à la mort (17). Sans aller jusqu'à prétendre avec Mme de Motteville qu'il était « à demi espagnol (18) », ce qui est une exagération manifeste, il est légitime de penser que, sous l'influence des Colonna, ses premiers *padroni*, tout dévoués au Roi catholique, Giulio, enfant de la Rome de la Contre-Réforme, fut fasciné par la monarchie sur laquelle le soleil ne se couchait pas; préservée du protestantisme, pourchassant sur la Méditerranée « l'Infidèle » turc, elle apparaissait au début du siècle comme le bras séculier du pape et le plus ferme champion de l'orthodoxie romaine. Mazarin ne cachait pas, d'ailleurs, que dans sa prime jeunesse il s'était « efforcé de servir les Espagnols ». C'est pour venir à leur secours en Valteline qu'il s'engagea dans l'armée pontificale (1625).

La brève carrière militaire du capitaine Mazarin lui permit de rencontrer, dès janvier 1627, Gonzalès de Cordova, gouverneur espagnol du Milanais : il s'agissait seulement d'obtenir les ordres nécessaires au rapatriement des troupes pontificales licenciées. Devenu diplomate, Giulio devait retrouver Gonzalès pour de longs entretiens politiques (mai-août 1629). Le jeune secrétaire de nonciature fut alors frappé de la morgue castillane de son interlocuteur : « Le monde entier, écrivait-il alors, n'est rien à Gonzalès devant la puissance autrichienne. »

Plus suivis et plus marquants devaient être ses rapports avec un homme d'une toute autre valeur, Ambrogio Spinola, successeur à Milan de Gonzalès de Cordova en septembre 1629. L'illustre vainqueur d'Ostende et de Breda était Gênois d'origine et Mazarin trouva la corde sensible de son cœur en l'adjurant d'épargner les horreurs de la guerre à son Italie natale.

Séduit par son éloquence, Spinola l'engagea à porter lui-même au duc de Mantoue les assurances de la bonne volonté espagnole : ainsi Giulio serait entré dans la voie des tractations qui ne devaient s'achever qu'un an plus tard, sous les murs de Casal.

Spinola n'assista pas au dénouement. Tenu en échec par Toiras, le dernier grand homme de guerre qu'ait eu l'Espagne fut désavoué comme négociateur par son souverain et en tomba malade de chagrin. Lorsque, le 7 septembre 1630, Mazarin vint lui rendre visite à son camp, il lui apportait une dernière consolation : il avait obtenu de Richelieu qu'en hommage à sa valeur la ville de Casal lui serait remise sans coup férir, Toiras restant dans la citadelle. Cette nouvelle sembla ragaillardir Spinola et l'envoyé pontifical en accrut l'effet par d'affectueuses paroles : « C'est à vous maintenant de convertir la trêve en une paix véritable. Il faudra bientôt vous lever et venir dans Casal donner la paix à l'Italie. » Avec beaucoup de délicatesse et de générosité, il renonçait à sa propre gloire en faveur du vieux guerrier. Il n'eut pas à lui donner cette preuve de désintéressement, car Spinola mourut quelques jours plus tard, dans l'angoisse de l'offense faite par Philippe IV à son honneur. Belle leçon pour le jeune diplomate que cet exemple de l'ingratitude des Espagnols !

Il sut en profiter, comme il s'était déjà habilement servi de renseignements glanés dans les divers camps pour découvrir les artifices du duc de Savoie. Les bénéficiaires de ces confidences étaient Richelieu et les agents de la France, au service de laquelle Giulio s'attachait un peu plus chaque jour. À Paris, en janvier 1631, il avertit à diverses reprises Richelieu de prendre garde aux menées et même aux attentats des Espagnols. Il n'était pourtant pas brûlé définitivement auprès d'eux puisque Mirabel lui laissait alors deviner ses liaisons avec le clan de la Reine Mère et de Monsieur. Quelques mois plus tard, il avait à Milan et à Pavie des entretiens suivis et confiants avec le nouveau gouverneur, le duc de Feria, pour régler diverses questions laissées en suspens par le traité de Cherasco. Il traitera de nouveau avec Feria en août 1632. Mais dès son retour à Rome, il doit subir les effets de la méfiance et bientôt de l'hostilité des Espagnols. Ce petit Monsignore a vraiment trop bien fait en Italie les affaires du roi de France! A Turin, il lui a gagné Victor-Amé; à Rome, il attire à la « faction française » le cardinal Antoine, et son influence s'exerce sur le pape lui-même. Désormais, ils s'opposeront à son avancement par tous les moyens à leur disposition (leur clientèle est vaste dans la Curie!). Leur ambassadeur aurait même, en 1633, pressé Urbain VIII de jeter en prison cet intrigant qui, selon lui, trahissait les intérêts du Saint-Siège. Leur haine l'écarte de la nonciature de France et c'est malgré eux qu'il est envoyé en ambassade extraordinaire à Paris. Mais pour sa part, il n'a pas encore renoncé à se faire entendre à Madrid, comme il l'a été naguère à Casal ou à Milan.

Le bien de la Chrétienté suffirait à l'animer pour la mission de paix que lui a confiée Urbain VIII. Il puise néanmoins un surcroît de courage dans les beaux yeux de la reine espagnole de France.

Il lui a été présenté officiellement par Louis XIII lui-même, lors de son second séjour à la cour. C'était à Saint-Germain, au début d'avril 1632 : « Le Roi me mena, écrit-il, à la rencontre de la Reine pour que je lui fasse révérence. » Anne reconnut-elle en lui « un autre Philippe »? Ce cavalier italien savait plaire. Aux lointaines dames d'Espagne, à celles de Casal (à propos desquelles l'avait taquiné Carlo Colonna) avaient succédé celles de Turin. Il y avait, parmi les beautés qui entouraient la duchesse Chrétienne, compétition pour recevoir nouvelles et menus présents de l'aimable diplomate pontifical, quitte à user d'artifices : « Une dame, écrivait Servien à Giulio, le 1er mai 1632, dit fort hardiment en pleine Cour qu'elle vous voulait faire réponse quoiqu'en effet elle n'eût point reçu de vos lettres, mais je crois qu'elle ne voulut pas laisser aux autres l'avantage d'avoir été plus favorisées de vous qu'elle. » A quoi Mazarin répondait en décrivant les plaisirs de Paris où il se trouvait alors et de ses environs, en particulier ceux qu'il avait goûtés dans la « villa » de M. de Sardiny à Saint-Cloud : « très belles dames, collation magnifique, tout à la perfection... ». Sa mine avantageuse, ses yeux de velours sombre, ses longs cheveux châtains et sa barbiche à la royale lui valaient un succès flatteur et de son côté, il ne se montrait pas insensible au charme féminin.

Mais en quittant Paris, il recevait du cardinal Bichi la première tonsure. L'année suivante, fait Monsignore et favorisé de diverses charges auprès du pape en considération de l'honnêteté de ses mœurs (*vitae ac morum honestas*), il revêtait les bas et la soutane violette des prélats de Sa Sainteté. Qu'allaient dire ses belles amies de Turin et de Paris quand elles le verraient ainsi métamorphosé? Autour de Mme Chrétienne, la gaieté italienne l'emporta sur la surprise et la déception : les dames s'esclaffèrent de voir transformé en « nonce extraordinaire » leur soupirant des années passées. Pour prévenir pareille réaction à la cour de France, Giulio s'adressa à une correspondante parisienne, Mlle de Senneterre :

« Si vous saviez avec quelle impatience je désire être bientôt à Paris pour vous rendre mes hommages je suis certain que vous m'aimeriez encore davantage. Préparez-vous pourtant à rire quand vous me verrez en habit de nonce, car il est trop différent de celui dont j'ai usé autrefois par deçà. Mais il est infaillible qu'en tout habit et condition, je serai votre plus reconnaissant et véritable serviteur. La justice vous oblige à m'aimer, me l'ayant promis les deux fois que j'ai été à cette Cour... »

Le tour empressé de ce billet pourrait nous induire en erreur sur les sentiments de Giulio. Mlle de Senneterre était une vieille fille sexagénaire, spirituelle mais fort laide, et ses faveurs n'avaient rien de compromettant. Il n'en allait pas de même d'Anne d'Autriche qui, la trentaine atteinte, était restée telle que le pinceau de Rubens l'avait exaltée dans tout l'éclat de sa blonde beauté, de ses yeux clairs et de sa fraîche carnation.

Lorsqu'au sortir de l'audience royale du 5 décembre 1634, à Saint-Germain, Giulio se rend chez la reine, il l'aborde sans embarras :

« Y a-t-il lieu d'espérer, demande Anne, que Son Éminence le cardinal Antoine vienne jamais en France?

— Il faut, Madame, répond Giulio, que Votre Majesté lui en donne l'occasion, en faisant le plus tôt possible un dauphin...

— Je n'ai pas d'autre désir. »

En rapportant à son cher « patron » ces propos dont l'audace peut étonner, Giulio le prie d'envoyer sans tarder à la souveraine des « bagatelles » romaines, gants de frangipane et eaux de senteur. Il sait l'importance des « Petits Cadeaux » dans le pays du Tendre.

Anne n'a pas scrupule à les accepter car son royal époux ne la gâte guère et l'on peut tenir pour vraisemblable l'anecdote suivante rapportée par « l'ami d'enfance » : un jour que Mazarin avait gagné une grosse somme au jeu, il aurait fait porter 5 000 écus à la reine, attribuant sa chance à sa favorable présence : elle refusa d'abord mais il la supplia avec des accents si doux (*si soavi accenti*) qu'elle se laissa vaincre.

Il y avait plus sûr et plus noble moyen d'acquérir la reconnaissance d'Anne d'Autriche. A prévenir le conflit menaçant entre la patrie et le pays d'adoption de la souveraine, le nonce extraordinaire s'emploie avec un dévouement qui lui vaut sa confiance. Lorsqu'elle s'entretient avec lui « en particulier » sur ce sujet qui lui tient à cœur, c'est « avec un sentiment de gravité », une modération et un sérieux qui impressionnent favorablement l'envoyé du Saint-Siège : voyant avec angoisse « les choses irrémédiablement portées à la rupture », elle n'hésite pas à blâmer l'ambassadeur d'Espagne, Cristobal de Benavidès, de son insolence envers Richelieu.

Dès son arrivée à la cour, Giulio a fait ce qu'il a pu pour calmer ces oppositions de personnes, qui peuvent avoir de si graves effets. Le marquis de Leganès, l'un des vainqueurs de Nordlingen, étant passé à Paris, il s'est entremis pour préparer son entrevue avec le cardinal : « certes, se flattait-il, s'il eût vu Son Éminence sans que je me fusse auparavant abouché avec lui, il serait parti avec de très mauvaises impressions qui n'auraient pas aidé aux traités de paix, car il est confident du comte-duc (Olivarès) et en grand crédit dans le Conseil d'État ». Habilement flatté par Leganès, Richelieu lui a réservé son plus gracieux accueil : il veut la paix, assure-t-il, et n'en désespère pas si le général espagnol a charge de la négocier.

La paix cependant est en singulier péril lorsque, le 23 mai 1635, Mazarin tente une dernière chance en écrivant directement au nonce à Madrid, Mgr Campeggi.

Il vient d'obtenir de Louis XIII libre passage en Espagne pour les courriers : ce contact préservé contre vents et marées permettra-t-il d' « ouvrir quelque route qui à la fin nous fasse parvenir au but si désiré d'établir une bonne paix »? Giulio s'interdit de désespérer, « bien que les choses soient réduites à une telle extrémité ».

Ce qui importe, à son avis, est que les puissances en guerre ne tardent pas à désigner leurs plénipotentiaires au Congrès que Sa Sainteté veut réunir et pour le succès duquel lui-même se dépense sans compter. L'empereur l'a fait et Louis XIII ne tardera pas à suivre son exemple. On n'attend plus que la réponse du roi d'Espagne que Campeggi est prié de faire hâter. Quant à lui, il le sait bien, il n'est qu' « un pilote sans expérience », mais il tient à se disculper de l'accusation de partialité, en protestant de son admiration la plus vive pour « le grand mérite et les qualités insignes » d'Olivarès. Depuis longtemps, il a pu observer en Italie sa « prudence, perspicacité et opportunité »; « aucun ministre du roi d'Espagne n'en a jamais fait autant, comme le marquis Spinola lui-même me l'a avoué plusieurs fois ». Il se dit persuadé de « sa piété et excellente disposition à la paix », qui répond d'ailleurs à celle de Richelieu : « Plût à Dieu que ces deux ministres pussent être ensemble trois jours et toute difficulté serait surmontée sans autres diligences et sans Congrès ! »

Cette foi absolue et presque naïve en la toute puissance des contacts personnels, même entre ennemis déclarés, Mazarin n'est pas seul à la professer. Urbain VIII, nous l'avons vu, nourrit les mêmes illusions. Mais Giulio se distingue par son obstination à ne laisser passer aucune occasion favorable. Un grand seigneur espagnol, le comte de Salazar, étant tombé entre les mains des Français, il obtient de visiter le prisonnier malade, de « l'assister ponctuellement » et de l'entretenir : il est faux, lui dit-il, de prétendre que Richelieu ait besoin de la guerre pour se maintenir au pouvoir (« comme s'il n'y avait pas en France assez d'affaires pour occuper pendant la paix un grand ministre ! ») : le gouvernement espagnol doit être persuadé de sa bonne volonté. « J'ai parlé au comte Salazar, écrit-il à Campeggi, avec autant de sincérité que si j'avais été à l'article de la mort, pour satisfaire ma conscience, et rien d'autre » (20 mars 1636).

Salazar libéré, grâce à son intervention, viendra le remercier au début de juillet, en son exil d'Avignon, et restera quatre jours à discuter avec lui du futur Congrès de la paix. Il a été chargé par Richelieu d'en porter les propositions à Olivarès et se dit convaincu des bonnes intentions du cardinal et surtout du père Joseph. En l'Éminence Grise Mazarin met aussi son espoir. En fait foi un singulier épisode qui témoigne de l'optimisme de Giulio et de son zèle opiniâtre à ramener la paix.

En novembre, sur le chemin de son retour d'Avignon à Rome, il rencontre à Gênes un jeune officier espagnol fort en faveur à la cour d'Espagne où il serait, selon Mazarin, « le plus confident ami » d'Olivarès. Les deux hommes se plaisent et conversent longuement. Don Francisco de Mello n'est pas un soldat ordinaire. Aussi doué d'imagination que Giulio, il se révélera un poète et auteur dramatique aussi divers qu'original, dont une pièce, *L'apprenti gentilhomme*, aura l'honneur d'être plagiée par Molière. Dans sa franchise de militaire et de novice (il a vingt-cinq ans), il ne cache rien à l'envoyé pontifical des dispositions du premier ministre espagnol ni son hostilité personnelle à la trêve proposée entre Bourbons et Habsbourgs. Mazarin, de son côté, lui fait l'éloge du père Joseph qui désire sincèrement la pacification de la Chrétienté. Pourquoi Mello n'engagerait-il pas une correspondance suivie avec le capucin? Un tel échange contribuerait à aplanir les voies pour une réconciliation des grandes monarchies catholiques.

En se figurant qu'ainsi l'Éminence Grise arriverait à « gouverner entièrement » le favori d'Olivarès, Giulio pêchait-il par folle présomption? Il avait quand même réussi à entamer les fières certitudes de son interlocuteur. Lorsque viendra, quatre ans plus tard, la révolte du Portugal, Francisco de Mello se souviendra qu'il est né à Lisbonne et participera à la lutte contre ses maîtres espagnols (19).

A Rome, Mazarin ne se laisse pas oublier de la reine de France. Par Chavigny, ou par son correspondant, Charles, il lui fait remettre éventails et paires de gants parfumés, huiles et pommades, fards et eaux de toilette à la fleur d'oranger... Anne d'Autriche agrée ces « bagatelles » qui font entrer toutes les senteurs du Midi dans son boudoir de femme raffinée et coquette. Quelque peu indolente aussi : « elle se dispose à vous faire réponse, écrit Chavigny à Giulio, mais je pense qu'il lui faudra un peu de temps ».

A vrai dire, elle passe assez tristement ses journées. Le roi, d'humeur mélancolique et misogyne, la délaisse pour les longues parties de chasse aux environs de Paris ou les soirées solitaires et lorsqu'il la quitte, il emmène avec lui ses gentilshommes. Montagu, de passage à Paris au début de 1637, assiste au Louvre à un bal « où les femmes se prenaient les unes les autres faute d'hommes » et où « on laissait entrer les laquais pour emplir la chambre ». Quelle différence avec le joyeux carnaval romain auquel prend alors part Monsignore Mazarini, *maestro di casa* du mélomane Antoine !

Sombres années pour Anne d'Autriche ! Déchirée par la guerre qui sévit entre son mari et ses frères, Philippe IV d'Espagne et le cardinal-infant, gouverneur des Pays-Bas, elle est restée avec eux en correspondance secrète jusqu'au jour où ce commerce épistolaire est découvert (août 1637). C'est alors la perquisition opérée par le chancelier Séguier au Val de Grâce, son refuge, les durs reproches du roi et du cardinal, les aveux humiliants... Sa haine grandit envers Richelieu et la cause qu'il défend si âprement. Et puis soudain tout change. Au début de 1638, la surprenante nouvelle se répand : après plus de vingt ans d'union stérile, la femme de Louis XIII porte un enfant.

Ceux qui connaissent bien la cour de France demeurent incrédules : « C'est un tour de lit qui étonnera beaucoup de monde, écrit de Londres Walter Montagu. Je voudrais bien savoir à quelle particulière invocation il faut ascrire (attribuer) (20) ce miracle ». Quoi qu'il en soit, l'infante d'Espagne dédaignée va devenir la mère du roi futur; ce fils qu'elle met au monde le 3 septembre 1638 la vengera des mépris de son taciturne époux.

Durant ces mêmes années, la rupture devient définitive entre Mazarin et les Espagnols. La puissance de leur parti à Rome peut lui faire craindre d'être victime d'une agression. C'est pour des raisons de sécurité autant que de carrière qu'il sollicite et obtient de Richelieu l'autorisation de revenir à Paris, pour se dévouer cette fois-ci entièrement au service du roi.

L'évolution du diplomate pontifical et de la reine sont donc parallèles. Mais Anne d'Autriche prête encore une oreille complaisante aux adversaires du premier ministre. Elle garde ses raisons de le détester : elle vit dans une atmosphère de suspicion, entourée d'espions, confinée avec ses dames à Saint-Germain en Laye, où elle veille à l'éducation du dauphin. Mazarin à son retour, en janvier 1640, l'a trouvée enceinte d'un second fils qui naîtra en septembre. Absorbé par les affaires, il ne la voit qu'à de rares occasions. Il s'installe à Paris, mais il n'y reste guère, devant suivre Louis XIII au siège d'Arras; puis c'est, de septembre 1640 à juin 1641, sa mission en Piémont auprès de la duchesse Chrétienne, et au début de 1642, le voyage de Roussillon où il accompagne le roi et la Cour.

Anne d'Autriche est restée à Saint-Germain, inquiète des menaces du ministre, qui parle de lui enlever ses enfants. Pour les garder auprès d'elle et désarmer le cardinal, ne lui a-t-elle pas livré le traité signé avec l'Espagne par Monsieur et Cinq-Mars? Cette trahison dont nous n'avons que de troublants indices, mais point de preuve formelle (21), lui permet de discréditer le seul compétiteur à sa future Régence, Monsieur, frère du roi.

Au moment en effet de la mort de Richelieu, lorsque celle de Louis XIII est attendue d'un mois à l'autre, les problèmes de succession se posent ainsi : Anne d'Autriche ou Gaston d'Orléans? Mazarin ou Chavigny?

L'habileté de Mazarin fut de miser sur la reine sans rompre ses anciennes relations avec Monsieur. N'avait-il pas jadis, au nom du pape, défendu la validité de son mariage avec la princesse Marguerite de Lorraine? Ne lui avait-il pas obtenu de Richelieu la liberté de certains de ses serviteurs? Il s'en flattait du moins. Chavigny l'avait introduit dans l'entourage du prince, dont il était lui-même le chancelier, et Gaston réclamait souvent l'agréable compagnie du « seigneur Julio ». Plus tard, le frère du roi et le prélat romain échangèrent cadeaux (médailles antiques contre montres émaillées) et politesses, et Gaston réclamant le retour en France de Giulio lui écrivait : « Il n'y a chose au monde qui puisse contribuer à votre gloire et à votre satisfaction parfaite que je ne vous souhaite de toute mon affection. »

A la mort de Richelieu, Mazarin fut de ceux qui poussèrent le roi à faire venir à la Cour son frère disgrâcié et même sa belle-sœur Marguerite de Lorraine, à laquelle Richelieu avait toujours refusé l'accès du sol français. Lors du procès de Cinq-Mars, il avait rencontré à Lyon l'abbé de La Rivière, aumônier du prince, qui venait plaider la cause de son maître sur lequel il ne manquait pas d'influence : les deux ecclésiastiques avaient paru dès lors diposés à s'entendre.

Pourtant c'est vers Anne d'Autriche que se tourna Mazarin, lorsque la maladie de Louis XIII l'obligea de prendre ses mesures pour l'avenir. Par l'intermédiaire du nonce et de l'évêque de Beauvais, Pothier, dont la sainteté naïve impressionnait la reine, il assura celle-ci de son dévouement. Elle fut sensible à cette démarche : « Je suis persuadée que le cardinal Mazarin est mon serviteur, répondit-elle. Je serai bien aise de conserver quelqu'un qui puisse m'informer des intentions que pourra avoir le roi à la mort pour les suivre. Je veux me servir pour cela d'une personne qui ne soit point dans la dépendance de Monsieur ni du prince de Condé. »

Ceux qu'elle désignait ainsi comme ses adversaires étaient essentiellement les Bouthillier, et particulièrement Chavigny, dont la capacité et les ambitions surpassaient de beaucoup celles du vieux surintendant des finances, son père. Chancelier de Gaston d'Orléans, Chavigny croyait pouvoir toujours le gouverner, alors que le prince était las de sa rude tutelle. D'autre part, lié ouvertement avec les Condé, il soutenait leur prétention d'avoir comme princes du sang le pas sur les cardinaux : cette revendication avait indisposé Mazarin, sans d'ailleurs le faire céder.

Chavigny ne pouvait cependant priver Anne d'Autriche de ce droit à la régence que la tradition monarchique accordait à la mère du roi mineur. Il imagina donc, avec la complicité de Louis XIII moribond qui se méfiait de son épouse, de limiter le pouvoir de celle-ci par un Conseil de régence où entreraient les princes du sang et les ministres. Qu'il ait ou non inspiré le « testament » du roi, le fait est que la reine lui en imputa la responsabilité et lui en garda une solide rancune. Dès la mort de son époux, elle manifesta l'intention de chasser les Bouthillier du Conseil.

Elle attendit pour cela que le Parlement eût cassé le testament royal, ce qu'il fit avec empressement. Le même jour (18 mai 1634), elle demandait à Mazarin de renoncer à son projet de retour à Rome et de conserver la direction des affaires. Giulio ne pouvait pas oublier ce qu'il devait à l'amitié de Chavigny. Il le garda au Conseil, dans une position secondaire. Le tort de Chavigny fut de ne pas s'en contenter. « Je l'ai maintenu dans le ministère contre les inclinations de la Reine, disait Mazarin pour se défendre du reproche d'ingratitude. J'ai eu l'intention de lui faire part de ma faveur, mais il n'a pas été capable de la recevoir de moi avec cette même dépendance que j'avais eue autrefois pour la sienne (22). »

Le cardinal aurait eu l'intention d'envoyer Chavigny traiter la paix à Munster, mais celui-ci aurait refusé de considérer la partie perdue à Paris. Bientôt, « l'aversion » de la régente devait l'obliger à se défaire de sa charge de secrétaire d'État en faveur d'Henri-Auguste de Brienne, serviteur éprouvé et docile d'Anne d'Autriche. Désormais Mazarin n'avait plus de compétiteur, mais c'était au prix d'une rupture pénible. Il apprenait ainsi à ses dépens qu'un premier ministre n'a pas d'amis, mais seulement des collaborateurs.

Il lui restait du moins, fidèle et passionné, le soutien d'Anne d'Autriche. La reine, malgré la quarantaine (un âge « si affreux à notre sexe », écrit sans illusions Mme de Motteville) avait gardé « une fraîcheur et un embonpoint qui lui pouvaient permettre de se compter au rang des plus belles dames de son royaume ». Le deuil lui seyait et de ne plus mettre de rouge « augmenta la blancheur et la netteté de son teint ». De son côté, Giulio, d'un an son cadet, apparaissait alors « grand, de bonne mine, bel homme, le poil chastain, un œil vif et d'esprit, avec une grande douceur dans le visage » (Olivier d'Ormesson) (23). Anne n'avait pas oublié le jeune diplomate d'autrefois qui ressemblait tant à Buckingham : « du vivant du feu Roi, elle avait témoigné assez souvent qu'elle l'estimait et n'être pas fâchée de le voir ». Dès leurs premières conversations de régente et de ministre, son esprit lui plut autant que sa personne et « dans son cœur, il acquit en peu de jours le premier degré de sa faveur ».

Ces affirmations sont de Mme de Motteville, bien placée auprès de la souveraine pour suivre l'évolution de ses sentiments. Pourtant la suivante dévouée d'Anne d'Autriche pensait que Mazarin « aimait la Reine en ministre » et non point en amant. Sa jalousie instinctive envers celui qui accaparait l'attention de sa chère maîtresse a-t-elle amoindri sa perspicacité coutumière? Croyait-elle vraiment que « le cœur » puisse être pris sans altérer la plus « solide vertu »?

Elle ne l'ignorait pas : Anne d'Autriche avait « l'esprit galant », ce même esprit issu des romans de chevalerie qu'avait entretenu jadis, à la cour de Bruxelles, la fille de Philippe II, l'infante Clara-Eugenia, et qui faisait croire follement au grand Condé « qu'une femme espagnole, quoique dévote et sage, se pouvait toujours attaquer avec quelque espérance ». A l'exemple de sa tante, Anne passait des heures dans son oratoire, vivait dans les couvents, assistait les pauvres avec une générosité jamais lassée : elle leur avait, jeune reine, sacrifié ses bijoux à l'insu de son avare époux et, régente, elle allait les soigner de ses mains, émerveillant Vincent de Paul lui-même. Lorsque l'humble et saint fondateur des Dames de Charité, auquel elle avait confié la direction de sa conscience, apprit les bruits scandaleux qui coururent pendant la Fronde sur les relations de la reine avec son ministre, il s'écria indigné : « C'est faux comme le diable ! »

Et pourtant, les lettres passionnées qu'échangèrent pendant l'exil du cardinal, en 1651, Anne d'Autriche et Mazarin ont pu autoriser les soupçons, faire supposer même l'existence d'un mariage secret. Hypothèse dont il n'existe pas le moindre commencement de preuve et insoutenable pour bien des raisons, ne serait-ce que celle-ci : jusqu'à la veille de sa mort, le cardinal songea plusieurs fois à prendre les ordres sacrés : il y avait pensé précisément peu de temps avant d'écrire à la reine que tous deux étaient « unis ensemble par des liens, que vous êtes tombée d'accord plus d'une fois avec moi qu'ils ne pouvaient être rompus ni par le temps ni par quelque effort qu'on y fît ».

Quels étaient donc ces « liens » qui n'étaient point ceux du sacrement, mais d'un « accord » tout personnel ? Il y avait certes celui d'un vif attrait mutuel, cette « liaison étroite d'esprit » dont, malgré toute sa malveillance à l'égard de Mazarin, Mme de Chevreuse n'avait pu découvrir de prolongement scandaleux. Ce sentiment entre deux quadragénaires peu sensuels ne manquait pas de flamme et une des dames d'honneur d'Anne d'Autriche, Mme de Brienne, nous a transmis par son fils cette touchante confession de la reine :

« Je t'avoue que je l'aime et je puis dire tendrement, mais l'affection que je lui porte ne va pas jusqu'à l'amour, ou, si elle y va sans que je le sache, mes sens n'y ont point part : mon esprit seulement est charmé de la beauté du sien (24). »

Pour inspirer une telle tendresse, le beau Giulio avait pu s'autoriser des exemples du comte Philippe ou de Walter Montagu, mais le dévergondage de Mme Chrétienne aurait fait horreur à Anne d'Autriche qui ne voyait jamais Mazarin que devant témoins. Et Montagu autant que lord Jermyn n'ont probablement été pour Henriette que des sigisbées, à la mode des cours méditerranéennes. Leurs galantes aventures ont cependant guidé Mazarin dans sa conquête du cœur de la reine.

Mais par quelle chaîne a-t-il retenu son « esprit »? Un lien, sacré celui-là, le faisait à jamais solidaire de la reine de France, de la chrétienne fervente, de la mère passionnée. Quelques jours avant de mourir, Louis XIII l'avait choisi pour être, au nom du pape, le parrain du jeune dauphin. Le 21 avril 1643, Mazarin contracta une parenté mystique avec la monarchie et avec la France. Ce sont elles qu'Anne d'Autriche remit, un mois plus tard, à son expérience, à son zèle, à son amour de la paix.

Au moment où le cardinal premier ministre s'éveille à la toute puissance, ses parents et ses amis de Rome, qu'il a, non sans débat intérieur, renoncé à retrouver, sont loin. Le père Joseph, Richelieu sont morts et Chavigny maintenant le déteste. Il griffonne dans son carnet :

« On insinue pour me mettre à dos le peuple que la Reine est étrangère et que je n'introduis dans ma confiance d'autres que Montagu qui est aussi étranger... »

Une infante d'Espagne, un cardinal romain, un paladin britannique protégeant le trône d'un enfant de cinq ans! Ce n'est pas là un des moindres paradoxes de l'Histoire de France.

CONCLUSION

UN DIPLOMATE DE L'ÂGE BAROQUE

Comme en autant de miroirs, nous avons découvert Mazarin à travers ses amis. D'où une succession d'images prises dans le mouvement de la vie, en des lieux et des moments divers, sous des éclairages contrastés... Nous avons rencontré d'abord le fils et le frère dévoué (de préférence à l'oncle des turbulentes « Mazarinettes »), l'homme d'une « maison » : une famille romaine du XVIIe siècle avec ses difficultés quotidiennes, ses joies et ses peines... Les sentiments chrétiens des siens ont trouvé en lui un écho, comme la conception paternelle que la réussite s'acquiert par de puissants protecteurs.

Dans la Rome des Papes, comme dans l'Europe aristocratique d'alors, places et honneurs dépendent des grands seigneurs, princes ou cardinaux. Les Colonna n'ont pas fait la fortune de Pietro Mazarini, mais ils aideront celle de Giulio à son aurore comme les plus modestes mais influents Sacchetti. Il devra plus encore au pape Urbain VIII et à ses neveux, les Barberini, surtout à l'aimable cardinal Antoine, auquel il tentera assez vainement d'insuffler saine ambition et nécessaire énergie. Il acquerra d'eux, avec l'amour des arts, l'idée d'une « Chrétienté catholique (1) » qu'il convient de garder pacifique et unie. Tels sont les principaux sujets de sa correspondance avec ses amis de Rome : tandis que Benedetti ou Macarani rabattent pour lui vers la cour de France peintres, sculpteurs ou musiciens, il conseille Ondedei dans sa mission de paix au congrès de Cologne et se laisse toucher par Alessandro Bichi qui, voyant en lui le futur médiateur des luttes européennes, l'adjure de rester auprès de l'enfant-roi Louis XIV.

La conquête des hommes d'État français par Giulio Mazarini n'a pas été sans difficulté. Richelieu ne s'est pas rendu du premier jour au souple Italien qu'il a longtemps tenu comme partial envers l'Espagne et la Savoie. Il est vrai qu'avec ces deux puissances catholiques (surtout avec la seconde) Giulio a noué, dès le début de sa carrière de diplomate pontifical, des liens personnels qu'il ne brisera pas sans regrets. Ses premières lettres en français datent de sa mission en Savoie, en 1640-41, au cours de laquelle il dut ordonner l'arrestation du favori de la duchesse Chrétienne, acte brutal auquel Richelieu le contraignit, peut-être pour l'éprouver : ce jour-là, Mazarin se sacrifia entièrement à la politique royale et désormais le dur cardinal, premier ministre de Louis XIII, ne lui marchanda plus une confiance et une affection déjà invétérées.

Fut-il donc obligé, en contrepartie de son élévation au poste suprême, de renier son personnage et ses idées de jeunesse et comme le père Joseph, mystique devenu politique, d'abandonner le pacifisme européen pour un nationalisme agressif? Pour assurer la succession de Richelieu, Mazarin cardinal-ministre dut-il être infidèle au « signor Giulio »?

Il n'en fut rien. Dès son arrivée au pouvoir, l'ancien médiateur de Casal montra qu'un esprit nouveau allait animer la politique étrangère française. Avant même la mort de Louis XIII, il avait amorcé avec les Habsbourgs des négociations secrètes. Bientôt, sous son impulsion, allaient s'ouvrir les congrès de Westphalie. Munster, Les Pyrénées, Oliva, autant d'étapes vers la pacification de la Chrétienté. Mazarin premier ministre remplit avant de mourir le programme qu'à son avènement lui avait tracé de Rome le fidèle Benedetti :

« Votre gloire a commencé avec une paix et avec une autre paix elle arriverait à un tel point que Votre Éminence pourrait s'assurer de l'immortalité. »

Il serait toutefois aussi injuste qu'imprudent de forcer les différences entre les deux cardinaux ministres et d'opposer un Richelieu-la-guerre à un Mazarin-la-paix. C'est à tort que Montagu avait assuré à la reine régente que son ami était en tout le contraire du cardinal défunt. La récente publication des *Acta Pacis Westphalicae* a prouvé que, dès 1637, le premier ministre de Louis XIII songeait à la paix et en dressait les conditions, à vrai dire rigoureuses. D'autre part, ses relations avec Giulio en témoignent, l'Éminence Rouge ne fut pas insensible à l'amitié. Croirait-on même que pour l'imagination, cette folle du logis qui avait joué tant de tours à Giulio, lui avait soufflé tant d'illusions mais aussi tant d'inspirations fécondes, le solide Turenne, le moins chimérique des esprits, en accordait davantage à l'Éminence première? « Les desseins du cardinal Mazarin, disait-il, étaient justes et réguliers, ceux du cardinal de Richelieu plus grands et moins concertés, pour venir d'une imagination qui avait trop d'étendue. »

Soyons donc prudents, mais ne tombons pas pour autant dans le paradoxe! Peu de politiques ont fait confiance autant que Mazarin aux rapports personnels. « Il avait coutume de dire, témoigne Benedetti, qu'aucune cause n'exerce une influence plus considérable sur la fortune d'un homme que l'abondance de ses amis. » Et lui-même proclamait : « Vous me connaîtrez plus en faits qu'en paroles et je ne suis pas un ami en apparence. » Ce livre devrait justifier ces affirmations contre tant de légendes et de propos venimeux répandus depuis la Fronde par ses ennemis. Ajoutons qu'il ne fut pas un ingrat : il fit la fortune de ceux qui l'avaient une fois soutenu, à l'exception du seul Chavigny; il rappela Abel Servien, disgrâcié par Richelieu, l'envoyant représenter la France au congrès de Westphalie (2), s'entoura de ceux qu'il avait connus et protégés depuis longtemps (Le Tellier, d'Hémery, Lionne...) et garda la faveur royale à l'insupportable ambassadeur de France qui avait rendu si difficile sa position à Rome :

« Je ne suis pas malfaisant de nature et le maréchal d'Estrées, quand il reviendra en France, restera confus de la manière dont j'ai toujours parlé de lui à Son Éminence (Richelieu) et de ce que j'ai fait pour le servir... Je compatis à ses défauts car ils lui sont naturels et je prie Dieu qu'il m'envoie le mal que je lui veux. »

Lui qui avait soigné Carlo Colonna et secouru dans sa prison le comte Salazar, pleuré amèrement la mort de Bagni et adouci les derniers moments de Spinola, encouragé les rêves d'amour et d'apostolat de Walter Montagu et libéré du donjon de Vincennes le comte Philippe, sollicité le retour en grâce de Toiras et accueilli à la Cour de France les Barberins fugitifs, réconcilié son père avec Martinozzi et son frère avec le cardinal Antoine, tenté d'obtenir l'indulgence de Richelieu pour les faiblesses de Mme Chrétienne et sa pitié pour les malheurs d'Henriette de France... il faisait confiance à la nature humaine. Il savait les défauts de chacun et les siens propres, mais ne se décourageait pas. Dans ses négociations les plus difficiles, un zèle infatigable le soutenait, et sa patience obtenait parfois des résultats inespérés : patience et prudence, secret et confidence (*patienza, prudenza, secreto, somma confidenza*), telles sont les expressions qui reviennent le plus souvent sous la plume de ce *galant'uomo* qui, au siècle d'or de l'individualisme, croit pouvoir tout obtenir de son charme, de son éloquence, de sa force de persuasion. Aucune peine ne le rebute, car une véritable vocation l'anime, et s'il lui arrive de pester : « C'est un méchant métier, celui de se surmener tout le jour sur de mauvaises routes, au vent, à la pluie, au soleil et de se casser sans cesse la tête pour les affaires d'autrui... », il ajoute aussitôt : « Je ressemble aux soldats qui dans les périls, les veilles et tant d'autres souffrances de la guerre, la condamnent et déclament de mille façons contre elle, mais à peine sont-ils dehors qu'entendant battre le tambour, ils courent s'engager, oubliant les fatigues supportées... »

Cette obstination, il la montrera jusqu'à la mort et ses contemporains ont attribué sa fin prématurée aux excessives fatigues qu'il s'imposa lors des conférences de la paix des Pyrénées. Tous ceux qui l'ont jugé de bonne foi ont reconnu son labeur immense, sa modération naturelle, bien opposée aux tendances de son prédécesseur (imaginons seulement comment Richelieu se serait vengé de la Fronde !), sa clairvoyance et son habileté, son expérience et sa force d'âme dans l'épreuve. D'où vient donc que la postérité se soit montrée si souvent sévère à son égard?

Il reste toujours quelque chose de la calomnie. Mazarin a fait fi trop généreusement des injures souvent ordurières de la Fronde et s'il a laissé Gabriel Naudé les réfuter (mais personne n'a lu son ouvrage), il a cru que l'excès même de ces pièces incendiaires leur ôterait tout crédit. L'opinion lui revint par la suite et le cardinal qui avait donné la paix à l'Europe mourut populaire, mais la semence des idées fausses et des jugements iniques était jetée. Les Mazarinades furent rééditées sous la Révolution comme une machine de guerre contre la monarchie : elles inspirèrent l'Alexandre Dumas de *Vingt ans après* et le mépris de Michelet pour « le fourbe Italien », « ce grand Mascarille », « le roi des fripons ».

Plus grave encore pour la réputation posthume de Mazarin fut l'attitude prise à son égard par certains mémoralistes. Les *Mémoires* de Retz, adversaire haineux du cardinal, sont un règlement de comptes; leur style éblouissant fait oublier leur injustice. Avec ceux de Mme de Motteville, ils ont passé pour la loi et les prophètes aux yeux des historiens peu exigeants de la première moitié du XIXe siècle (3). Or « la femme de chambre » d'Anne d'Autriche, inconsciemment jalouse de sa maîtresse, n'aimait pas Mazarin et ne manquait pas une occasion de le desservir auprès de la reine. Tout au long de ses bavards souvenirs perce son petit esprit, acharné à saisir les défauts d'un maître peu généreux.

Son témoignage ne doit pas être négligé mais il convient de le comparer à celui du jeune Brienne, qui vécut dans l'intimité du cardinal pendant ses dernières années et pour qui Mazarin eut des attentions de père. « Je l'aimais tendrement », écrit de lui Brienne, « il avait du cœur » et il « ne m'a jamais paru plus grand que dans sa disgrâce... S'il raillait, c'était sans médisance... Il entendait la messe tous les jours et communiait aux grandes fêtes ». Cœur sec, poltronnerie, scepticisme... ces accusations de Retz et de Mme de Motteville n'ont donc pas été retenues par Brienne. Mais il a gardé celle-ci, dont il donne des exemples frappants : « sa passion dominante était l'avarice ».

Sur ce point, le pouvoir semble avoir corrompu Mazarin. L'étude n'a jamais été faite des origines de sa fabuleuse fortune (M. Vilain n'en a donné que des éléments dans son intéressant *Mazarin homme d'argent*). Trop souvent, le ministre confondit ses propres finances avec celles de la France et son amour pour les œuvres d'art se transforma peu à peu en avidité de collectionneur. Dans sa jeunesse, il avait fait céder la soif de posséder à une passion plus noble, l'ambition. S'il recherchait des objets de prix, c'était pour les offrir avec une largesse de grand seigneur dont Walter Montagu, lui envoyant des chevaux, le reprenait doucement : « Je ne crains qu'une chose, que vous n'en fassiez comme de la plupart des autres bonnes choses, ne vous en servir que pour les donner. » Que les temps étaient changés ! Le tout-puissant cardinal-ministre restait généreux à l'occasion. Il ne le paraissait pas tant, sollicité qu'il était de toutes parts, que le jeune Monsignore, moins pauvre et désintéressé qu'il ne le prétendait.

Ce qui a fait le plus de tort à Mazarin auprès des sujets de Louis XIV, comme des historiens d'autrefois, est sa qualité d'étranger. D'où venait donc cet Italien, auquel Retz et Mme de Motteville prêtaient gratuitement de sordides origines et de troubles débuts? Sa naissance transalpine a paru un vice irrémissible : elle a servi de reproche suprême pour stigmatiser le « gredin de Sicile », le *Trivelino principe* (Michelet), et, tout récemment encore, « ce maître en *combinazioni*... qui a toujours su, en bon Italien, le prix des consciences » (Goubert). Ne faut-il pas confesser avec Auguste Bailly : « En réalité nous nous laissons guider par un nationalisme obscur qui fait que nous pardonnons malaisément à cet Italien d'avoir gouverné la France ».

Cet Italien... Il vaudrait mieux dire ce Romain, c'est-à-dire un fils de la cité la plus cosmopolite, la plus ouverte aux arts, vivifiée par les vents de l'esprit. En ce premier XVIIe siècle, elle est, comme le rappelait récemment M. Victor Tapié, le foyer du meilleur baroque. Le Caravage et le Guerchin, les Carrache et Pierre de Cortone, le Bernin et Borromini, Monteverdi et Carissimi, peintres, sculpteurs, architectes, musiciens, ont créé le langage d'une civilisation nouvelle, à base d'enthousiasme héroïque et de foi optimiste. De ces artistes, Giulio Mazarini ne s'est pas contenté d'aimer les œuvres avec passion : il en a répandu le culte, faisant « en France triompher l'Italie », comme le souhaitaient ses amis des bords du Tibre (4). Mais surtout il a partagé leur inspiration : il eut à sa manière leur imagination créatrice, leur verve foisonnante, leur dynamisme, leur habileté et diversité d'expression. Sa langue ou sa plume ont opéré les miracles qu'ils tirèrent de leur ciseau, de leur baguette, de leur pinceau : il fut un diplomate de l'âge baroque.

Et pourtant, dans une récente et perspicace étude de *Mazarin Européen*, M. Maurice Schumann caractérisait la politique du cardinal comme celle du bon sens, de la clairvoyance, de la mesure. Si le fils de la Rome baroque est devenu un homme d'État classique, c'est dans la ville des papes qu'il a d'abord éprouvé la réalité d'un humanisme européen, d'une foi, d'une tradition, d'une civilisation communes : il aura, nous l'avons vu, des amis dans diverses nations occidentales.

Le premier ministre d'Anne d'Autriche n'a pas oublié la ville de son enfance. Dans son blason de cardinal, il a placé le faisceau du licteur romain et la Cité des papes reste pour lui « la patrie ». Il a voulu y conserver le fastueux palais acheté jadis aux Bentivoglio, refusant de le vendre au cardinal Antoine, à la mort de son père Pietro. Aurait-il donc eu l'intention de revoir un jour les bords du Tibre?

A Rome est revenue en 1655 sa sœur Margarita Martinozzi, après avoir marié au duc de Modène sa fille Laura, quelque temps destinée à un Barberini (5). Le cardinal n'a pas voulu la retenir près de lui : « qu'elle se retire à Rome, a-t-il prononcé, et vive pour Dieu et pour elle-même *(viva a Dio e a se medesima)*, comme elle a fait jusqu'à présent, car vraiment je considère que la Cour serait pour elle un martyre continuel ». La pauvre veuve, si effacée, a donc repris sa vie discrète, coupée par les visites de sa fille ou de ses nièces. Son frère lui écrit régulièrement et avec affection. Elle lui survivra près d'un quart de siècle, n'étant morte qu'en 1685.

Quant à Anna Maria, elle est devenue en 1657 prieure de son couvent du Campo Marzo. C'est d'elle que Giulio reçoit les nouvelles les plus suivies, les plus intéressantes. La renommée et la puissance de son frère ont fait de la prieure un personnage : grandes dames, princes et cardinaux se succèdent au parloir du couvent; elle reçoit les visites des Colonna, qui se réjouissent du prochain mariage de l'un d'eux avec Maria Mancini, la petite fille de leur ancien *cameriere*, des Barberini (surtout du bon cardinal Antoine toujours aux petits soins pour elle), des Sacchetti, du marquis Spinola..., mais aussi de Leonora Baroni, la cantatrice maintenant veuve, devenue pour elle une amie, et même de la fantasque reine Christine de Suède. Mais ses plus chers moments, Sor Anna-Maria les passe en compagnie de « grands spirituels ». Ces religieux mystiques (tel le père carme Alesso-Maria) souhaiteraient que le souverain pontife abandonnât son pouvoir temporel pour se consacrer « aux pauvres et aux besoins des Églises ». Ils prient pour Mazarin et semblent compter sur lui.

A la fin de 1659, la nouvelle se répand à Paris que le pape Alexandre VII est tombé malade (6). Mazarin est revenu de Saint-Jean-de-Luz avec la Cour, après avoir mis fin par le traité des Pyrénées à la guerre franco-espagnole. Le retentissement de l'événement est immense : « De ce que vous avez fait pour la paix, on vous donne de grandes louanges à Rome, écrit Anna-Maria. Il y a une joie universelle et tous voudraient jouir un peu de votre présence. » Et elle ose suggérer : « Tous vous appellent comme pape pour que vous portiez le repos à la pauvre Italie. »

Le cardinal a-t-il alors songé à la tiare? Le jeune Brienne l'affirme; il aurait surpris dans les papiers de son maître une promesse du roi d'Espagne de soutenir sa candidature au trône de Saint-Pierre. Plus troublante encore me paraît être une lettre d'Anna-Maria, du 29 novembre 1660, peu après une visite qu'elle a reçue de Colbert, l'homme de confiance du cardinal : elle y dit à son frère sa « joie indicible que Votre Éminence dise sa première messe » : « Je prie la divine Bonté de vous donner les forces de la dire à Noël et j'en espère une grande utilité ». L'accession du cardinal à la prêtrise était une condition indispensable à son éventuelle promotion. La nouvelle toutefois ne fut pas confirmée : Mazarin, déjà mortellement atteint, ne put exécuter l'intention dont se réjouissait sa sœur.

Sa fin fut d'un chrétien, confiant en « la miséricorde de Dieu (7) ». Stoïque devant la souffrance, il mourut aussi en Romain. A tous ceux, parents et amis, qu'il laissait dans la Ville Éternelle, il dicta des lettres d'adieu. Au pape Alexandre VII, il laissait une somme considérable pour la reprise de la croisade contre les Turcs (8). Celle-ci redevenait possible grâce au terme imposé par les traités aux rivalités des puissances chrétiennes (9). A Antoine Barberini, témoin de ses premiers rêves de gloire, *Mazarini* (ainsi l'enfant de Rome signa-t-il toujours ses lettres) pouvait écrire :

grâce à la divine Providence d'avoir daigné ger ma vie jusqu'à la conclusion de la paix... eurs content ».

L'ancien serviteur du Saint-Siège, resté fidèle à ses enthousiasmes de jeunesse, avait accompli la tâche qu'il s'était lui-même fixée.

APPENDICE

CHOIX DE LETTRES DE JEUNESSE DE MAZARIN

(traduites de l'italien)

AVERTISSEMENT

On trouvera dans les pages suivantes un choix de lettres de jeunesse de Mazarin destinées à illustrer et justifier notre étude. Ces lettres, en nombre restreint (une trentaine), ne constituent qu'une part minime des documents que nous avons consultés. Nous espérons toutefois qu'elles permettront au lecteur de prendre un contact direct avec notre héros, de se familiariser avec son style, de le suivre par la pensée pendant la dizaine d'années qui précéda son accession au ministère : il pourra ainsi, après avoir été promené à travers les divers milieux fréquentés par le *signor Giulio* du cardinal Antoine, le *Colmardo* de Richelieu, replacer Mazarin dans la suite temporelle de son destin. Les explications que nous lui avons données devraient lui permettre de comprendre ces textes avec le minimum d'annotations. D'autant plus qu'il y reconnaîtra plus d'un passage déjà cité dans notre étude.

Ces lettres sont pour la plupart inédites (sauf cinq) et traduites de l'italien (sauf une). Nous espérons qu'une édition transalpine nous permettra un jour de leur restituer leur texte primitif. Malgré nos efforts de fidélité dans la traduction, nous avons dû nous contenter parfois d'approximations pour rendre certains termes typiquement italiens : nous avons alors cité entre parenthèses le mot original. Enfin, il nous est arrivé de corriger des fautes évidentes de transcription : l'écriture de Mazarin était cursive et difficile et le scribe quelquefois distrait.

Nous ne nous sommes pas astreints à reproduire toujours intégralement les lettres choisies. Nous disposions d'une place limitée et il n'était pas question, par exemple, de traduire les trente-deux pages de la lettre de Mazarin au père Joseph du 8 décembre 1636, remplie d'affaires les plus diverses. La prose du futur cardinal est, avouons-le, surabondante, surtout dans ses débuts dans la carrière; elles s'embarrasse alors de fioritures, de périodes cicéroniennes, d'interminables formules de politesse. Le style de Mazarin s'épurera à mesure que s'affirmera sa personnalité, qu'augmentera sa confiance en lui.

Les correspondances ici rassemblées cherchent à faire connaître l'homme plutôt que les affaires qu'il eut à traiter. Ont donc été préférées les plus personnelles, les plus confiantes, celles adressées aux vrais amis, celles dans lesquelles Giulio, l'amateur de belles choses, l'aimable compagnon, se libère des soucis de son métier, se raconte, avoue ses déceptions et ses enthousiasmes, ses espoirs et ses petits calculs, expose ses intrigues avec une franchise naïve et parfois cynique. Bien entendu, la politique (la grande, celle des relations internationales, et la petite, celle des cabales de Cour) n'est jamais tout à fait absente. On en retrouve le bruit sourd et les potins même dans les épîtres familières, comme celles à la maréchale d'Estrées, au comte de Verrue, à Macarani, à Martinozzi... Même dans celles (nous n'en conservons que de rares copies) que Giulio adresse à sa famille. Son dernier message à ses sœurs fait allusion à la paix signée par ses soins. Il mêle aussi, ce qui est un autre trait caractéristique de cette correspondance, aux réflexions spirituelles les plus élevées des considérations éminemment pratiques : au moment de mourir, Mazarin dit aux siens sa joie d'avoir bien établi ses nièces et de laisser ses sœurs dans une large aisance. De même, son dernier adieu au cher cardinal Antoine s'accompagne d'un legs important.

Car, s'il a aimé l'argent et su faire ses comptes (les lettres ici publiées en témoignent avec une intéressante précision), ce fut d'abord afin de se montrer généreux. Il n'est guère de lettre non seulement aux siens, mais à Servien, à Chavigny, à Richelieu, à Montagu... qui ne contienne l'annonce de plaisants cadeaux : générosités calculées, dans la mesure où Giulio considérait ses relations comme autant de moyens de parvenir, mais ce serait faire tort à l'ambitieux Monsignore que de lui refuser tout sentiment spontané. Le ton de la plupart de ces lettres achèvera, nous l'espérons, de convaincre le lecteur de l'importance comme de la sincérité des attachements que contracta l'homme d'État lors de ses années d'apprentissage. Il conviendra que ce n'est pas sans raison que nous avons mis l'accent sur ce point en intitulant l'étude de la jeunesse de notre héros : *Mazarin et ses amis.*

G. D.

UN BON PROPHÈTE

A Monsieur de Chavigny

Rome, 21 janvier 1639

Qu'il me soit permis de vous raconter une chose de rien, une bagatelle qui se rapporte à ma situation présente. Colmardo *avait vingt-deux ans* (1), *il était revenu d'Espagne très affectionné aux dames de ce pays, à Rome il était intimement lié au duc de Palliano* (2) *avec lequel il se trouvait sans cesse. Il n'avait jamais, de la manière la plus absolue, fréquenté aucun Français quand un serviteur du duc de Parme, qui avait réputation de grand astrologue, lui demanda un jour pourquoi il se donnait tant de mal à servir les Espagnols, alors que tous ses avantages et sa grandeur il devait les recevoir de la France. Et après, notamment, il dit à mon père, dont il avait su le lieu de ma naissance, que* Colmardo *serait cardinal avant d'avoir quarante ans. Mais je ne fis aucun cas de ce présage.*

J'avoue toutefois que la première fois que je vis l'Éminentissime Cardinal-Duc (3), *à Lyon, je m'en*

---

(1) *Colmardo* (frère Coupe-choux) est le sobriquet par lequel Richelieu désignait Mazarin. Giulio était né le 14 juillet 1602. Cette lettre nous ramène donc à l'année 1624.

(2) Le connétable Colonna, duc de Palliano.

(3) Richelieu. Cette première entrevue eut lieu le 29 janvier 1630.

souvins et je résolus de me consacrer à lui entièrement, car il m'engagea à le faire avec mille courtoisies et les bons traitements dont il usa envers moi. Et toujours depuis j'ai voulu recevoir tout mon bien de Son Éminence, ce que je vois présentement si bien accompli qu'il ne reste rien à désirer à Colmardo *en ce qui concerne Son Éminence* (1).

J'ai voulu vous raconter cela pour que vous voyiez les rencontres que font parfois ceux qui contemplent les étoiles.

A. E., Corr. Pol., *Rome* 65, fos 98-99 : original autographe. Publiée en traduction partielle par G. Dethan (dans l'ouvrage collectif *Mazarin* (1959), p. 12; le P. Blet, article cité (1959) et Mme Laurain-Portemer dans le Catalogue *Exposition Mazarin* (1961), p. 19.

MAZARIN RACONTE SON EXPLOIT DE CASAL

A Charles, à Paris

Rome, 29 mars 1638

Je ne puis vous envoyer une relation détaillée de ce qui se passa à Casal le jour que j'ai empêché la bataille entre les deux armées. Je vous dirai en deux mots que,

(1) Mazarin venait d'apprendre que Richelieu l'avait nommé candidat de couronne au chapeau de cardinal, place laissée vacante par la mort du père Joseph.

lorsque je sortis des rangs espagnols, m'avançant au galop vers le maréchal de Schomberg, qui commandait ce jour-là la bataille, quelque mousquetade me fut tirée par certains de ceux qui marchaient avec les enfants perdus (1). *Je fis donc signe avec mon chapeau, leur disant de s'arrêter car je portais des conditions dont s'ensuivrait la paix. Ainsi firent-ils et, arrivé devant le maréchal, je lui exposai ma mission. J'obtins son accord et retournai vers le marquis Santa Croce* (2) *pour que, les Français ayant fait halte, il commandât de son côté à ses soldats de ne plus travailler à certaines fortifications encore inachevées. Ayant eu ce que je voulais, je fis une seconde course vers le maréchal de Schomberg. Tout étant arrangé, je proposai que vingt des principaux officiers de chaque camp se rendissent en un lieu à égale distance des deux armées : je leur dirais les conditions de la paix qui seraient ratifiées par les généraux, le temps et la commodité manquant pour les écrire. Ainsi fut fait et je parlai en public environ un quart d'heure. Tous consentirent à ce que je dis et commencèrent à s'embrasser, si bien que l'on ne distinguait plus le Français de l'Espagnol, mais tous paraissaient frères selon la chair, à la stupéfaction des armées qui avaient cru faire d'autres combats que d'embrassements et de courtoisies. Il faut signaler que, lorsque je fis faire halte à l'armée française, elle ne se trouvait plus qu'à environ deux cent cinquante pas de distance des Espagnols, et il y eut cent personnes qui eurent la curiosité de les compter.*

A. E., Corr. Pol., *Rome* 63, f°s 114-115 : copie de la main de Nicoletti, secrétaire qui copia pour Colbert les lettres italiennes de Mazarin.

---

(1) On désignait ainsi les volontaires qui menaient l'attaque.
(2) Général espagnol, qui dirigeait l'attaque.

« JE RETOURNE DANS MA PATRIE... »

A Mr. l'ambassadeur Servien (1)

Milan, 26 octobre 1632

Les brandebourgs d'or et d'argent seront prêts samedi et confiés à MM. Picchetti qui se chargeront de les envoyer à Votre Excellence. J'en ai commandé 24 douzaines sans les fleurs (?); je crois que cela suffira et ne devrait pas coûter plus de vingt pistoles.

Quant à la grande cuve de cristal, on ne peut la faire en trois mois, tant l'artiste m'a demandé de temps. Ne pouvant donc aider à l'accomplissement de votre désir, je me suis contenté de commander les 24 petits (vases), qui seront beaux, je crois; on les aura pour le 24 du prochain mois, ils seront consignés à MM. Picchetti et ils ne devraient pas coûter plus de 26 pistoles; ainsi ai-je réglé l'affaire. J'aurais voulu acheter quelque vase de cristal pour Votre Excellence, mais le prix m'en a fait passer l'envie.

Je vous supplie de remettre la lettre ci-jointe à Madame la marquise et de lui dire que j'attendrai d'elle des lettres par l'intermédiaire de Votre Excellence tant qu'elle restera à Turin, et je lui enverrai de même les miennes. Je vous prie encore de faire révérence en mon nom à Madame la comtesse et de lui rappeler de prendre garde de ne pas être parjure, sachant la parole qu'elle m'a donnée (2).

Je vous promets que je ne peux me consoler et je n'aurais jamais cru que l'éloignement de la cour de Turin

(1) Servien était alors ambassadeur de France à Turin.

(2) Peut-être la marquise de Saint-Damien et la comtesse (plus tard marquise) de Saint-Germain, dames d'honneur de la duchesse?

me serait si sensible. Je retourne dans ma patrie après cinq ans d'absence et il me semble aller en enfer; mais quand je considère les extraordinaires courtoisies que j'ai reçues de Madame Royale, de Son Altesse et de toute la Cour et l'honneur de servir sans cesse Votre Excellence, je ne m'en étonne point. Ne croyez pas que j'exagère, car je vous jure que j'ai la plus grande inquiétude du monde. Je vous écrirai plus au long de Rome, dont je prendrai la route demain matin, cherchant les occasions de vous servir, en exerçant mon talent pour correspondre aux obligations infinies que je vous ai. Et à Votre Excellence je fais très humble révérence. De Votre Excellence, le très humble et très obligé serviteur.

GiulMazarini

Je vous supplie de dire à M. Le Roy que, lorsqu'il aura recouvré les 30 doubles de M. Vernatel, il veuille bien les donner à MM. Ferrari et Turinetti et m'en fasse donner crédit.

A. E., *Rome* 45, f° 236 et verso : orig.-autographe.

SIMAGRÉES AVANT UN DÉPART TRÈS DÉSIRÉ

A Servien

Rome, 8 juillet 1634

Votre lettre du 14 du mois dernier me cause une grande inquiétude, voyant que vous n'en avez pas reçu une de moi fort longue, de l'envoi de laquelle je vous avais prévenu peu avant par un courrier. J'avais adressé cette dernière à M. Paulino Sesti à Lyon avec ordre de l'envoyer à M. Contarini (1) *pour qu'il vous la rendît en mains propres. Je ne voudrais pas qu'elle fût perdue, car elle contenait des détails de quelque importance à mon sujet, bien que les plus remarquables fussent chiffrés; c'est pourquoi je vous supplie de faire faire diligence pour la retrouver.*

Je ne vous ai pas écrit le sujet du voyage que j'ai eu mission d'effectuer bientôt en France, ne me fiant pas au papier, mais j'en ai entretenu longuement Messieurs les ambassadeurs (2) *pour que, chacun de leur côté, ils en informent Sa Majesté; je ne doute point que vous en ayez été informé, vous qui avez connaissance des affaires les plus secrètes. Vous pouvez bien croire que je n'ai pas désiré m'occuper d'une négociation qui ne peut réussir* (3) *et dont la seule proposition devait déplaire en France et que j'ai fait tout mon possible, sous divers prétextes, pour y échapper. Mais que puis-je faire, quand Sa Sainteté persiste à vouloir m'envoyer? Certes, je ne peux refuser sans me résoudre encore à me retirer chez moi, ce que je ferais volontiers si je croyais qu'il en dût résulter un avantage, si minime fût-il, au service de Sa Majesté, qui ne doit pas douter que si le choix des affaires à lui proposer dépendait de moi, je saurais choisir celles qui seraient entièrement conformes à son désir. Mais le Pape ayant décidé de m'envoyer en mission et n'étant pas possible pour moi de rester à Rome, il sera toujours plus avantageux à Sa Majesté que Sa Sainteté se serve de moi, car, dans toute affaire que j'aurai à traiter, je ferai apparaître, en tant que cela me sera possible, le*

---

(1) Les Contarini étaient des banquiers italiens établis à Lyon avec lesquels Mazarin était en rapport d'affaires.

(2) Les ambassadeurs de France à Rome, le maréchal de Créquy et le comte de Noailles.

(3) Demander à Louis XIII la restitution de la Lorraine à son duc.

dévouement et la partialité qu'avec tant de raison je professe envers Sa Majesté et l'Éminentissime Cardinal-Duc.

Toutefois, aprés avoir reçu votre lettre, j'ai renouvelé mes efforts (sur lesquels je ne m'étendrai pas, sachant que M. le comte de Noailles en donnera part, car je l'ai bien informé) et mes instances pour empêcher Sa Sainteté de me charger de cette mission, et je m'assure que l'on reconnaîtra en France mon zèle à obtenir la satisfaction de Sa Majesté par les raisons que j'ai fait exposer au Pape et au cardinal Barberin par M. le comte. Mais elles n'ont eu aucun effet, et ils ont persisté dans leur résolution, bien qu'il ait été déclaré à M. le comte que ma mission était principalement destinée à la négociation d'une paix universelle. Ayant communiqué et donné à Son Excellence (Noailles) des mémoires très détaillés à ce sujet, je ne vous fatiguerai plus à vous répéter les mêmes choses.

J'ai toujours évité d'obtenir la vice-légation d'Avignon et M. le duc de Crequi ainsi que M. Frangipani (1) *peuvent témoigner des discussions que j'ai eues avec eux à ce sujet. Je m'en excusais, disant que cela ne me convenait pas, mais enfin j'ai cédé, le duc (de Crequi) m'ayant dit que c'était l'ordre de Sa Majesté de me procurer ladite charge si la nonciature* (2) *ne m'était pas accordée, en ajoutant que je ne devais plus hésiter, l'affaire étant ainsi approuvée en France et le poste étant très considérable.*

M. le cardinal Bichi m'ayant écrit dans le même sens, j'ai accepté la charge et je ne suis plus en mesure de la refuser sans quitter encore le service de Sa Sainteté, ce qui, comme je l'ai dit, me serait très préjudiciable et n'apporterait aucun avantage à cette Couronne.

---

(1) Pompeo Frangipani, seigneur romain, mécène éclairé qui mourra en 1638.

(2) La nonciature ordinaire de France.

Le Pape ne veut pas me donner le titre de nonce extraordinaire, sous prétexte qu'il serait obligé de faire une mission semblable en Allemagne et en Espagne. Sur ce, je fais quelque difficulté de partir, mais je ne sais à quoi me servira de disputer.

Quant à l'abbaye de Saint-Avold que m'a déjà conférée Notre Seigneur (1), *il ne faut pas s'en mettre en peine, car je ne me prévaudrai jamais du bref pontifical sans savoir d'abord la volonté de Sa Majesté, pour la satisfaction de qui j'abandonnerais toutes les abbayes du monde, mettant tout mon bien et avantage dans sa grâce : tant que je serai certain de la posséder, tous mes désirs seront réalisés.*

Si je ne dois pas les porter moi-même, je vous enverrai, comme galanteries, des parfums que l'on fait maintenant et en particulier des eaux de fleur d'oranger (melangoli) (2) *qui ont été jugées parfaites et ne croyez pas, si vous les trouvez fortes, qu'elles aient une odeur de fumée, car leur parfum vient de ce qu'elles ont été passées plusieurs fois et on en jouit mieux sur un mouchoir ou si on les asperge à travers les chambres qu'à les respirer dans les carafons.*

Je vous supplie d'être toujours persuadé que vous n'avez pas de plus vrai serviteur que moi, et, pour parler plus cordialement, puisque votre courtoisie me le permet, que j'observerai toujours les lois d'une amitié parfaite.

Le cadeau fait à M. le cardinal Antoine (3) *est venu à propos et a touché toute cette ville.*

J'ai marié deux de mes sœurs, en les dotant chacune de 20 000 livres et j'ai résolu d'autant plus volontiers cette affaire que je désirais augmenter le

---

(1) Le pape Urbain VIII avait donné l'abbaye de Saint-Avold en Lorraine à Mazarin en mai 1634. Mais Louis XIII ayant conquis la Lorraine pouvait prétendre avoir le droit de nommer aux bénéfices lorrains.

(2) Les *melangoli* sont des bigarades, ou oranges amères.

(3) Par la cour de France.

nombre des serviteurs de Sa Majesté en cette Cour (de Rome). L'une, je l'ai donnée au fils unique de M. Vincenzo Martinozzi, très à son aise quant aux biens de fortune, bien né, de beaucoup d'esprit et en première place dans la grâce de M. le cardinal Antoine. Si bien que, malgré mon départ, M. Vincenzo restant l'héritier de mes pensées, il professera en toutes les occasions la même partialité que moi envers la France et il confirmera sans cesse M. le cardinal Antoine dans de semblables dispositions.

L'autre de mes sœurs, je l'ai donnée à M. Lorenzo Mancini, très à son aise, de famille très estimée et très connue dans cette ville, sa maison étant fort ancienne. Je vous en donne part bien que les cérémonies habituelles n'aient pas encore été célébrées et je vous supplie d'en dire un mot à M. l'Éminentissime Cardinal-Duc.

A. E., Corr. Pol., *Rome* 54, f°s 232-235 : copie de Nicoletti.

LE CARROSSE EMBOURBÉ

A Messere, maître d'écurie de S. E. le cardinal Patron (1)

Bologne, 9 septembre **1634**

Très cher et très aimé Messere,

Les accidents qui nous sont arrivés sur le trajet de Rome à Monterosi (2) *avec le carrosse à mules m'obligent à vous en donner une exacte relation. C'est vous-même qui me forcez à le faire car de toutes nos disgrâces vous*

(1) Le cardinal Antoine Barberini.
(2) Monterosi se trouve sur la via Cassia entre Rome et Viterbe.

avez été la cause en nous confiant à trois jeunes gens sans expérience, enfants de la campagne, peu amis entre eux et si légers que les mules croyaient n'avoir personne pour les guider et les châtier. Ne m'aviez-vous pas dit peut-être quand je vous demandai si les cochers connaîtraient la route et s'ils en avaient l'habitude : « Je vous donne des jouvenceaux braves comme la mort, qui feront voler comme le vent votre carrosse »?

Nous sommes donc montés à Rome, à 23 heures (1), *dans ce carrosse tiré par six mules gigantesques dont l'une se nommait* Falsa, *je m'en souviens car elle nous donna assez de tracas. Le cocher était Bolonais, l'écuyer Ferrarais et le garçon un honorable natif des Marches. Entre eux trois, il n'y avait pas, par miracle, un poil de barbe, si bien que les mules, plus par courtoisie que pour s'en voir obligées par le peu d'expérience des susdits, nous tirèrent du mieux que Dieu voulut tant qu'il fit jour. La nuit vint, et avec elle une infinité de disgrâces. Les mules suivaient la route qui leur convenait le mieux. Les deux cochers, guidés par elles, conduisaient le carrosse selon le pur hasard. Quant à nous, nous étions continuellement en peine, à cause des montées inattendues qu'il nous fallait faire à pied et de la crainte de nous tromper de route.*

A un moment, nous tombâmes sur un grand amas de terre, une roue s'étant enfoncée dans un fossé. Le carrosse s'était buté et on ne pouvait l'extraire de la boue. Nous tirions avec force les mules, les cochers se démenaient, chacun criant dans sa propre langue (2)...

A la fin nous en vînmes à bout à la force des bras, en y usant esprit et forces. Nous étions tous morts de

---

(1) I. e. vers 5 heures de l'après-midi. Il était, en effet, d'usage alors en Italie de faire commencer la journée après le coucher du soleil, à l'*Angelus* du soir.

(2) Mazarin donne alors des extraits de ces échanges de paroles en dialectes locaux, dont la traduction ne peut rendre l'originalité.

fatigue et de douleur, et la nuit s'avançait de plus en plus.

L'affaire étant arrangée et nous remontés, les cochers s'acheminèrent par la côte d'un mont, ayant perdu par deux fois la vraie route et ayant failli la perdre encore quatre autres fois. Le Bolonais encourageait l'écuyer ferrarais qui, habitué à la boue et à la poussière, pestait contre ces maudites pierres. Nous trouvâmes la route pavée, mais défoncée, et, tantôt en haut, tantôt en bas, nous donnions dans les pierres des coups à briser le fer. « Dieu nous aide, disions-nous tous, cette route est infâme; ce ne peut être celle des carrosses, car on pourrait circuler plus facilement sur le flanc de ces collines que par les routes trouvées par ces cochers expérimentés! »

Soudain, les roues de devant du carrosse, avec une horrible secousse, heurtèrent le pavé défoncé mais très haut, et le carrosse s'immobilisa. « Oh, l'on peut remercier Dieu », dit le Bolonais, et, levant les yeux, il ajouta : « Il faut descendre, Messieurs, car le carrosse est abîmé. » Ainsi fulminée la sentence que nous attendions depuis un moment, nous descendîmes en hâte et, voyant le lieu si âpre et désolé et les cochers complètement atterrés, nous fûmes pris de frayeur. La nuit était à plus de la moitié, nous étions assaillis par le sommeil, les mules épuisées et affligées semblaient dire : « Malheureuses que nous sommes, qu'avons-nous fait à Messere, pour que, après lui avoir rendu de si longs et fidèles services, il nous soumette à la direction de deux gamins! »

Le Bolonais, enragé, essaya de faire passer le carrosse. Les pauvres mules donnaient une rude secousse, mais, au moment de grimper, elles devaient s'arrêter; ni les éperons, ni les coups de fouet ne pouvaient les mouvoir; elles restaient immobiles comme les pierres qu'elles avaient sous leurs pieds. Le Bolonais se désespérait et disait des choses qui semblaient fort efficaces mais ne persuadaient pas les mules de tirer (car cela était impossible), et qui ne pouvaient servir en rien à faire grimper les roues. Quant au jeune écuyer de Ferrare, il s'en tirait avec la plus grande flemme du monde; il semblait que l'affaire ne le concernât pas et il regardait comme s'il n'avait rien à y faire (1)...

Enfin, comme il semblait au cocher que le Ferrarais ne faisait pas son devoir, après l'avoir rabroué, il descendit de son siège avec la plus grande colère du monde : «Maudit garçon, je veux t'enseigner ce qu'il faut faire! » Ainsi s'exclamait-il, quand, courant après le garçon, il tomba dans un trou de la voie, et là, l'astucieux Bolonais, pour exciter la compassion, se lamenta de façon extraordinaire, feignant de s'être cassé la jambe; poussant les hauts cris, il accusait le garçon de Ferrare. « Oh, pauvre de moi! Ohimé ma jambe! je me suis tué! » Ainsi criait-il quand, s'apercevant que personne n'était assez naïf pour le croire, il se leva, sauta sur la mule qui porte une selle et qui est si haute, plus lestement que s'il était monté sur un bidet.

Nous nous mîmes tous à rire et, pour hâter les choses, chacun commença à porter des pierres pour arranger un peu la montée de la chaussée. Silvio (2) *faisait le maçon et, après une longue et fatigante construction derrière le carrosse, nous nous sommes retirés pour voir le résultat. Bufalini* (3) *qui se pique d'être un bon écuyer voulait monter sur la grande mule pour faire tirer les autres mules. Mais le cocher, par point d'honneur, ne voulut jamais descendre de son siège, encore qu'il tremblât de peur de tomber.*

Nous attendions pour voir le succès de cette affaire et nous nous sommes mis à crier comme des désespérés. Silvio cria si fort que les mules effrayées, poussées par

---

(1) Suit un échange d'interjections et d'injures dialectales entre les trois postillons, quasi intraduisibles.

(2) Silvio Antonini, compagnon de voyage de Mazarin.

(3) Niccolo Bufalini, cousin de Mazarin.

le tapage des voix furieuses, les oreilles dressées, les jambes tendues, enlevèrent le carrosse avec une allure de reines. Il est vrai que Silvio en perdit le souffle et ne put plus parler; mais, donnant un coup d'œil à l'antique voie romaine réparée par son propre travail, il dressa un bâton et y laissa cette inscription : Viam Flaminiam temporum injurias dirutam Silvius Antoninus Pius manibus propriis restauravit (1).

Ceci est tout ce que je peux vous dire des événements malheureux survenus la nuit de mon départ de Rome; mais de toute façon, je veux rester toujours votre ami et si vous voulez une demi-douzaine de cavaliers français, qui, chaque fois que vous les gourmanderez, se batteront avec vous, ou, s'ils veulent le faire avec d'autres, vous demanderont d'être leur second, prévenez-moi et je vous les enverrai aussitôt... Sur quoi, je me rappelle à vous, comme votre très obligé.

J'oubliais de vous dire ceci : quand le Bolonais grimpa sur la mule qui porte la selle, il dit : « Put... de Dieu, je sais bien pourquoi j'ai tant de malheurs : ce matin, je n'ai pas entendu la messe et c'est fête. Seigneur, j'en demande pardon! » Alors, nous tous, scandalisés et atterrés à l'idée que ceci s'ajoutait à l'autre mauvais présage d'être partis un vendredi, nous fîmes une sévère remontrance au Bolonais. Il s'excusa en disant que vous l'aviez tant pressé qu'il n'avait pu faire autrement. Mais pour moi qui connaît la candeur de votre conscience et comme votre maître veut que vous gouverniez vos sujets, l'invention du cocher ne me fit aucune impression.

A. E., Corr. Pol., *Rome* 55, f°s 27-32 : minute en partie autographe, f°s 33-39 : copie de Nicoletti.

---

(1) « Silvio Antonini le Pieux a restauré de ses mains la voie Flaminia défoncée par les injures du temps ». Mazarin se trompe : la route de Monterosi est l'ancienne voie Cassia et non la Flaminia qui se dirige de Rome vers Spolète et les Marches.

INCIDENT DE PARCOURS

A M. le comte de Verrue, à Turin

Embrun, 17 octobre 1634

Je renouvelle à Votre Excellence (1) *mon humble service à l'occasion du renvoi de la haquenée* (2) *à laquelle j'ai grande obligation, non seulement pour m'avoir porté commodément à Embrun, mais aussi pour n'avoir pas été précipité d'une grande hauteur dans la Durance, grâce à l'effort sans exemple qu'elle a fait pour se remettre sur la route, alors que sa patte droite d'avant était tombée dans le vide et qu'avec l'autre elle était agenouillée sur le bord. Je vous assure que je l'ai eue mauvaise* (l'ho passata buona) *et qu'il ne me paraît pas encore vrai que je sois sauf.*

C'est un méchant métier que de se surmener tout le jour sur de mauvaises routes, au vent, à la pluie, au soleil et de se casser sans cesse la tête pour les affaires d'autrui. Mais quoi si, pour faire les siennes, il faut courir cette carrière! Je ressemble aux soldats qui, dans les périls, les veilles et tant d'autres souffrances de la guerre, la condamnent et déclament contre elle; mais à peine en sont-ils sortis qu'entendant battre le tambour, ils courent s'engager, oubliant les fatigues supportées. Mais venons-en à ce qui m'importe!

---

(1) Verrue était un des principaux ministres du duc de Savoie.
(2) Haquenée, jument qui va l'amble, monture de dame... ou de prélat.

Je vous ai écrit de Suse et vous ai envoyé une lettre à cachet volant (1) *pour Messieurs Ferrari et Turinetti* (2), *afin qu'avant de la leur faire délivrer, vous puissiez voir ce dont je demandais le remède; je me suis en effet aperçu le soir* (3) *de ce que je ne vous avais pas averti le matin, occupé que j'étais par mille besognes.*

A. E., Corr. Pol., *Sardaigne* 22, f° 658 v° : copie de Nicoletti.

« LA QUALITÉ NÉCESSAIRE POUR BIEN SERVIR ».

Au cardinal Antoine Barberini

Paris, 21 novembre 1634

A mon arrivée à Paris, je reçois quatre lettres de Votre Éminence, l'une du 19, une autre du 20 et deux du 21 du mois passé, avec une demi-feuille de message chiffré. Elles m'ont libéré de toute inquiétude, étant assuré de sa bonne santé et voyant avec quels excès de grâces Votre Éminence me fait la faveur de me dire qu'elle m'aime comme un serviteur véritable et de confiance. J'ai lu dix fois ces lettres et, chaque fois que j'aurai à

---

(1) C'est-à-dire qui pouvait être lue, avant d'être réellement cachetée.
(2) Ferrari et Turinetti semblent avoir été des banquiers de Turin auxquels Mazarin s'adressait régulièrement (voir la lettre du 26 octobre 1632 à Servien, publiée ci-dessus).
(3) Le soir après son départ de Turin.

soulager mon esprit oppressé par quelque ennui ou déplaisir, je les relirai, protestant de ne prétendre en ce monde que de mourir vrai serviteur de Votre Éminence et de donner ainsi l'exemple d'un homme reconnaissant et affectionné.

Je ne demande en grâce à Votre Éminence que de bien vouloir me faire dire tous les six mois qu'elle est satisfaite de moi, et, pour le reste, qu'elle emploie toutes ses autres faveurs à acquérir des serviteurs, car je demeurerai le sien tant que je pourrai l'être physiquement. Votre Éminence sait combien je veille sur moi-même et jusqu'où vont mes forces, puisque c'est elle qui m'a donné celles que je possède; qu'elle ne doute donc pas que ses ordres ne soient exécutés avec cette ponctualité qui est le signe de mon dévouement.

J'avoue avoir une vaine gloire en recevant tant de lettres si longues et pleines des plus signalées faveurs qui se puissent désirer et je rougirais de les recevoir, sachant ne pas les mériter, si ce n'était pas ajouter des mérites à votre générosité que de faire jouir de ses effets jusqu'à ceux qui n'ont de remarquable que leur volonté de servir Votre Éminence. Mais de grâce, ne m'écrivez pas tant de choses de votre main et sachez qu'en me disant : sois joyeux car je t'aime (sta allegramente, per che ti voglio bene), *vous me faites obtenir tout ce que je désire en ce monde.*

Je suis reconnaissant aux montagnes alpestres de Subiaco (1) d'avoir libéré Votre Éminence de ses douleurs de côté. Silvio se plaint déjà de toutes ces plaines, par lesquelles je l'ai continuellement martyrisé. Il aura beaucoup à raconter à son retour. Que Votre Éminence se prépare à rire plusieurs semaines! Après elle, je

---

(1) Subiaco, fameux monastère bénédictin dans la montagne, aux environs de Rome, où le cardinal Antoine se retirait parfois.

suis son favori sans conteste, bien que M. le cardinal Cesarini puisse prétendre à ce titre. Je ne vous en fais pas accroire, il est vrai que Silvio m'adore; en carrosse, en barque, à cheval et le soir à l'hôtellerie, il avait toujours matière d'être joyeux. Il parle français de la plus étrange manière qu'on ait jamais entendue. Il appelle chacun Monsu, *même les dames auxquelles il dit* Monsu Madama; *le reste, il le dit très bien; d'ailleurs, c'est une langue qui lui est propre et que personne n'apprendra car il la change tous les jours. Il pense à son retour et en discourt déjà, par raison et par inclination, pour être auprès de Votre Éminence, à qui je dois dire qu'en vérité c'est une brave personne et pleine d'amour pour Votre Éminence, ce qui est la qualité nécessaire pour bien servir. Il m'a assisté avec un attachement extraordinaire et je lui en conserverai de perpétuelles obligations.*

. . .

Votre Éminence a, selon son habitude, bien deviné que ne déplairait pas à Notre Seigneur (le Pape) que j'aie reçu un cadeau de M. le duc de Modène (1) *et même qu'il l'approuverait, comme il approuverait mon refus de celui de M. le duc François de Lorraine* (2). *M. le cardinal Barberin m'a écrit dans ce sens. Je fais à Votre Éminence très humble révérence.*

De Votre Éminence Révérendissime le très humble, très dévoué et très obligé serviteur

Giul Mazarini

Bibl. Vaticane, *Barberini* 194 : orig. autographe.

(1) Mazarin était passé à Modène les 8 et 16 septembre, et avait conféré avec le duc au sujet d'un projet de ligue des princes d'Italie sous la direction du pape.

(2) Mazarin avait rencontré à Florence le duc François de Lorraine, dépouillé de son duché par les Français.

L'ACCUEIL DE PARIS ET DE LA COUR

A M. le cardinal Antoine, mon maître

Paris, 16 décembre 1634

Si votre libéralité n'était pas si parfaite que vous ne puissiez vous permettre d'en savourer quelque récompense, vous pourriez en tirer une grande de celle dont vous avez usé envers moi en me donnant le carrosse; car il n'est pas homme du peuple qui ne vante votre magnanimité, ni de grand qui ne l'admire. Le Roi l'a vu et trouvé fort beau, les dames l'approuvent et disent qu'en établissant cette mode à Paris, elles n'auraient plus à porter de masques et, grâce aux glaces, pourraient se voir et être vues sans préjudicier à leur beauté. Je peux congédier mes pages et mes laquais en toute sécurité, bien que j'aie beaucoup de volontaires auprès de moi quand je vais à travers la ville. J'ai acheté deux grands chevaux qui, attelés, font bel effet et je les ai eus à un grand marché. Je m'efforce d'en trouver quatre ou cinq autres et, si j'y parviens, je les enverrai sans tarder à Votre Éminence.

Je donnerai, d'abord, part du général, et, sans aucune exagération, je dirai à Votre Éminence qu'il n'y a personne, de quelque condition que ce soit, qui ne dise au moins : Nous savons bien, le cardinal Antuene et for generos et il aeme bien la France (1). *Je n'étais pas*

(1) Nous avons gardé l'orthographe de cette citation en français de Mazarin.

vu d'un mauvais œil dans ce pays. Votre Éminence peut donc juger ce qu'il en est maintenant que chacun me reconnaît comme son serviteur... Le Roi m'a demandé, en public et en audience privée, mille choses sur Votre Éminence, disant toujours pour conclure qu'il vous aimait et me recommandant de vous l'assurer. Quant à la Reine, elle m'a demandé s'il y avait lieu d'espérer que Votre Éminence vienne en France. Je lui dis que toutes vos actions tendaient à cette fin, car vous honoriez tout particulièrement Sa Majesté, et qu'il fallait qu'elle vous en donne l'occasion en faisant un dauphin le plus tôt possible. Elle me répondit que c'était tout ce qu'elle désirait et qu'elle avait fort agréables les assurances que je lui donnais de votre très humble service. Il faut que Votre Éminence pense à lui envoyer un cadeau, de simples bagatelles et particulièrement des parfums. Le cardinal de La Valette est tout à Votre Éminence. Je leur ai, à tous, présenté vos lettres, et ils doivent m'en donner bientôt réponse.

Ce qui m'est arrivé avec le cardinal de Richelieu, Votre Éminence le verra dans une autre lettre (1). *Je lui dirai encore ceci : lorsque je fus à l'audience publique et privée de Son Éminence à Rueil* (2), *je vis à l'improviste le Roi, qui me fit mille grâces; puis, comme il était tard, le cardinal, après m'avoir encore entretenu un moment, voulut que Madame de Combalet, sa nièce favorite, m'accompagnât à Paris dans un petit carrosse de quatre personnes. Je vous jure sur mon âme que, pendant la plus grande partie du voyage, elle me parla de vous avec tant d'affection que, si je ne me rappelais pas que Votre Éminence est prêtre, je me hasarderais à*

(1) De la même date, dans le même dossier, qui conserve trois lettres du 16 décembre 1634 de Mazarin au cardinal Antoine (dix grandes pages d'une fine écriture) : celle-ci n'est que la seconde.

(2) Où Richelieu avait sa résidence.

négocier son mariage, et je suis sûr qu'aucune des deux parties ne me le reprocherait.

J'ai envoyé de votre part à M. le cardinal quatre tableaux qui sont les meilleurs et qu'a choisis le marquis de Sourdis, homme fort intelligent qui s'occupe de toutes les statues et peintures de Son Éminence : ce sont ceux du Titien et de Pierre de Cortone, la Madone sur bois attribuée à Jules Romain et le tableau d'Antonini que Son Éminence a voulu expressément, après avoir entendu le marquis de Sourdis en décrire le charme. En somme, celui d'Antonini a été préféré au Moïse de Lanfranco, mais non point par les connaisseurs, et personne n'osera dire qu'il n'est pas du Dominiquin. Les cadres ne se sont point abîmés, et je les ai fait si bien arranger qu'on ne distinguait pas les points de jonction.

Je lui ai aussi envoyé les petites tables et les bureaux, pleins de mille galanteries de parfums, et je lui ai dit ensuite, comme c'est la vérité, qu'ils avaient été faits pour le Comte-duc (Olivarès) et que le hasard avait permis à Votre Éminence de les lui expédier. J'ai fait ce compliment de votre part, avec quelques paroles de plus : il l'a extrêmement goûté et l'a dit aussitôt au roi. Je lui ai envoyé en outre la simarre. Il a fort estimé toute chose et il ne se lassait pas de toucher les guéridons, qui ont été admirés universellement, ne s'étant jamais vu chose semblable en France; ils seront la ruine de certains qui faisaient grand débit d'objets en écaille de tortue. Je dis que la simarre conviendrait pour un jour de fête, comme il y en aurait si la Reine faisait un dauphin. Il s'en para pour voir si elle était assez longue; il vous remercie de tout infiniment et le fera par une lettre particulière.

Je pense donner de votre part à Madame de Combalet un tableau, peut-être le Moïse, et en outre ma petite table de pierres dures, à laquelle je fais faire un beau pied. Elle l'appréciera extrêmement, car elle s'efforce *d'avoir des curiosités pour mettre dans une pièce dont elle commande la décoration à un peintre. A Monsieur Bouthillier, qui est le favori numéro un de M. le Cardinal et très partial serviteur de Votre Éminence, je pense envoyer deux tableaux et d'autres galanteries que je possède et ils seront très estimés venant de votre part, car je ne manquerai pas pour cela de lui faire ensuite mes petits présents personnels. Le dernier tableau qui reste, je le donnerai avec quelque chose d'autre à M. Bullion ou à M. Servien, qui fait lui aussi profession d'être un serviteur passionné de Votre Éminence, à qui je fais très humble révérence...*

Giul Mazarini

Bibl. Vaticane, *Barberini* 194 : original autographe.

« DE GRANDES ESPÉRANCES DE LA PAIX »

Au cardinal François Barberin, à Rome

Paris, 12 mars 1635

Si pouvaient arriver très prochainement des réponses d'Allemagne et d'Espagne au sujet de l'envoi des plénipotentiaires (1), je concevrais de grandes espérances de la paix. Je reconnais en effet dans le cardinal de Richelieu

(1) A l'assemblée de la paix projetée par le Saint-Siège.

une grande fatigue et la nausée des affaires. Il craint de retomber dans son mal passé, dont il n'a jamais été tout à fait libéré. Hier soir, je lui ai dit familièrement qu'il devait penser à se reposer et vivre à son aise, sans les inquiétudes continuelles qu'entraîne la guerre, et je me hasardai à entrer dans des détails touchant son avantage et son repos. Il m'écouta volontiers et me jura devant Dieu qu'il ne désirait rien avec plus de passion que la paix et que, si on ne pouvait la conclure maintenant, le roi ne se porterait à la guerre que pour l'obtenir.

Je répliquai bien des choses pour lui faire comprendre que le moyen des armes était trop périlleux et incertain et que Son Éminence savait mieux que moi que la paix dépendait entièrement de Sa Majesté. Il me répondit : « Vous voulez parler de la restitution de la Lorraine (1), *mais c'est une affaire trop difficile à persuader au roi et je suis sûr que vous ne le lui conseilleriez pas si vous étiez ministre de Sa Majesté; vous sauriez que la France n'a jamais eu de plus fiers ennemis que les princes de cette maison et vous pouvez bien vous en rendre compte en examinant ce qu'en tout temps ils ont tramé et entrepris au préjudice des Rois de France ». Je répondis que la maison de Lorraine avait été traitée de telle manière qu'ayant reconnu à ses dépens la puissance de ce royaume, elle ne penserait à l'avenir qu'à se conserver la faveur de Sa Majesté et de ses successeurs. Alors Son Éminence, se levant, ajouta que je courtisais la paix comme si elle était la Dame de mes pensées, et, me serrant la main, il conclut : « Vous n'êtes pas encore parti de France. »*

Par la suite, Bouthillier (2) *est venu hier prendre congé de moi, devant partir le lendemain matin pour*

---

(1) Cette restitution de la Lorraine à son duc était un des buts principaux de la mission de Mazarin en France.

(2) Il s'agit de Léon Bouthillier, futur Chavigny, chancelier de Gaston d'Orléans, alors en résidence à Blois.

Blois. Ayant mis le discours sur le sujet de la paix, je lui ai allégué que mon affection envers la Couronne de France m'obligeait à lui dire librement que, pour la conclure, il fallait penser à la restitution de la Lorraine, à laquelle il serait nécessaire de consentir, quand bien même Sa Majesté aurait des succès dans la conduite de la guerre, si elle ne voulait pas que celle-ci fût éternelle. Après avoir débattu la question en détail, il me répondit que j'avais raison et qu'il était persuadé qu'une fois démolies les fortifications de Nancy et remises sous la dépendance des Trois Évêchés (1) *les terres de Lorraine qui en avaient été aliénées autrefois (ou du moins la plupart d'entre elles), M. le Cardinal ne ferait pas de difficulté de remettre le reste au duc François. Il m'a toutefois assuré qu'il me tenait ces discours en l'air, et je le crois. Mais je ne peux m'empêcher de penser que si, avant mai, nous avons la chance de voir traiter la paix, elle se concluera infailliblement.*

Il sera très à propos que se trouvent au Congrès les représentants de la plupart des princes allemands; c'est une très forte raison celle qu'allègue Votre Éminence pour montrer que ces princes, se souciant peu des questions resassées et des affaires lointaines, s'emploieront pour l'accommodement en Allemagne, s'ils trouvent en lui leur compte.

La ville de Liège sera très volontiers acceptée ici comme lieu de l'assemblée, mais je ne crois pas qu'elle convienne à tous autant qu'à la France et aux Espagnols...

Je n'ai rien d'autre de considération à faire savoir à Votre Éminence par cet ordinaire.

Pub. par *Bazzoni*, ouv. cité, pp. 113-115, d'après l'original à la Bibliothèque Vaticane.

---

(1) Metz, Toul et Verdun dont les territoires étaient occupés par la France depuis le traité de Cateau-Cambrésis.

« SAUVER LA CHRÉTIENTÉ CATHOLIQUE »

A Monseigneur Campeggi, nonce en Espagne, à Madrid

Rueil, 22 octobre 1635

Après vous avoir écrit, j'ai cru à propos d'attendre encore l'arrivée du courrier ordinaire de Rome, pour voir s'il me donnait occasion de vous ajouter quelque chose. J'y ai trouvé la nomination du légat (1) *en la personne de M. le cardinal Ginetti, comme vous l'aurez déjà su. Je dois seulement vous dire que Sa Majesté a bien reçu ce choix et M. le cardinal de Richelieu m'en a parlé en conformité, me déclarant que le Roi ne prendra jamais ombrage des sujets employés par Sa Sainteté pour résoudre les affaires, étant assuré que Sa Sainteté n'a d'autre but que leur bonne issue. Il m'a dit qu'on ordonnera au comte de Noailles* (2) *de représenter tout cela à Notre Seigneur (le pape) et qu'il suffit que M. le cardinal Ginetti soit nommé par Sa Sainteté pour obliger Sa Majesté à prendre en lui entière confiance et espérer de sa prudente conduite l'effet d'une bonne et sûre paix.*

Sa Sainteté donnant l'assurance que le Roi Catholique enverra des plénipotentiaires au Congrès, il ne lui reste plus qu'à fixer le lieu et l'époque de celui-ci et de préciser le nombre et la qualité de ceux que Sa Majesté Très Chrétienne devra y envoyer.

---

(1) Au Congrès de paix proposé par Urbain VIII.
(2) Ambassadeur de France auprès du pape.

Celle-ci est revenue hier (1), *ayant partagé ses troupes entre le cardinal de La Valette, qui va aux frontières du pays Messin, le duc d'Angoulême et le maréchal de La Force, qui se trouvaient encore près de Rambervilliers, où était le duc de Lorraine avec son armée. Sa Majesté est venue droit ici, à Rueil, voir M. le cardinal; le jour même, arriva l'avis que le duc de Lorraine avait abandonné les fortifications de Rambervilliers et s'était uni avec toutes ses troupes à Gallas* (2), *lequel s'était campé avec son armée et celle de Son Altesse entre Nancy et Metz. On tint conseil sur les ordres à donner aux généraux de Sa Majesté, qui s'étaient joints dès qu'ils avaient vu Gallas et le duc ensemble. Ceux-ci sont donc à présent à seulement trois lieues du cardinal de La Valette, du duc d'Angoulême, de Weimar* (3) *et du maréchal de La Force. Les troupes impériales ne pouvant subsister où elles sont, par manque de vivres, on croit de façon absolue qu'elles s'avanceront en France pour se les procurer, ce qui ne peut arriver sans une bataille. Plaise à Dieu d'interposer sa sainte main pour l'empêcher, car elle serait des plus sanglantes parmi toutes celles qui ont eu lieu à notre époque, presque toutes les forces de l'Empire devant se mesurer avec celles, pareillement unies, de la France. Bien que ces dernières soient inférieures en nombre, elles montreraient leur courage, car il s'agirait pour elles de défendre la patrie, et un tel événement pourrait apporter grand changement aux affaires.*

M. le cardinal de Richelieu m'a dit hier soir qu'il tenait pour infaillible que la volonté du Roi serait plus disposée à la paix dans le succès que dans les échecs;

---

(1) Louis XIII avait passé plusieurs mois auprès des armées protégeant la frontière de l'Est. Il avait renoncé à attaquer le duc de Lorraine retranché dans la région marécageuse de Rambervilliers (Vosges, entre Épinal et Saint-Dié).

(2) Matthias de Gallas (1584-1647) commandait les troupes impériales.

(3) Bernard de Saxe-Weimar, général des troupes suédoises alliées de la France.

ou que, du moins, je la trouverai toujours semblable, quelles que soient les occurences.

Je vous confesse que je suis en très grande appréhension de cette bataille qui paraît quasi inévitable et je n'ai d'espoir qu'en Dieu qui voudra sauver la Chrétienté catholique des très grands maux qui la menacent.

On tient pour assuré que le duc de Lorraine et Gallas ont 24 000 fantassins et 30 000 chevaux. Le Roi n'a pas plus de 16 000 fantassins et 18 000 chevaux, y compris les troupes de Weimar. Mais ces gens sont meilleurs, car on compte aussi les Croates parmi la cavalerie de l'Empereur. Je vous dis en toute chose l'exacte vérité, sachant que vous saurez en user comme il vous semblera plus à propos pour le bien public (1).

A. E., Corr. Pol., *Rome* 18, f°s 243-244 : copie de Nicoletti.

CONFIDENCES ET RECOMMANDATIONS AUX AMIS DE ROME

1

A M. Paolo Macarani, à Rome

(Avignon, avril) 1636

Il est très faux que j'aie proposé des expédients pour continuer mon séjour à Paris. Au contraire, j'ai fait tous les efforts imaginables pour empêcher le Roi et le

---

(1) La rencontre n'eut pas lieu. Selon le P. Griffet (t. II, p. 627) l'armée française s'élevait à près de 40 000 hommes, mais « celle des ennemis n'était pas si forte »; aussi le duc de Lorraine et Gallas, « ayant tenu conseil, résolurent d'éviter le combat pour ne pas hasarder témérairement une grande partie des forces de l'Empire ». Ils finirent par évacuer la Lorraine et se retirer en Franche-Comté.

cardinal de Richelieu de faire aucune instance à Rome pour faire changer l'ordre de mon départ. Cela est vrai comme parole d'Évangile, et vous pouvez vous moquer sans crainte, comme je le fais, de tout discours que l'on tient sur ce sujet... Je m'avancerai même à vous dire que, le prince cardinal de Savoie (1) *ayant écrit au duc son frère que le Pape m'aurait laissé volontiers près du Roi si l'on avait commandé au maréchal d'Estrées de (ne pas) poursuivre son voyage vers Rome* (2) *et le duc en ayant écrit au cardinal de Richelieu, je n'ai pas voulu m'employer à faire aboutir cette affaire.*

Je ne puis croire que le cardinal Bichi ait écrit ou (fait) parvenir à Rome des lettres à mon désavantage, le trouvant toujours prêt à s'employer en ma faveur dans toutes les questions qui regardent mon service. Pourtant, j'aimerais que vous cherchiez adroitement à vous en bien assurer et que vous m'en rendiez compte discrètement, car il agit avec moi de la manière la plus confiante et ce serait vraiment grande merveille que ce fût par artifice.

Que personne ne se creuse la cervelle pour trouver la raison de mon rappel de la cour de France! Il n'est dû absolument qu'aux instances vives et réitérées des Espagnols pour m'exclure de cette manière de la négociation de la paix, alors que j'avais obtenu que Sa Majesté Très Chrétienne (3) *nomme ses plénipotentiaires et qu'ils* (4) *voyaient qu'elle était sur le point de se traiter. De cette vérité je suis infailliblement sûr, car je me suis gouverné de manière à ne point diminuer ma réputation auprès du Pape et de ses neveux, comme auprès du Roi*

---

(1) Maurice de Savoie, frère du duc Victor-Emmanuel, protecteur de France à Rome.

(2) Le maréchal d'Estrées, vainqueur des troupes pontificales en Valteline, était mal vu à Rome où Richelieu venait de le nommer ambassadeur.

(3) Louis XIII.

(4) Les Espagnols.

Très Chrétien et de ses ministres; je crois pouvoir dire au contraire que (les Espagnols) ont accru en quelque manière l'opinion qu'on avait de moi. Je ne veux pas dire pour cela qu'il faut à Rome m'octroyer de nouvelles grâces, car si les Espagnols ont pu obtenir mon rappel de France, alors que le cardinal Barberin déclarait que j'étais en cette Cour au seul service de Notre Seigneur (le Pape) et qu'il n'y avait rien à objecter à ma fidélité, ils empêcheront bien plus facilement encore qu'on me donne un nouvel emploi. Je me consolerai avec la considération de n'avoir pas démérité des grâces des Patrons (1) *et que c'est le souci de ne pas déplaire à la Couronne d'Espagne qui me fait refuser la continuation de leurs effets.*

Je suis infiniment obligé à M. Pompeo (2) *de la confiance dont il use envers moi, et ce n'est pas d'aujourd'hui que je jouis des effets de sa bonne volonté. Je vous prie donc de lui rendre de ma part très humbles grâces et de le supplier de me conserver l'affection de M. le cardinal de Bagni à qui, par inclination comme par obligation, je professe un attachement particulier.*

Il est très faux que j'aie fait la grosse perte (au jeu) dont on a parlé à Rome et je ne sais qui se plaît à faire courir de tels bruits. S'il en était autrement, vous auriez été le premier à le savoir (3), *mais jusqu'à présent je n'ai pas perdu la tête au point de m'embarquer à faire des choses qui, par l'apparence comme par la substance, sont contraires à ma réputation. J'ai joué plusieurs fois à la Cour, mais plutôt pour entretenir M. le cardinal de Richelieu qu'à autre fin; je l'ai fait avec l'approbation de M. le cardinal Barberin et non pas de façon à perdre ou gagner beaucoup.*

---

(1) Les Barberins.

(2) Pompeo Frangipani.

(3) Macarani s'occupait à Rome des intérêts financiers de Mazarin. Il était l'un de ses principaux créanciers.

*Pour faire cadeau à Montagu d'une croix de diamants — car il m'avait donné des chevaux d'Angleterre — je pris l'occasion de lui montrer certains de mes joyaux; je voulais ainsi, en le faisant louer lui-même ladite croix qui était fort belle (*galantissima*) le contraindre à l'accepter en don, ce que je fis. Mais ne croyez pas que je lui aie montré 30 000 écus de joyaux, car je n'en avais absolument pas pour 10 000 écus. Il faut dire que l'affection que me porte ledit seigneur l'a porté à me croire trois fois plus riche que je ne suis.*

M. le cardinal Antoine sait comme je l'ai effectivement servi; je ne suis donc guère inquiet d'apprendre que quelque esprit malin s'est hasardé à raconter des choses absurdes à ce sujet. L'ambassadeur de Savoie... ne m'aime guère, mais je me suis vengé de lui en ayant la principale part dans l'octroi à son neveu par Sa Majesté Très Chrétienne d'une abbaye de 3 000 écus (de revenu) (1)*; il est vrai que je l'ai fait pour le service de la duchesse de Savoie et pour obéir à M. le cardinal Antoine et non point par bonté démesurée et pour rendre le bien pour le mal.*

Je fais toutes sortes de démarches pour qu'on m'autorise de faire un saut à Rome, qui me permettrait de mener à bonne fin bien des affaires personnelles, mais bien qu'on ne m'en enlève pas l'espoir, je ne sais ce qui s'ensuivra.

Vous pouvez communiquer cette lettre chiffrée à M. Pompeo (2) *et la déchirer ensuite aussitôt.*

A. E., Corr. Pol., *Rome* 58, f°s 423 *sqq.* : copie de Nicoletti.

---

(1) L'ambassadeur de Savoie à Rome, le marquis de San Damiano était l'oncle des d'Aglié, en particulier du « comte Philippe ».
(2) Pompeo Frangipani.

Ill.mo et Ecc.mo Sig.r S.r Padron mio Col.mo

Se il tempo me l'havesse permesso haverei fin di
Ferrara scritto a V. Ecc.za intorno gl'affari che mi
ordinò di trattare col S.r [illegible] anzi in quella Città
prima che partissi di colà, ma non essendomi stato possi-
bile la supplico a compiacersi che sodisfaccia al [illegible]
con le [illegible] tre, le quali rappresentaranno a V. Ecc.za
nell'istesso tempo [illegible] il mio affetto, e [illegible]
piene di spropositi la mia inesperienza e poca abi-
lità, [illegible] ricorro alla sua generosità perchè [illegible]
li miei mancamenti, supplicandola a [illegible] la sostanza di
dette tre o almeno quelli [illegible] che possono pregiudicarmi esse[illegible]
[illegible] che [illegible] di V. Ecc.za et a V. Ecc.za [illegible]

Di V. Ecc.za

[illegible]

[illegible] di Roma

Hum.mo devot.mo obbl.mo ser.re
Giulio Mazarini

Lettre autographe de Mazarin

2

A M. Vincenzo Martinozzi, à Rome

Avignon, (avril) 1636

. . .

Le détail et la ponctualité avec lesquels vous m'avisez dans toutes vos lettres chiffrées des affaires qui me regardent sont des témoignages de votre affection et vos bons conseils sont dignes de votre prudence et de l'amour partial que vous me portez; je suis sûr qu'en y conformant ma conduite, j'éviterai facilement les écueils. Quant à M. Jean-François Sacchetti (1), *fiez-vous à lui de façon assurée et entretenez-le librement, car j'ai connu peu d'hommes qui aient joint comme lui à une singulière pénétration une telle sincérité.*

J'ai écrit sans cesse et par chaque ordinaire à M. le cardinal Antoine les nouvelles considérables par lettres chiffrées, et voilà quatre mois que je ne reçois rien de lui. Je ne sais quelle en est la cause et si par hasard cela ne proviendrait pas des mêmes raisons qui ont obligé Son Éminence à espacer tellement ses visites aux représentants de la France et au cardinal de Savoie (2), *comme vous me l'écrivez. Mais je sais combien Son Éminence est jalouse de conserver sa réputation et, tant que je ne le verrai pas, je ne pourrai arriver à croire que les Espagnols soient assez puissants pour la détacher de la France et lui faire perdre la gloire qu'elle s'était acquise par ses résolutions généreuses, et je le crois d'autant moins que l'on s'efforce de toutes manières en France à*

---

(1) On a vu que Jean-François Sacchetti était un des premiers protecteurs de Mazarin.

(2) Le cardinal Maurice, protecteur des affaires de France.

faire plaisir à Son Éminence (1). *Je ne sais ce que font à Rome les ministres du Roi, mais je sais bien qu'ils ont des ordres précis pour tout rapporter à Son Éminence et déférer à ses avis. Peut-être y manque-t-on parfois en apparence, mais en cela il faut pardonner à la nation française qui, pour l'ordinaire, est plus portée aux choses substantielles et croit que les apparences ne sont pas nécessaires. Quant à moi, je n'ai de cesse d'obtenir que l'on oublie ces broutilles et, me servant des indications que vous m'avez données, j'ai écrit comme il fallait à ce sujet à M. le cardinal de Richelieu et à Monsieur Bouthillier* (2) *et je le leur rappelerai de nouveau.*

Je n'ai aucune ambition de prendre part à l'Assemblée (3), *et le peu de disposition qu'a de m'y envoyer le cardinal Barberin ne me soucie guère. Pourvu que la paix se fasse et que les Patrons* (4) *en aient la gloire, je serai très content.*

Ne vous mettez pas en peine parce que j'ai différé de quelques jours mon départ de Paris. Les raisons de ce retard n'ont pas dû déplaire à Notre Seigneur (le Pape) et au cardinal Barberin, particulièrement celle qui touche le maréchal de Toiras; je puis dire en vérité que, si je n'étais pas resté et n'avais pas poursuivi mes instances, il n'aurait pas obtenu grande satisfaction...

Quoi que vous découvriez dans la conduite de Benedelli (5), *je vous prie de dissimuler, car la rupture avec lui serait dangereuse à vous comme à moi.*

. . .

---

(1) Que Mazarin écrive cela à Martinozzi, qu'il sait devoir rapporter ses propos à Antoine, prouve son inquiétude.

(2) Bouthillier le jeune, plus tard comte de Chavigny.

(3) L'assemblée de la paix qui devait se réunir à Cologne. En réalité, Mazarin avait espéré être nommé dans la délégation pontificale. Voir plus loin dans cette même lettre.

(4) Les Barberins.

(5) Le comte Antonio Benedelli avait accompagné Mazarin dans son voyage à Paris en 1634, avant de revenir à Rome près du cardinal Antoine, dont il était un des principaux conseillers.

Quant à ma grosse perte (au jeu), je vous ai déjà écrit que c'était peu de chose (una vanità), *et si j'ai quelquefois joué, cela a été plus par politique que par vice, un bon diplomate* (ministro) *devant se prévaloir des moyens qui peuvent lui faciliter l'accès de ceux dont dépend la bonne issue de ses négociations. C'est pourquoi je n'ai pas manqué d'obéir au cardinal de Richelieu quand il m'ordonnait de jouer. Ceci est la vérité. Du reste, je n'ai pas la prétention de fermer la bouche à ceux qui jasent par oisiveté ou par malignité.*

. . .

J'ai quelque dette envers M. Paolo Macarani et à vous je dois toujours, à ma honte, les 4 000 écus pour le reste de la dot de ma sœur. Je voudrais toutefois que vous fassiez habilement parvenir à l'oreille des Patrons que je vous suis débiteur de bien plus et que vous m'avez pourvu d'argent afin de fournir aux dépenses que la nonciature m'a contraint de faire. Cela ne peut avoir qu'un bon effet et inciter les Patrons à penser à me donner quelque chose.

Votre idée d'envoyer à l'Assemblée (de Cologne) un prélat qui ait la confiance des Espagnols pour faciliter ainsi mon envoi ne pouvait être mieux imaginée et, pour confirmation de ce, je puis vous dire que le même projet était venu à l'esprit de M. le cardinal de Richelieu; mais il faut se contenter de ce que veulent les Patrons.

J'ai quelques dettes considérables en France, dont j'espérais pouvoir m'acquitter avec la pension de M. le cardinal Antoine, mais Son Éminence ne m'ayant pas envoyé la lettre que je désirais et n'en ayant guère l'intention, à ce que vous m'écrivez, il faudra que vous m'indiquiez ce que je devrai faire, bien que je ne voie pas pour quelle raison Son Éminence y fasse difficulté.

Je vous demande à nouveau de témoigner à Monseigneur Bichi (1) *que j'attends beaucoup de lui et que*

(1) Frère du cardinal Bichi et qui était à Rome un des principaux et plus influents collaborateurs du cardinal Barberin.

j'espère qu'il se servira d'une occasion favorable auprès du cardinal Barberin pour me faire pourvoir de quelque chose, puisque je n'ai pas eu de chance avec l'abbaye de Lorraine (1).

Il est bon de faire en sorte qu'arrivent souvent aux oreilles du pape et de différents côtés des choses à mon avantage. Certains nobles (cavalieri) *d'Avignon qui habitent Rome parlent quelquefois à Sa Sainteté; il faudrait les inciter à se louer de mon gouvernement* (2) *et de ce qui vous semblera le plus à propos à ce sujet.*

Je vous prie de m'écrire, dans un paragraphe, l'estime que fait M. le cardinal Antoine de M. le cardinal Bichi (3), *en ayant l'air de répondre à quelque lettre que je vous aurais écrite à ce sujet.*

Arch. A. E., Corr. Pol., *Rome* 58, fos 426-428 vo : copie de Nicoletti.

« UNE EXTRÊME MÉLANCOLIE »

Au cardinal de Richelieu

Avignon, 22 avril 1636

Si j'avais obéi à Votre Éminence quand elle m'a commandé de me purger, je n'aurais pas couru le risque

---

(1) L'abbaye de Saint-Avold, conférée à Mazarin par le pape en mai 1634, mais les Français, occupant la Lorraine, ne voulaient pas en reconnaître l'attribution.

(2) Mazarin était alors vice-légat d'Avignon, pour le cardinal Antoine légat de nom.

(3) Bichi était, à Carpentras, voisin de Mazarin et celui-ci désirait lui prouver son amitié.

de tomber dans une grande maladie, comme je m'en suis vu à la vérité très proche. A l'heure qu'il est, pour ce qui regarde la santé du corps, je me trouve en très bon état, mais l'esprit est souffrant, comme Votre Éminence me l'avait prédit, étant donnée la qualité de ce pays où je vis dans une extrême mélancolie, me voyant privé de ces faveurs que Votre Éminence m'accordait si libéralement lorsque j'avais l'honneur de la servir effectivement.

Tout en reconnaissant qu'il ne peut s'offrir à moi d'occasion de m'employer en quoi que ce soit au service de Sa Majesté et de Votre Éminence, je m'efforce pourtant de remontrer sans cesse à M. le duc de Savoie toutes les raisons que je juge propres à l'échauffer. Il lui faut utiliser les circonstances pour faire apparaître sa prudente conduite et sa valeur expérimentée et, en rendant service à la France, procurer de notables avantages à sa maison et immortaliser son nom, particulièrement en se portant maintenant en personne au secours de Plaisance, entreprise dont la gloire est certaine, car les Espagnols ne hasarderont pas un combat; et, s'ils le font, la gloire sera encore plus grande, Son Altesse commandant des troupes françaises si habituées à vaincre qu'il leur suffit de combattre pour battre l'ennemi. En somme, pour M. le duc de Savoie, je fais tout ce que je dois et je ne doute pas qu'il aille bientôt en personne au secours de Plaisance, surtout maintenant qu'auraient été envoyés en Italie, à ce que j'entends dire, de nombreux soldats et de grosses sommes d'argent.

. . .

Je reçois d'Espagne et de divers endroits des avis concordants que la nécessité fait désirer la paix aux Espagnols, qui manquent de troupes et d'argent et voient que la France est plus puissante que jamais, alors qu'ils pensaient qu'elle n'aurait pas la force de se défendre durant cette saison. Ils appréhendent à l'extrême de recevoir quelque coup en Italie. Que Votre Éminence soit sûre que, Plaisance une fois secourue, leurs appréhensions croîtront et Sa Majesté pourra conclure la paix à sa particulière gloire et à son avantage.

En Allemagne, on ne pense qu'à envoyer des renforts en Italie et l'on ne prête pas l'oreille au duc de Saxe qui demande secours et à Gallas qui voudrait se rendre plus fort ainsi que le duc de Lorraine.

Mes intérêts à Rome vont de la même manière. On ne m'a pourtant pas jusqu'à présent ôté l'espérance de pouvoir y faire un saut et je m'efforce prudemment d'en obtenir la permission.

J'ai fait embarquer ce matin deux caisses d'eaux, huiles, poudre et gants à la frangipane que j'ai reçus de Rome et envoie à Votre Éminence, les adressant à M. des Roches (1)*; par le premier ordinaire, j'enverrai une note détaillée du tout. Les éventails manquent, mais j'ai écrit à Rome pour les avoir et j'espère pouvoir les envoyer au plus tôt à Votre Éminence. L'eau et les huiles (de toilette) sont en grands carafons, mais pourront être mis en petits vases, selon l'échantillon que j'envoie, et si Madame de Combalet en a l'idée, Votre Éminence peut être sûre que tout sera disposé avec l'exquise délicatesse qui est propre à la dite dame.*

J'ai commencé à travailler au sujet d'une comédie, mais quand je pense à celles de l'Aveugle (2) *et de la* Pastourelle *les bras m'en tombent et le cœur me manque. Néanmoins je poursuivrai l'entreprise pour passer le temps et me rendre le moins sombre* (cavernoso) *possible.*

Il était d'usage chez les Anciens d'apaiser les Dieux justement irrités par des victimes et des sacrifices offerts par les coupables. Je n'ai fait aucun déplaisir à Monsieur

---

(1) Michel Le Masle, prieur des Roches, intendant de Richelieu.

(2) *Philarque, l'amant aveugle* était alors représenté à la cour de France.

de Bullion (1) *mais néanmoins, pour ne pas l'avoir contraire à mes intérêts et apaiser le courroux qu'il a conçu à tort, je sacrifierai volontiers une belle tenture de taffetas que l'on fabrique dans cette ville. Je l'enverrai à Votre Éminence en la suppliant de bien vouloir me faire écrire par Monsieur Cherré* (2) *si elle le juge à propos; je ne la supplie pas de protéger mes intérêts, sachant combien elle se plaît à favoriser ses plus humbles serviteurs.*

Par le Père Joseph, Votre Éminence apprendra que le cardinal-infant (3) *consent au rétablissement des ordinaires* (4). *Don Martino d'Aspe m'a écrit à ce sujet une lettre dont j'envoie copie au dit Père. Je fais très humble révérence à Votre Éminence*

De Votre Éminence Révérendissime, le très humble, très dévoué et très obligé serviteur

GiulMazarini

A. E., Corr. Pol., *Rome* 57, f°s 122-124 v° : orig. autographe.

« FAUTE D'ARGENT... »

A Monsieur de Chavigny

Avignon, 13 mai 1636

. . .

Je ne sais que vous dire de mes intérêts pécuniaires. Vous devez en être mieux informé que moi et savoir que

---

(1) Surintendant des finances.

(2) Cherré, secrétaire de Richelieu.

(3) Le cardinal-infant Ferdinand de Habsbourg, frère du roi Philippe IV d'Espagne et d'Anne d'Autriche, gouverneur des Pays-Bas Espagnols.

(4) I. e. au rétablissement du courrier entre la France et les Pays-Bas.

je n'en verrai jamais la fin, à moins que Son Éminence ne déclare qu'elle ne souffrira pas de voir maltraité sans aucune raison un de ses bons serviteurs, comme je le suis. Ou bien, en vérité, à moins que vous n'en parliez de telle façon à M. de Bullion qu'il perde la mauvaise volonté qu'il a conçue contre moi par pur caprice et me fasse donner satisfaction sans me torturer davantage et m'obliger à faire des dépenses continuelles pour solliciter cette affaire. Il est très certain que, si je ne m'en étais pas mêlé, le duc de Savoie et le cardinal son frère en auraient eu raison, car si autrefois les pensions du roi à cette maison (de Savoie) ont été payées ponctuellement, elles devraient l'être bien plus dans les circonstances présentes, alors que Son Altesse sert réellement le Roi (1).

Cette somme de **106 000** *livres, je la dois presqu'entièrement à Paris, où j'ai dû laisser, pour caution du paiement, aux mains des créanciers, mon argenterie et tous mes joyaux et une reconnaissance de dette de* **18 000** *francs... Étant tenu à rembourser l'argent le mois prochain, en particulier à Monsieur Ottoman, agent de M. le cardinal de Savoie,* **52 500** *livres, il faudra que je me ruine pour tenir ma parole.*

Je rougis encore de devoir à Paris, en petites dettes, plus de **20 000** *livres à M. de La Meilleraye* (2), *comme vous l'apprendrez de mon homme d'affaires* (3). *Si vous aviez la chance de toucher les* **16 000** *écus, je voudrais vous supplier de les payer à Monsieur Ottoman et de retirer de lui mon argenterie et mes joyaux, ou, si vous ne voulez pas prendre cette peine, de confier cette*

---

(1) Mazarin avait réglé de son argent les pensions faites à la maison de Savoie et n'arrivait pas à se faire rembourser par Bullion, ou bien il avait une créance sur le duc de Savoie payable sur les pensions de celui-ci?

(2) Charles de La Porte, duc et maréchal de La Meilleraye, parent de Richelieu.

(3) S'agit-il déjà de Charles, correspondant régulier de Mazarin à Paris à partir d'août 1636?

affaire à M. l'abbé des Roches, intendant de Son Éminence, qui connaît le dit Ottoman.

. . .

J'ai honte d'être si importun et fastidieux, mais la nécessité ne permet aucune retenue. De toutes mes importunités vous devriez vous plaindre à M. de Bullion, car il en est la cause. Et puis, je vous laisse à considérer la vie que je mène en ce pays, qui est certes la plus mélancolique du monde. J'ai converti en tripot un de ces salons antiques, mais après avoir joué une heure, je m'ennuie plus que jamais et volontiers je changerais mon sort pour celui du jardinier de Rueil, encore qu'il faille travailler tout le jour aux fontaines et exécuter les ordres rigoureux de M. le comte de Nogent (1), *car à la fin je recevrais toute consolation en m'entendant appeler tantôt* Colmarduccio, *tantôt* Nunzinicardo *par ce personnage avec lequel, pour ne pas l'adorer, il faut s'abstenir de parler une seule fois.*

Pour finir, je vous baise affectueusement les mains, me réjouissant infiniment de l'heureux accouchement de Madame votre épouse.

Je suis le serviteur très humble et dévoué de Votre Seigneurie Illustrissime, à qui j'ajoute que

La place de Colmar (2) *va mal*
Sans le soutien du cardinal.
Bullion se fie à Cornuel (3)
Qui l'enverra droit au bordel (4).

GiulMazarini

---

(1) Nicolas Bautru, comte de Nogent.

(2) I. e. Mazarin lui-même que Richelieu avait surnommé Colmardo.

(3) Cornuel, trésorier de l'Épargne, collaborateur du surintendant Bullion.

(4) La piazza di Colmar sta molto male
Se soccorsa non e dal Cardinale
Perche Buglione si rimette a Cornuello
E questo in fin la mandera in bordello.

Vous voudrez bien conserver mes lettres et les tenir ensemble.

A. E., Corr. Pol., *Rome* 57, f°s 157-160 v° : orig. autographe.

CONSEILS A « UNE ÂME NOBLE »

A M. Zongo Ondedei

Avignon, 3 octobre 1636

Je reçois votre lettre du 25 du mois précédent en même temps que l'avis que me donne M. le Cardinal Antoine, mon maître, qu'il a obtenu de Sa Sainteté la permission que je désirais de pouvoir faire un saut à Rome pour donner ordre à mes intérêts particuliers (domestici). *Je n'avais pas pensé à eux jusqu'à présent, toutes mes pensées étant tournées vers les affaires publiques.*

J'aurais beaucoup à dire en réponse à votre excellente lettre, dans laquelle je reconnais les effets de votre gentillesse innée et qu'il suffit à votre grand talent de s'appliquer à une seule affaire pour vous rendre digne aussitôt d'être lu en chaire. En vérité, je le jure, bien des personnes d'une expérience consommée dans les affaires d'État et qui ont gagné non sans peine le nom de grands politiques n'auraient pu traiter les affaires courantes avec autant d'exactitude que vous ne l'avez fait dans ladite lettre. Je prends à témoin M. Vincenzo (1) *du jugement*

(1) Vincenzo Martinozzi, sans doute ami et peut-être parent d'Ondedei, grâce à qui, semble-t-il, celui-ci fut mis en contact avec Mazarin.

que je fis de vous huit jours après avoir eu l'honneur d'entrer en rapports avec vous; dès ce temps-là, je résolus de mon propre mouvement d'être votre serviteur très partial. A quoi s'ajoute à présent l'obligation que j'ai de l'être effectivement et avec sincérité jusqu'à la mort, vous assurant que, si j'ai de la chance, les actions parleront et mon voyage à Rome ne vous nuira pas (1)...

Assurez-vous que le peu de connaissance que je puis avoir, non seulement des affaires courantes qui doivent se discuter dans la négociation de la paix à Cologne (2) *mais du caractère des plénipotentiaires qui y interviendront, je vous en ferai part avec le vif désir que cela puisse vous être de quelque profit... J'ose m'avancer à vous promettre que vous aurez autant de part que nul autre en la négociation, d'autant plus que le chef de la délégation française doit être M. le cardinal de Lyon* (3) *que je sais être attaché à votre personne.*

Quant aux diverses façons de vous traiter que suivent certains de ceux qui accompagnent le cardinal-légat (4), *permettez-moi de vous dire que l'on ne vous estimera pas d'après elles, mais d'après le crédit que vous acquerront votre habileté, vos manières et votre esprit; il sera très vite considérable et, en vous rendant nécessaire, vous occuperez une toute autre place que celle de la table du légat, lequel peu à peu vous fera jouir certainement des effets de sa bonté. Je sais combien il est courtois et je connais par vous ses bonnes dispositions à votre égard. J'ajouterai que mon exemple peut, en ce cas particulier, vous faire quelque impression. Lorsque les Patrons commencèrent à m'employer en affaires, je me suis efforcé*

---

(1) Nous avons vu que Mazarin devait tenir parole.

(2) Ondedei avait été désigné pour faire partie de la délégation pontificale dirigée par le cardinal Ginetti.

(3) Alphonse du Plessis de Richelieu, cardinal archevêque de Lyon, frère du ministre, appelé couramment le cardinal de Lyon.

(4) Ginetti

de me rendre plus considérable par la pratique de celles-ci que par le poste qui me fut donné, qui ne consistait qu'à informer les Patrons de ce qui se passait alors en Lombardie (1).

En conclusion, tâchez d'avoir tous les honneurs que vous pourrez obtenir afin de ne pas avoir une situation inférieure aux autres auprès du cardinal-légat, mais si vous rencontrez des difficultés considérables, ne vous arrêtez pas longtemps à les surmonter. Tâchez alors, à force de savoir-faire et d'esprit, de trouver moyen, en accomodant les différends qui naîtront dans les affaires, de vous avantager par rapport aux autres. Comme je suis certain que cela ne vous sera pas difficile, je m'assure que vous améliorerez extrêmement votre condition, ce en quoi consiste la vraie gloire.

Ayez pour but dans vos actions de gagner l'estime de tous et, si vous êtes encore malheureux dans d'autres affaires, cela importe peu, car la bonne renommée est la vraie richesse et le vrai avantage pour une âme noble. Je dis peut-être des sottises, mais je crois de mon devoir de vous indiquer les règles et maximes que je voudrais observer moi-même, d'autant que votre esprit, en les polissant, les adaptera à votre utilité et à votre intérêt.

Je vous supplie de me favoriser en toutes occasions de vos lettres et de me rendre par elles un compte exact de ce qui se passera, vous assurant que je ne les communiquerai à personne sinon (à moins que cela ne vous déplaise) au seul M. Vincenzo (2); *envoyez-les moi dans le pli à son nom tant que je resterai à Rome. Je vous écrirai par la suite comment vous devrez me les adresser lorsque j'aurai quitté la ville...*

A. E., Corr. Pol., *Rome* 58, f°s 300-302 v° : copie de Nicoletti.

(1) En 1628-1629, au temps où J. F. Sacchetti avait laissé Mazarin seul à la nonciature de Milan.

(2) Martinozzi.

LE CHAPEAU DU PÈRE JOSEPH

Au Père Joseph, à Paris

Rome, 8 décembre 1636

(Affaire du chapeau de cardinal demandé pour le Père Joseph)

. . .

M. le cardinal Antoine s'y emploie vivement et, comme il a de fréquentes occasions de parler au pape, il ne perd aucune de celles qui se présentent à votre avantage et pense sans cesse aux moyens qui pourraient faciliter le bon succès de cette affaire. Tout récemment il en proposa un, qui était de vous faire passer dans un autre ordre, afin de surmonter ainsi la difficulté que fait le pape de promouvoir votre personne, disant qu'il ne veut pas ruiner l'ordre des Capucins... mais cet expédient comporte des difficultés sur lesquelles je ne m'étendrai pas...

J'ai pu informer et persuader le pape et les cardinaux-neveux non seulement que vous ne désiriez pas la grâce que vous procurait Sa Majesté, mais encore que vous n'en saviez rien.

J'ai parlé au pape trois fois depuis mon arrivée. La première fois, Sa Sainteté, après avoir discouru d'autre chose, me dit ex abrupto *que les Français et les Espagnols la tourmentaient pour la promotion du Père Joseph et de l'abbé Peretti* (1), *mais qu'elle n'y consentirait jamais*

(1) L'abbé Francesco Peretti Montalto, de la famille du pape Sixte Quint, devint cardinal grâce à la protection espagnole, le 16 décembre 1641, en même temps que Mazarin.

pour ne pas ruiner l'ordre des Capucins, et parce qu'elle avait contre l'abbé Peretti une infinité de raisons (parmi lesquelles la plus puissante, dit-on, est qu'il est ennemi de la maison Barberine).

Je répondis que le Père Joseph ne se souciait point de cet avancement et que ses désirs, je le savais de façon assurée, étaient de mourir dans la grâce de Dieu et capucin; sa vie exemplaire en rendait sûr témoignage; il ne négligeait aucune fonction spirituelle, qu'il remplissait avec autant de soin auprès du cardinal-duc que dans son couvent, et il employait tout son crédit à s'efforcer d'obtenir la paix à la Chrétienté, à faire dépenser au Roi de grosses sommes d'argent pour la propagation de la foi dans quasi toutes les parties du monde et en de très nombreuses œuvres pies qui se font en France, et particulièrement à Paris, sur ses instances et à sa persuasion. Je priai Sa Sainteté de me croire en tout cela indubitablement; c'était la pure vérité, et je le disais librement à Sa Sainteté, qui était mon maître, sinon ma conscience me reprocherait de lui cacher ce qui pouvait faciliter l'avancement d'un sujet, susceptible, comme celui-ci, de rendre des services notables à l'Église de Dieu.

Le pape m'écouta volontiers et me dit qu'il avait la même opinion que moi de la bonté du Père Joseph, bien que certains en parlassent autrement, mais que le préjudice irréparable que sa promotion apporterait à son ordre était tel qu'il croyait qu'on ne pourrait jamais y remédier. J'eus beau rétorquer bien des choses, qu'il serait trop long de rapporter, je m'aperçus que c'était en vain, comme il en arriva de même les deux autres fois que j'ai parlé à Sa Sainteté. J'ai alors adroitement mis le discours sur vous, à l'avantage de qui Sa Sainteté a encore fort bien parlé, approuvant tout ce que je disais de votre zèle, de vos excellentes mœurs et des services que vous avez rendus pendant tant d'années au Siège Apostolique, dont pouvaient témoigner tous les nonces qui avaient été de votre temps en France. Je ne manquai pas de représenter que le cardinal-duc m'avait dit plus d'une fois que, depuis qu'il était évêque de Luçon, il avait projeté avec vous, son cher ami dès cette époque, l'entreprise de La Rochelle et la ruine des Huguenots. Mais, comme je l'ai dit plus haut, Sa Sainteté applaudissait à tout, mais butait sans cesse sur l'obstacle du détriment apporté à l'ordre des Capucins...

Il serait bon que vous fassiez revenir le plus tôt possible à Rome M. d'Amontot (1)... *en particulier pour conduire à bon port vos intérêts, car le cardinal Antoine a entière confiance en lui et le cardinal Barberin témoigne de l'aimer beaucoup, louant sa manière douce de traiter qui ressemble à celle de M. d'Avaux* (2)...

J'ai fait écrire à M. d'Amontot les entretiens que j'ai eus à Gênes, sur le sujet de la paix, avec Don Francisco de Mello. Ce sont là, à mon avis, choses de grande considération et vous voudrez bien, pour le service du Roi, les examiner soigneusement et en donner connaissance à ceux qui, de la part de Sa Majesté, doivent assister à l'Assemblée de Cologne; je demande toutefois que l'on cache la provenance de telles nouvelles.

C'est fort à propos que je me suis abouché avec Don Francisco de Mello, car j'ai ainsi découvert peu à peu les sentiments qu'il tenait du comte-duc (3) *au sujet de la paix. J'ai pu lui ôter bien des préjugés qu'il avait contre M. le cardinal-duc, la France et vous et qui lui avaient été insinués par Benavidès* (4). *Ce Mello est le plus confident ami qu'ait aujourd'hui le comte-duc. Il me parla longuement de vous; j'eus le bonheur de le détromper par d'évidentes raisons des opinions qu'il avait de vous,*

---

(1) Nicolas Le Seigneur, sieur d'Amontot, diplomate français.

(2) Claude de Mesmes, comte d'Avaux dont Mazarin fera un des plénipotentiaires à Munster. Sa « manière douce » était bien différente des procédés brutaux de l'ambassadeur à Rome, le maréchal d'Estrées.

(3) Olivarès, premier ministre espagnol.

(4) Ancien ambassadeur d'Espagne en France.

qu'il considérait comme un des principaux ennemis de la maison d'Autriche et celui qui contrariait le plus la paix et fomentait la rupture. Il fut si consolé de mes propos qu'il me dit : « Je crois si bien ce que vous me dites que, si j'en étais libre, je prendrais la poste pour essayer de surmonter à Rome les difficultés que le Père Joseph rencontre dans son avancement; j'ai l'expérience de son bon naturel, de son zèle et de son intégrité. » Par ce que j'ai pu reconnaître chez Mello, je crois qu'en traitant avec lui, vous le gouverneriez entièrement en très peu de temps...

J'ai dit quelque chose au cardinal Barberin du dessein contre le Turc, mais ayant reconnu qu'il n'en faisait pas grand cas, je me suis abstenu de lui communiquer le mémoire (1)...

J'aimerais que vous me fassiez savoir s'il vous plairait recevoir souvent des lettres de moi sur les affaires de la Cour de Rome. Vous voudrez bien m'excuser si cette fois-ci j'ai été trop long et confus, n'ayant pas bien distingué les sujets (2). *Je remédierai à ces défauts à l'avenir...*

A. E., Corr. Pol., *Rome* 58, f°s 367-382 v° : copie de Nicoletti.

STATUES ET TABLEAUX POUR PARIS

Au cardinal de Richelieu

s. d. (Rome, 30 mai 1637)

Je garde en caisses les quatre statues que j'ai déjà décrites à Votre Éminence, mais je désirerais que l'on me fît savoir si je dois les mettre avec celles achetées par

---

(1) Mémoire sur la croisade contre les Turcs envoyé par le père Joseph à Mazarin.

(2) La copie de cette lettre, dont nous n'avons donné que des extraits, ne compte pas moins de trente-deux pages *in folio*.

M. Frangipani pour être chargées avec elles quand vous l'ordonnerez, ou si je puis prendre sur moi de vous les envoyer moi-même; en tel cas, je me chargerai de les adresser en Avignon et de donner ordre là-bas qu'on les porte à Rueil, pour qu'elles ornent le fronton des plus charmantes et riches fontaines que l'on puisse voir.

Les tableaux pour la nouvelle galerie (1) *sont très avancés et mon ambition serait de les porter et de les installer dans la galerie pour servir au moins dans ces bagatelles mon maître et bienfaiteur, puisque mon peu d'habileté ne me permet pas de le faire en choses d'importance.*

La seule espérance de revoir et de servir un jour Votre Éminence tempère ma douleur d'en être éloigné, car je ne perds pas la mémoire de vos qualités incomparables et des grâces singulières dont je jouissais lorsque je pouvais vous admirer et profiter de votre compagnie familière. Il est impossible que rien d'autre ne me satisfasse. En somme, pour faire cas des autres princes et estimer leurs faveurs, il faudrait n'avoir pas connu Votre Éminence ni avoir été favorisé par elle. Je vous rends très humble grâce d'avoir bien voulu mettre la dernière main dans les intérêts pécuniaires que j'avais en France, et seule la constante protection de Votre Éminence pouvait venir à bout de la dureté des gens de finance. Je crains que mon barbier ne se soit rendu importun à Votre Éminence en sollicitant l'expédition de cette affaire, mais je vous supplie de croire que je ne lui ai jamais donné d'autre charge que de ne pas vous importuner; étant assuré de votre grâce, je ne me souciais guère que tous mes autres intérêts allassent mal.

Celui que j'avais dans l'abbaye de Saint-Avold ayant été mené à bon port grâce à la faveur de Votre Éminence, je suis encore obligé de vous remercier en toute humilité. Si je vous importune avec tant d'actions de grâces, la

---

(1) Au Palais-Cardinal (depuis Palais-Royal) à Paris.

faute en est à votre générosité qui ne se lasse jamais de me les départir. Que Votre Éminence considère dans quel état resterait le pauvre Colmarduccio, *le pape venant à manquer* (1), *si vous ne l'aviez fait jouir des effets de votre protection! Il vous sera facile après cela de vous convaincre que vous ne pouvez avoir au monde de plus humble, de plus dévoué et de plus obligé serviteur*

GiulMazarini

A. E., Corr. Pol., *Rome* 60, f°s 15-16 : orig. autographe (2).

« AU GALANT HOMME TOUT PAYS EST PATRIE »

A M. de Montagu, à Londres

(Rome) (3), ***16** septembre **1637***

J'attends avec impatience l'avis que vous est bien arrivée une lettre de moi fort prolixe (4). *La présente ne sera que pour vous accuser réception de la vôtre qui contient l'éloge de M. le cavalier Bernin* (5). *Celui-ci se déclare infiniment obligé de votre gentillesse et dit que vos louanges sont la vraie statue qui lui fait gloire et honneur, et qu'il ne pouvait recevoir plus grande consolation que d'apprendre que son ouvrage vous ait plu, à vous qui avez si bon goût.*

---

(1) Urbain VIII était alors malade.

(2) La date de cette lettre est donnée par une copie conservée dans Corr. Pol., *Rome* 59, f°s 353-354.

(3) La copie porte par erreur Paris.

(4) La copie de cette lettre n'a pas été retrouvée. Quant aux originaux de celles de Mazarin à Montagu, elles semblent avoir disparu des archives Montagu, à Kimbolton (Grande-Bretagne).

(5) Lequel avait récemment adressé en Angleterre son buste du roi Charles Ier d'Angleterre.

Je saisirai l'occasion du vaisseau que M. Fitton m'a dit devoir partir incessamment de Livourne pour vous envoyer le tableau de M. Fabio della Cornia, qui vous écrira; j'y ajouterai une autre peinture et mon portrait à votre intention, et quelque galanterie à donner à Sa Majesté la Reine; je ne prétends pas toutefois que ce tableau doive remplir le vide que vous me dites réserver dans votre galerie, bien qu'on le tienne sans réplique de l'école de Raphael; il vous faudra en attendre un meilleur que j'espère avoir très bientôt à Venise, d'où l'on m'écrit que ce sera une chose excellente.

Je vous prie de ne pas croire impossible qu'un jour je puisse être condamné à me revoir dans votre maison, mon peu de mérite étant trop bien connu ici (à Rome) pour espérer de m'y établir un bon gîte. Les paroles que vous a dites M. le cardinal Barberin, mon maître, à votre départ, m'empêchent d'en abandonner tout espoir. En tout cas, pour ma consolation, il me reste de savoir qu'au galant homme tout pays est patrie.

Veuillez m'assurer que, malgré l'éloignement, vous me gardez aimablement dans votre bonne grâce : le témoignage le plus évident que vous pourrez m'en donner sera de me favoriser de vos commandements.

A. E., Corr. Pol., *Rome* 61, fos 41-42 : copie de Nicoletti.

« CANONISÉ FRANÇAIS »

A M. de Chavigny

Rome, 22 février 1638

M. le maréchal d'Estrées écrit avec tant de soin des affaires publiques et privées... que j'aurais grand tort de vous importuner à en discuter. Qu'il me soit pourtant permis d'attester, comme je l'ai toujours fait, qu'il n'y a jamais eu au monde de ministre qui ait jugé des affaires avec autant de sûreté que M. le cardinal-duc, notre maître : il a en effet toujours été persuadé que le cardinal Barberin s'opposerait à mon avancement... Les Espagnols, par leurs persécutions, justifient les efforts que la France fait en ma faveur, mais à vrai dire, cela semble dur à toute la Cour de Rome que le cardinal Barberin prenne plus en considération le désir de complaire aux Espagnols, dont il n'a jamais reçu que de mauvais traitements, que le fait que j'aie servi treize ans le Saint-Siège et la maison Barberine, mérité de voir mes services appréciés, et d'en avoir eu confirmation en me voyant confier de très importantes négociations et les charges de vice-légat d'Avignon et de nonce extraordinaire en France. Pour moi, je crois que, plus que la persécution des Espagnols, fait effet sur Son Éminence ma qualité de serviteur non inutile du cardinal Antoine (1).

Nous verrons bien ce qui s'ensuivra et je vous promets en toute sincérité que je suis très content, car je n'ai d'autre prétention que d'être toujours le même Colmardo *de notre Patron, ce qui, je l'espère, ne me manquera pas, comme aussi qu'on ne me refusera jamais deux pièces à Richelieu* (2).

Je ne suis pas né sujet du Roi, mais je crois pouvoir véritablement m'imaginer que les déclarations des Espagnols m'ont canonisé Français, de sorte que c'est justement qu'on me peut permettre d'appeler la France ma patrie. Les agents de l'Espagne disent à présent qu'il vaudrait mieux donner l'autorité de nonce à M. le cardinal de Lyon que de m'envoyer en France, ajoutant tantôt que, si on m'y envoie, je serai le nonce de M. le

(1) Le cardinal Barberin semble en effet avoir été jaloux de son frère cadet, plus brillant et plus aimé que lui.
(2) Au château de Richelieu, en Poitou.

cardinal-duc, tantôt que le pape pourra me charger de cette mission si par ailleurs il choisit comme nonce en Espagne l'évêque de Cordoue, et autres choses semblables...

A. E., Corr. Pol, *Rome* 63, f°s 67-68 : copie de Nicoletti.

LA MORT D'UN AMI

A M. le cardinal de La Valette, en Piémont (1)

Rome, 10 juin 1638

Il va finalement falloir perdre M. Pompeo (2) *qui, abandonné des médecins, ne vit plus qu'au jour le jour* (ad hore). *Je vous laisse à penser quels sont les sentiments de cette Cour, à vous qui connaissiez fort bien ses grandes qualités. Nul ne demeure les yeux secs dans l'éventualité de cette perte, et pour moi, je ne pourrai jamais m'en consoler, car je ressentirai toujours plus l'absence d'un des plus grands et plus sincères amis que j'ai eus. Je me persuade que cette nouvelle vous sera très sensible, mais ma propre douleur m'interdit d'essayer de vous consoler. Il meurt comme il a vécu; ses actes de piété, ses sentiments envers Dieu et le courage avec lequel il supporte*

(1) Louis d'Épernon, cardinal de La Valette commandait alors l'armée française accourue en Piémont pour défendre Mme Chrétienne attaquée par les Espagnols.
(2) Pompeo Frangipani.

ce coup, après tant de jours de martyre, montrent bien qu'il fera un échange avantageux et qu'il ne peut que gagner en mourant, toute la perte restant à ses amis et ses serviteurs.

Il m'a demandé hier matin si j'avais des nouvelles de Votre Éminence et si vous aviez des gens pour secourir Verceil (1), *ajoutant pour finir qu'il priait Dieu pour vos succès et que vous étiez le plus grand patron qu'il avait eu au monde. Voilà déjà quatre jours que son état est reconnu désespéré et néanmoins il parle avec sa vivacité d'esprit habituelle; ainsi, voyant que les médecins cessaient leurs rigueurs et acceptaient qu'on lui donne quelques fruits, il se tourna en riant et dit : « Vive la libéralité! » Il m'a parlé très souvent de Votre Éminence et j'ai reconnu que son plus grand regret était de ne pouvoir vous servir* (2)...

La nouvelle de l'attaque de Verceil était inattendue, car l'on ne croyait pas que les Espagnols eussent assez de forces pour tenter une telle entreprise. J'espère que le fait d'avoir des forces inférieures à celles des Espagnols augmentera la gloire de Votre Éminence; à votre résolution, à votre courage, à votre prudence est due la victoire. Plaise à Dieu de vous la donner comme vous le désirez. Je peux vous jurer sincèrement que je n'ai jamais eu tant de déplaisir de l'habit de prélat que maintenant qu'il m'interdit d'aller vous servir avec une pique (3). *Et certes, il devrait être permis aux prélats de servir sous un général cardinal!...*

A. E., Corr. Pol., *Rome* 61, f°s 155-157 : copie de Nicoletti.

---

(1) Vercelli en Piémont était assiégée par les Espagnols.

(2) Mazarin demande ensuite que soit transférée à Mario Frangipani, frère de Pompeo, une pension que La Valette faisait à ce dernier.

(3) Ce n'était pas seulement son amitié pour La Valette qui poussait Mazarin à vouloir se trouver en Piémont, mais aussi et peut-être surtout son attachement pour Mme Chrétienne et la maison de Savoie.

« JE REMETS TOUT ENTRE LES MAINS DE DIEU »

A M. le cardinal Bichi à Carpentras

Rome, 11 août 1638

La dernière lettre que je reçois de Votre Éminence est du 7 du mois passé et, dans la semi-disgrâce dans laquelle je me vois réduit auprès des Patrons, je n'ai plus comme vraie consolation que de me voir continuer votre faveur, plus fervente que jamais...

Ce que vous voulez bien me dire au sujet de votre voyage à Rome est plein d'excellentes considérations, dignes de votre très grande prudence. Je ne doute pas en effet que, si vos pensions venant de France ne vous étaient pas payées exactement, vous auriez grande difficulté à subsister. Mais d'après les avis que je reçois de M. de Chavigny et de mon homme d'affaires, vous serez ponctuellement payé et l'on persistera dans la résolution de vous pourvoir, à la première vacance, de quelque bonne abbaye.

Permettez-moi de vous parler avec cette liberté que requiert le sincère et cordial service que je vous ai voué et de vous dire que, pour un cardinal de votre esprit, doué de tant de qualités remarquables, qui peut avec l'agrément des Patrons habiter à Rome, c'est un notable désavantage que de résider à Carpentras. Voilà l'opinion de vos plus dévoués serviteurs, et il tarde à M. le cardinal de Bagni d'apprendre que vous vous acheminez vers cette Cour, où il est certain que vous aurez de nombreuses occasions d'améliorer votre condition et celle de vos serviteurs. Quant à moi, je ne constate que trop la différence de l'état où étaient mes affaires lorsque vous étiez ici et de celui où elles sont maintenant...

Pour mes intérêts, je ne doute pas que vous n'en soyez pleinement informé par Mgr *votre frère* (1), *car il en a connaissance plus que quiconque. En tous cas, je vous confirmerai que j'ai abandonné tout espoir de la nonciature de France; que ce soit à cause de la considération des Espagnols, ou de l'aversion que, selon le cardinal Barberin, le pape aurait pour ma personne, ou de mon manque de chance et d'habileté, ou pour une autre raison qui trouve plus de créance dans toute la Cour mais dont je ne pourrai jamais pour ma part être convaincu* (2), *je ne vois plus de moyen d'obtenir cette charge. C'est pourquoi, désirant la tranquillité pour moi comme pour Sa Sainteté, M. le cardinal Barberin et la France, tous mes efforts sont dirigés à supplier le Roi et M. le cardinal de Richelieu de bien vouloir ne pas s'obstiner à m'avoir pour nonce...*

Je remets tout entre les mains de Dieu qui m'a été propice jusqu'à présent et j'espère de sa divine bonté la continuation de ses grâces...

Le pape parle sans cesse de moi avec amour et particulière estime. Et l'on dit pourtant qu'il a de l'aversion pour ma personne! Je n'y comprends rien. Je fais très humble révérence à Votre Éminence.

Je ne sais ce que je vous ai écrit et, pour comble de fortune, je n'ai pas même le temps de relire cette lettre.

A. E., Corr. Pol., *Rome* 63, f°s 300-305 : copie de Nicoletti.

---

(1) Mgr Bichi, collaborateur direct du cardinal Barberin.

(2) Cette raison, nous l'avons vu, car Mazarin l'a avouée à Chavigny, serait la jalousie du cardinal Barberin pour son frère Antoine, le vrai « patron » de Mazarin.

« UNE VIE MISÉRABLE »

A M. de Chavigny à Paris

Rome, 12 août 1639

... La méthode du cardinal Barberin est de disputer toute chose avant de la faire. Je vous promets que j'ai plus souffert en ces trois ans de Rome, à cause de cette maudite façon de négocier, que dans toute ma vie. Je peine jour et nuit avec des inquiétudes continuelles, recevant des dégoûts de toutes parts et pour ne rien conclure. C'est la faute de Colmardo *et si les affaires s'arrangent, il n'en tire aucune récompense, car ce sont des affaires de telle nature que, même une fois arrangées, elles ne méritent pas qu'on en parle.* Colmardo *est toujours le bouc émissaire et le cardinal Barberin s'en prend à lui de tout ce que fait ou va faire le maréchal* (1). *Je vous jure devant Dieu que parfois j'en arrive à la fin de la journée à m'endormir avec le désir de ne pas me lever du lit, pour me soustraire à la vie la plus misérable que l'on puisse imaginer. Encore s'il en pouvait résulter quelque avantage notable au service de Sa Majesté ou cette gloire que l'on peut espérer dans le maniement des grandes affaires! Mais ce n'est pas le cas.*

J'accomplis le noviciat après avoir fait la profession; j'ai commencé en effet par traiter des négociations importantes et maintenant je n'ai plus à m'occuper que de bagatelles odieuses et viles, pleines de mille difficultés

(1) Le maréchal d'Estrées, ambassadeur de France à Rome.

à cause du caractère de ceux avec qui il faut discuter. M. le maréchal est bien persuadé qu'aucune considération ne m'empêche de parler et de dire mes sentiments en toute liberté à quiconque, s'il est nécessaire, lorsqu'il s'agit du service du Roi. Il se rend compte qu'en tel cas, aucune considération ne me retient, et vous pouvez être absolument sûr que je renoncerais mille fois au cardinalat si, ce faisant, je croyais pouvoir servir Sa Majesté en quelque manière (1)...

A. E., Corr. Pol., *Rome* 66, f°s 163-164 : copie de Nicoletti.

« LES VENTS PROPICES »

A Madame la maréchale d'Estrées (2)

Rueil, 26 janvier 1640

. . .

J'ai joui des effets des ferventes prières faites en ma faveur par Votre Excellence, ayant eu en mer les vents propices et joui d'un temps printanier (3). *Les démons-*

---

(1) La suite de la lettre est consacrée aux affaires de Piémont. Mazarin blâme « l'irrésolution de Mme Royale » et les « conseils inconsidérés de ses conseillers », en particulier des d'Aglié. Il demande à la France d'envoyer des troupes pour secourir la citadelle de Turin.

(2) Anne Habert de Montmort, veuve de Charles marquis de Thémines, épousa en 1634, en secondes noces, le maréchal d'Estrées, lui-même veuf, qui devint en 1636 ambassadeur de France à Rome. Elle avait de son premier mariage plusieurs filles et les plus jeunes l'accompagnèrent à Rome. Leur fils Louis, né le 1er décembre 1637, avait donc deux ans lorsque Mazarin le vit à Paris en janvier 1640.

(3) Mazarin s'embarqua le 14 décembre 1639 à Civitavecchia et arriva le 4 janvier au matin à Paris.

trations d'affection et l'aimable accueil de Sa Majesté, de l'Éminentissime Cardinal-duc et de tous sont tellement supérieurs à mon mérite que j'ai honte de vous en rapporter les détails...

J'ai eu l'honneur de rendre visite à Madame votre mère comme à M. le marquis de Thémines, et je me suis réjoui de la trouver en meilleur état que je ne le supposais. J'ai insisté pour rendre mes respects à Madame votre fille, mais soit qu'elle ne fût pas habillée, soit qu'elle ait cru ne pas être en état de laisser l'impression d'une plus grande beauté que Madame sa sœur, j'ai attendu un bon moment sans pouvoir être favorisé de cet honneur. J'y retournerai à une heure meilleure, pour satisfaire à mon devoir et non point pour vérifier laquelle est la plus belle, sachant que je ferais tort à Madame Anne-Marie si je mettais en doute une vérité si universellement reconnue. A son sujet, la Reine et bien des dames et des cavaliers m'ont questionné; j'ai répondu en deux mots que rivalisaient en elle la beauté du corps et celle de l'âme, qui s'ajoutent à toutes ses autres qualités. Votre Excellence peut être certaine qu'il ne lui manquera pas de prétendants, remarquables par la naissance comme par la richesse.

Votre Excellence et M. le maréchal avez le plus beau et aimable petit garçon que l'on puisse imaginer. Il sera certainement plus grand que son père et il montre tant d'esprit que j'en suis resté stupéfait, considérant son âge tendre. Madame la marquise, votre sœur, prend soin de lui comme s'il était son fils.

Mademoiselle (1) *fait un ballet et le Roi un autre. La grossesse de la Reine est très certaine, comme aussi la*

(1) Anne-Marie de Montpensier, fille de Gaston d'Orléans, avait alors douze ans.

sainteté de la princesse de Guémené (1)... *Je fais très humble révérence à Votre Excellence, saluant toutes ses filles et la suppliant de donner un baiser à mon épouse* (2) *de la part de son Mimi.*

A. E., Corr. Pol., *Rome* 69, f°s 31-33 : copie.

LES LARMES DE MADAME CHRÉTIENNE

A Chavigny (3)

A Turin, le 2e jour de l'an ***1641***

Madame est réduitte à une misère si extrême, comme je le mande à Monseigneur (4), *qu'elle ne peut pas vivre sans l'assistance du Roy, ne tirant pas un sous du Piedmont accause du logement des troupes et ayant, l'année passée, consommé de la Savoye quasy tout le 41* (5). *Le marquis d'Aglié* (6) *m'a dit qu'il travailloit*

(1) Anne de Rohan, princesse de Guémené. Tallemant des Réaux parle de ses « saillies de dévotion ».

(2) Probablement une des plus jeunes filles de la maréchale.

(3) Cette dépêche est entièrement en français et de la main d'un secrétaire. Cette correspondance officielle en français avec Chavigny est doublée, pour les mois de septembre 1640 à mai 1641 pendant lesquels elle se poursuit, par des lettres autographes en italien de Mazarin à son ami français.

(4) Le cardinal de Richelieu.

(5) C'est-à-dire tous les revenus de l'année 1641 (dépensés un an à l'avance).

(6) Louis, marquis d'Aglié (1578-1646), surintendant des finances du duché de Savoie, oncle du comte Philippe; comme on le voit par ce passage (et par d'autres lettres, telle la première relation de l'arrestation du comte, adressée le 1er janvier par Mazarin et le comte d'Harcourt), il est faux de prétendre, comme le fait R. de Felice (*Dizionario biografico degli Italiani*, I, 409) que le marquis d'Aglié fut « entraîné dans la ruine de son neveu et arrêté en même temps que lui ».

avec les autres ministres à retrancher touttes les dépences superflues et qu'il avoit fait trouver bon à Madame de retrancher celle de sa maison de deux cents mile livres. Mais tout cela ne sert de rien si elle n'a de quoy pouvoir subsister.

Dans les depesches que vous m'avés fait l'honneur de m'escrire, vous me mandés qu'après l'exécution de l'affaire du comte Phelipes (1) *que l'on avoit résolu de faire quelque gratiffication à Madame. Si elle se comporte bien en cette affaire, comme elle témoigne jusques à cette heure de vouloir faire, je luy donneray quelqu'argent comptant, sans excéder touttesfois la somme que vous m'escrivez avoir esté destinée pour ladite grattification...*

Outre ce que nous dit Madame, luy portant la nouvelle du comte Phelipes, que vous verrez dans la relation, elle me fit appeler hyer au soir pour me prier, comme elle fit pressamment, de recommander sa réputation à Monseigneur et de vous escrire de sa part d'y tenir la main, vous protestant qu'elle vous en auroit une éternelle obligation.

Elle considère qu'entrant le comte Phelipes dans les villes, tout le monde dira : « Voyla le favory de Madame! » Si on le met dans la Bastille ou dans le Bois de Vincennes (2), *l'on croira que c'est pour autre chose que pour l'esloigner des affaires, de façon qu'elle voudrait que l'on prist touttes les précautions et asseurances pour le tenir en France et eslogné de ce pays, sans pourtant le mettre en prison. Pour cet effet, elle qui est icy au pouvoir du Roy donnera non seulement sa parolle qu'il ne bougera jamais du lieu qui luy sera prescrit, mais davantage, si on le désire, elle envoyera en France pour plus grande caution toutte la maison d'Aglié, comme elle*

(1) Le comte Philippe d'Aglié avait été arrêté dans la nuit du 31 décembre au 1er janvier.

(2) Le château de Vincennes, qui servait de prison d'État.

dit y vouloir envoyer deux enfants de la deffuncte marquise de Saint Germain (1) *au collège pour estudier...*

Si vous voyez comme Madame est réduitte et comme elle a changé de visage, elle vous fairait compassion. Elle n'a point encores quitté le lit et, avec tout l'effort qu'elle fait, elle ne peut s'empescher de pleurer à tout moment.

Pour moy, je ne croids pas que l'on aye jamais veu des marques d'une semblable affection, de quoy MM. de La Court et du Plessis sont bien demeurés surpris, ayants creu depuis quelque temps que la bonne volonté que Madame avoit pour le comte Phelipes estoit quasy diminuée tout à fait et que Madame ne l'entretenoit que pour couvrir celle que l'on disoit avoir pour quelqu'autre de peu de condition.

Je prendray garde à mon petit fait (2) *suivant ce que vous m'en avés escript autresfois, mais je croids d'estre assez garenty de l'espérance qu'a Madame que je la pouray utilement servir dans le contentement qu'elle désire sur la forme de l'eslognement du comte Phelipes* (3).

Tous les Piedmontois nous font de grandes révérences, mais je croids qu'à l'advenir les François seront deschargés de dépencer de l'argent à leur faire des festins (4)*...*

Je ne scaurais assez vous témoigner le ressentiment que j'ay de l'honneur que vous me faittes et des asseurances que vous me donnés de votre affection, de laquelle je reçois continuellement des effets à ma confusion, estant inutile comme je suis à votre service, vous remerciant très humblement, Monsieur, du soing que vous

---

(1) La marquise di San Germano avait été la dame d'honneur favorite de Mme Chrétienne. Courtisée elle-même par le maréchal de Toiras, elle favorisa les amours de la duchesse avec le comte Philippe.

(2) I. e. à mes intérêts (vis-à-vis de la duchesse de Savoie).

(3) Cet espoir fut déçu et Philippe d'Aglié enfermé au château de Vincennes.

(4) C'est au cours d'un festin offert par un officier français que Philippe fut arrêté.

avez voulu prendre de l'ordonnance des 4 000 escus, vous pouvant dire en liberté que les dépences sont grandes en ce pays, puisqu'estant nécessaire d'y vivre honorablement, on ne le peut faire qu'avec beaucoup d'argent en cette ville où les vivres sont aussy chers que si nous estions assiégés.

Son Éminence m'a fait l'honneur de m'escrire une lettre capable de me ressusciter si j'eusse esté mort. C'est un effet de sa bonté ordinaire...

Mazarini

A. E., Corr. Pol., *Sardaigne* 33, f°s 20-24 : orig. signé.

AMBASSADEUR DE L'ART ROMAIN

1

A M. le maréchal d'Estrées

10 juillet 1640

Je voudrais qu'il dépendît de moi que fût exécuté ce qui regarde le service de Votre Excellence. A ces marques, vous me reconnaîtriez aussi vrai et partial serviteur que je le suis vraiment. La conjoncture n'est point favorable pour toucher de l'argent, mais celui destiné aux ambassadeurs devrait être sacré. Son Éminence elle-même l'a déclaré, après m'avoir entendu discourir sur ce sujet, et elle a conclu qu'elle veut absolument y mettre ordre.

Charles (1) *remettra à M. Brachet à Paris les profils* (2). *Il faut toutefois avertir M. le cavalier Bernin*

---

(1) On sait que Charles était à Paris l'homme de confiance de Mazarin.

(2) Ces portraits en profil de Richelieu (exécutés par Philippe de Champagne?) devaient servir au Bernin pour exécuter le buste du cardinal.

de se servir de celui avec une cuirasse (1) *plus que des autres car il est très ressemblant. Son Éminence elle-même a écrit à Madame d'Aiguillon de les faire bien préparer et remettre à Charles et m'a chargé de remercier de sa part Votre Excellence pour la peine qu'elle prend en sa faveur dans cette affaire.*

22 (le cardinal Antoine?) a eu grand tort d'empêcher Nicolas de venir servir Son Éminence mais Jean-Marie (2) *étant déjà arrivé avec d'autres ouvriers envoyés par le cavalier Bernin, nous espérons néanmoins faire de belles choses...*

Tout le monde prétend que les comédies en musique n'auraient pas de succès en ce pays et, bien que je sois d'avis contraire, je ne veux pas me hasarder à en faire la dépense, dans la crainte que beaucoup continuent à dire que cela ne vaut rien.

A. E., Corr. Pol., *Rome* 69, f° 215 : copie XVIIe siècle.

2

Au Père Provincial Michele Mazarini, à Rome

Amiens (3), *3 septembre* ***1641***

Les jeunes gens de M. le cavalier Bernin sont arrivés avec le buste de M. le cardinal-duc en bon état, mais je vous dirai en confidence qu'il ne ressemble pas au modèle et M. Cinquini (4) *l'a bien reconnu. Cela me déplaît à l'extrême car l'excellence de la tête, qui en vérité dépasse tout ce que l'on pouvait attendre, ne sera pas aussi uni-*

(1) La copie est mauvaise et porte les mots : *quello di corezzo* (?). Faut-il lire *corazza*? Ou *di prospetto :* celui où il est de face?

(2) Jean-Marie (Giovan-Maria), élève du Bernin, vint exécuter pour la cour de France les décors de ballets et comédies.

(3) La Cour avait alors suivi Louis XIII à l'armée de Picardie.

(4) Cinquini, gentilhomme du cardinal Antoine, au nom de qui le buste était offert à Richelieu, accompagnait en France l'œuvre du Bernin.

versellement admirée ici que l'aurait été la ressemblance. Il faut en conclure que les portraits que l'on avait envoyés étaient défectueux. Je ne manquerai pas pourtant de faire valoir l'œuvre et j'en ai déjà souligné la perfection à Son Éminence...

A. E., Mém. et Doc., *France* 259, f° 417 : copie XVIIe siècle. Pub. par Courajod, dans la revue *L'Art*, 1881, p. 298 *sqq*.

3

Au cardinal Sacchetti

Chaulnes (1), *24 septembre 1641*

Le sieur Pietro di Cortona (2) *a récemment donné part à M. de Chantelou* (3) *de son intention de faire un voyage à cette Cour de France, dès qu'il aurait expédié le travail qu'il s'était engagé de faire pour le Grand Duc de Florence. Mais le cardinal-duc, mon maître* (mio signore), *désirant avec une extrême passion le voir le plus tôt possible, espère pouvoir recevoir cette satisfaction grâce à Votre Éminence. Il m'a non seulement commandé de vous supplier vivement de sa part à ce sujet, mais il a voulu vous écrire la lettre ci-jointe...*

M. le cardinal-duc désire avec tant d'impatience avoir pour sa galerie de Richelieu un tableau sorti des mains du meilleur peintre que l'on puisse trouver, que je ne saurais exprimer à Votre Éminence combien il vous demeurera obligé si, par votre moyen, il obtient la faveur de la présence du sieur Pietro, lequel ne pourra pas refuser de faire aussi quelque chose pour le Roi. Sa Majesté et Son Éminence lui réservent un accueil digne de celui jadis fait par le roi François à Léonard de Vinci.

---

(1) Chaulnes (Somme), au sud-ouest de Péronne.

(2) Fameux peintre baroque qui décora entre autres le palais Barberini, protégé du cardinal Sacchetti.

(3) M. de Chantelou rabattait pour Richelieu les artistes romains. C'est lui qui fit revenir Poussin en France.

Les obligations que je vous ai ainsi qu'à votre maison et l'honneur que vous me faites de m'aimer de façon peu ordinaire sont bien connus de Son Éminence. Je vous supplie donc de la confirmer dans cette opinion en faisant votre possible pour que le sieur Pietro s'en vienne sur les galères qui auront conduit à Civitavecchia le nouvel ambassadeur (1).

Les difficultés qui restent à surmonter pour la réunion des plénipotentiaires à Munster (2) *ne sont pas considérables. J'ai donc de justes raisons de penser qu'à la fin du mois prochain je pourrai m'y acheminer. Je répondrais dès maintenant de la paix si la médiation en était confiée par Sa Sainteté à Votre Éminence dont la prudence et l'habileté singulière feraient bien vite jouir la Chrétienté d'un repos assuré.*

Je fais très humble révérence à Votre Éminence.

A. E., Corr. Pol., *Rome* 76, f° 513 v° : copie de la main de Benedetti.

4

Au cavalier Bernin

Rueil, 18 décembre 1641

Votre Seigneurie se rirait de moi, et avec raison, si je voulais lui représenter en détail l'admiration qu'a provoquée le portrait que vous avez fait de M. le cardinal-duc. Car vous savez fort bien que c'est un juste tribut que l'on doit à vos œuvres. Qu'il me soit pourtant permis de vous dire seulement que je ne crois pas que soit jamais sortie de vos mains une tête plus vivante, qui montre plus de recherche et qui soit mieux finie que celle-là, quelqu'un

---

(1) Le marquis de Fontenay désigné pour remplacer le maréchal d'Estrées.

(2) Où devait se tenir le congrès de la paix, dont Mazarin avait été nommé plénipotentiaire pour la France.

ayant dit qu'il était impossible qu'à quelque moment elle ne se mette à parler.

M. le cardinal-duc a bien voulu me donner une galanterie pour que je l'envoie à Madame votre épouse, s'en remettant, pour vous faire un cadeau, sur l'occasion de la statue qu'il prétend recevoir de vous. Messieurs Giacomo Balzinelli et Niccolo Sale vous la remettront et vous diront, j'en suis sûr, que je me suis efforcé de vous servir tant que je l'ai pu et qu'ils m'ont reconnu pour un de vos plus partiaux serviteurs.

Je me suis aussi permis d'envoyer quelques bagatelles à Benedetti mon agent (à Rome) pour la dite dame et, parmi elles, un chapeau de castor pour Votre Seigneurie.

On sollicite Van Dyck de venir ici, comme il l'a promis, pour faire de façon parfaite les profils de Son Éminence sur lesquels vous pourrez travailler, en étant sûr de ne pouvoir avoir devant les yeux des portraits qui ressemblent plus à Son Éminence. Sur ce, vous priant de m'aimer, je reste de tout mon cœur, etc.

A. E., Mém. et Doc., *France* 259, f° 471 v° : copie XVIIe siècle. Pub. par Courajod dans *L'Art*, 1881, p. 298 *sqq.*

DANS L'ATTENTE DU CHAPEAU : AFFAIRES D'INTÉRÊT ET DE FAMILLE

Au Père Provincial Michele Mazarini, à Rome

Paris, 15 novembre 1641

. . .

Quant à la promotion, je n'ai rien à vous en dire sinon que je demeure extrêmement obligé à M. le cardinal Antoine de l'impatience et de la passion avec lesquelles il la désire afin de voir promue une personne qui sera toujours son plus partial et obligé serviteur. La mort du cardinal-infant laisse un nouveau poste à remplir par Sa Sainteté.

Pour l'honneur que M. le cardinal Antoine continue toutefois à vouloir nous procurer par le mariage de Cleria avec M. Lorenzo Machiavelli et les nouvelles instances qu'il veut bien me faire pour que j'accepte de donner présentement 20 000 *écus comptant en promettant de payer les autres* 10 000 *dans quelque temps, je dois vous dire ceci. Rien ne peut plus m'affliger que de me voir pressé par un Patron, à qui je désire absolument obéir, pour une chose qui ne dépend pas de moi. En effet, je me perdrais de réputation si je promettais de payer présentement* 20 000 *écus comptant, alors que je serais obligé d'emprunter la somme dont je vous ai écrit. Je ne doute pas d'avoir dans quelque temps une large aisance, servant un grand Roi et étant protégé par un grand ministre qui ne voudra pas que ma fortune manque de la moindre chose. Mais, pour dire vrai, actuellement je suis gêné* (incommodato), *non seulement à cause de l'achat du palais (Bentivoglio), pour lequel, comme vous le savez, il m'a fallu débourser* 15 000 *écus, mais aussi parce que je dois, pour ce même palais, payer maintenant plus de* 6 000 *écus. Je suis débiteur de* 9 000 *écus à M. Vincenzo Martinozzi et j'en paye l'intérêt à raison de* 6 %*. Je paye près de* 3 000 *écus par an au duc Altemps* (1), *comme intérêt des* 55 000 *écus qu'il possède et que je lui dois sur le palais. Ma dépense ordinaire se monte à* 18 000 *écus par an, alors que je n'ai pas d'autre rentrée que le revenu de mon abbaye* (2), *qui ne produit*

---

(1) Gaudenzio Altemps, duc de Gallese, d'une famille d'origine allemande (Hohenems, italianisé en Altemps) possédait une part du palais Bentivoglio.

(2) L'abbaye de Saint-Médard à Soissons.

pas présentement 10 000 livres par an (1), *et ce qui me provient de la Secrétairerie Apostolique* (2).

Je voudrais donc que vous vous appliquiez à faire comprendre à M. le cardinal Antoine que rien ne peut m'être plus sensible que de ne pouvoir exécuter aveuglément ses ordres, comme me l'ordonnent les obligations que je lui ai. Je ne suis pas assez stupide pour ne pas voir l'honneur et le profit qui reviendraient à ma personne et à ma famille (casa) *de la conclusion de cette alliance. Et bien qu'un ministre ait dit ici qu'en la concluant avant la promotion, on donnerait aux malveillants matière de discourir au désavantage du Roi (ils insinueraient que, sans la dite alliance, S. M. n'aurait pas réussi à obtenir la grâce qu'elle demande pour moi), toutefois je suis passé sur cette considération et vous savez bien avec quelle netteté j'ai répondu aussitôt à ce que vous m'en avez écrit il y a plusieurs mois. En somme, je voudrais qu'il m'en coutât beaucoup et me trouver en état de me conformer au désir de M. le cardinal Antoine, et Son Éminence n'aura pas de peine à le croire, alors que tout l'honneur et l'avantage de cette alliance sont de mon côté.*

Il est vrai qu'il y a ici beaucoup de vacances de biens ecclésiastiques, mais je dois vous dire en confidence que l'on croit nécessaire au service de Sa Majesté d'en conférer la majeure partie aux grands du royaume.

J'écris à Benedetti qu'il vous donne 200 écus sur le premier argent qu'il doit recevoir de mes revenus. Prenez patience, je ne puis vous distribuer plus grosse somme...

Je vous prie de rapporter tout cela à notre père.

A. E., Mém. et Doc., *France* 259, f°s 456-458 v° : copie de Nicoletti.

---

(1) L'écu valant 3 livres, le revenu de son abbaye n'atteignait donc pas le cinquième de la « dépense ordinaire » de Mazarin.

(2) Mazarin avait certaines charges près du pape, qui continuait à lui fournir des revenus.

« REVOIR MA PATRIE ? »

A Madame la duchesse d'Aiguillon

Montpellier, 10 mars 1642

Je ne saurais mieux commencer cette lettre qu'en assurant Votre Excellence de la parfaite santé de Son Éminence, mon maître. Il est plein d'entrain et heureux de voir que les affaires s'arrangent de façon à lui permettre un très glorieux retour à Paris. La mer n'est pas aussi orageuse et agitée qu'au début du voyage et je ne doute pas que la navigation ne doive être de toutes façons très heureuse (1). *Je regrette seulement d'être obligé de m'en éloigner, les affaires de Rome obligeant le Roi et Son Éminence à m'y envoyer, et je m'y acheminerai dès que j'aurai eu l'honneur de présenter mes respects à Sa Majesté.*

Il s'agit de revoir ma patrie et mes parents, chargé d'honneurs, d'aller recevoir les applaudissements, jouir des démonstrations publiques et occuper en cette Cour de Rome un des postes les plus élevés. Et pourtant je déplore tous ces avantages qui ne sont pas comparables avec celui d'être auprès du Patron le plus accompli, le plus aimable, le plus parfait qui se soit jamais trouvé. Vous êtes très persuadée de cette vérité, et je n'ai pas besoin de m'étendre sur ce sujet pour être certain que vous me plaindrez. Toute ma consolation dans mon éloignement est qu'il en plaît ainsi à celui à qui je dois tout et l'espé-

(1) Il s'agit de l'élément changeant de la Cour, alors que Cinq-Mars harcelait Louis XIII de plaintes contre le cardinal. Mazarin se montrait, à son habitude, trop optimiste.

rance certaine que j'ai de le revoir en septembre, puisqu'il persiste à vouloir que j'aille servir Sa Majesté à l'Assemblée de la paix, Son Éminence voulant à tant de grâces qu'elle m'a accordées ajouter encore celle de me faire son représentant pour établir sa gloire à l'avantage de la France.

Les Pères de la Mission (1) *s'embarqueront avec moi et je cours grande fortune de devenir homme de bien dans ce voyage à Rome. Je les servirai selon les ordres que vous avez bien voulu me donner et ce séjour me sera moins ennuyeux si Votre Excellence prend la peine de m'exercer à exécuter ses commandements, comme je l'en supplie humblement.*

Votre Excellence daignera rester ma bonne maîtresse en tout temps, en tout lieu et en toute condition où je me trouverai. Je lui fais révérence, etc.

Bibl. Mazarine, ms. 2217, f°s 30-31 : copie de Nicoletti.

AU CHEVET DE SON ÉMINENCE

1

A M. le cardinal Bichi

Narbonne, 14 avril 1642

L'allégresse avec laquelle je prends la plume pour vous donner part de la bonne santé de notre bienfaiteur, alors qu'on en doutait grandement, vous pouvez l'éprouver

---

(1) Mme d'Aiguillon s'intéressait au sort des pères capucins missionnaires qu'avait dirigés le père Joseph.

vous-même. J'ai fait différer à M. l'abbé Bentivoglio (1) *son départ vers vous, car autrement il n'aurait porté que peu de bonnes nouvelles. Je m'assure que maintenant il sera bien reçu de Votre Éminence, surtout quand vous saurez qu'alors que M. le cardinal-duc se croyait guéri, il lui survint une autre tumeur au bras, de sorte que, deux jours après, les médecins jugèrent nécessaire de l'ouvrir; ce qui se fit avec des douleurs intenses qui ont servi à canoniser la constance et le courage de Son Éminence, qui en vérité est incomparable; mais cette entaille ne fit qu'irriter le bras, sans faire cesser la rougeur et la tumeur maligne et sans que la nature surmontât le mal en quelque façon que ce soit. Ainsi Son Éminence, abattue par les grandes douleurs et les veilles, très débilitée et quasi privée de sang, les veines lui ayant été ouvertes huit fois, commença à désespérer* (cedere), *surtout quand elle vit hier que son bras était plus gonflé, que les douleurs ne diminuaient pas et qu'il était question de faire une nouvelle incision, à laquelle on ne croyait pas que Son Éminence pût résister.*

Mais Dieu qui sait combien sa santé est nécessaire au bien de la Chrétienté et qui protège visiblement la France, alors que toutes nos espérances étaient étouffées par la crainte, lui a rendu la santé, nous libérant de toute appréhension. Après avoir reçu, la nuit dernière, le Très Saint Sacrement, Son Éminence a reposé avec la même tranquillité que si elle avait été en complète santé et, ce matin, les chirurgiens voulant l'opérer ont trouvé que la nature avait fait d'elle-même une ouverture par laquelle se sont épanchées toutes les humeurs malignes que l'art des médecins n'avait pu jusqu'ici extraire, malgré tant d'incisions.

Je m'en réjouis donc de nouveau avec vous et je me permets de vous conseiller d'envoyer sur le champ un

(1) Neveu du cardinal Bentivoglio.

gentilhomme visiter notre protecteur, nonobstant que vous deviez venir personnellement très bientôt, car Son Éminence m'a dit de vous suggérer adroitement de différer de quelques jours votre voyage pour que vous puissiez le trouver en convalescence et hors du lit, ce qui lui permettrait de vous retenir plus longtemps et de vous mieux servir.

Je crois pouvoir vous affirmer que je partirai (1) *le jour après les fêtes et quelle que soit ma décision, j'aurai l'honneur d'aller vous présenter mes respects et de vous assurer de vive voix que vous n'avez pas au monde de serviteur plus dévoué et plus partial que moi...*

Bibl. Mazarine, ms. 2217, f°s 36-37 : copie de Nicoletti.

2

A Madame la duchesse d'Aiguillon, à Paris

Narbonne, 4 mai 1642

Si nul n'a plus que moi compati à la grande affliction qu'a donnée à Votre Excellence la dangereuse maladie de Son Éminence mon maître, je ne me laisserai distancer par personne pour prendre part à la joie que vous allez recevoir avec la nouvelle de son entière guérison. Je ne partirai pas avant de voir Son Éminence hors de cette cité, où l'air n'aide point au mal de son bras et hors de laquelle elle serait tout à fait guérie, selon ce qu'assurent M. Juif et tous les autres chirurgiens. J'ai reconnu en cette occasion à quel point peut arriver une douleur, mais la mienne ne m'ayant pas ôté la vie, je l'estime ordinaire. Un jour, j'aurai l'honneur de vous entretenir au

(1) Toujours le voyage à Rome.

long de toutes les choses qui se sont passées en cette maladie et, en attendant, je me contenterai de vous dire que Dieu a voulu sauver miraculeusement Son Éminence, mon maître, pour déclarer au monde comme Il prend visiblement part à sa conservation et approuve sa conduite et veut l'employer à de grandes choses pour le bien de la Chétienté et l'avantage de ce royaume, à la plus grande honte et confusion des perfides et des malintentionnés...

On ne saurait parler à Son Éminence de Madame la duchesse d'Aiguillon sans que les larmes ne l'empêchent de témoigner par des paroles la tendre et très cordiale affection qu'elle a pour elle. Quant à moi, je ne puis mieux faire ma cour et de façon qui soit plus sensible à Son Éminence qu'en lui parlant des incomparables qualités qu'on admire chez ladite dame et en publiant l'honneur que je possède de jouir du titre de son très humble serviteur.

A l'avenir, Son Éminence sera spectateur et non juge des comédies (1) *: elle reconnaît que sa santé souffre de l'application si sérieuse qu'elle apporte à de telles choses, non sans de grandes fatigues. Elle m'a ordonné de l'écrire à Votre Excellence, à qui je dois dire qu'en toutes occasions, elle parle avec estime et louange de Monsieur Desmarets* (2).

Son Éminence a promis de ne plus se risquer à de grands voyages et de ne pas se laisser absorber par le travail sans prendre de divertissement, comme elle a fait par le passé.

Je supplie humblement Votre Excellence... de croire qu'elle n'a pas au monde de personne qui se dise avec plus de sincérité et de passion, etc.

Bibl. Mazarine, ms. 2217, f°s 38-39 : copie de Nicoletti.

---

(1) C'est-à-dire qu'il assistera aux représentations mais non plus aux répétitions.

(2) Jean Desmarets de Saint-Sorlin, auteur dramatique au service de Richelieu.

L'EXÉCUTION DE CINQ-MARS ET DE THOU

A Monsieur le marquis de Fontenay,
ambassadeur de S. M. à Rome

Lyon, 12 septembre 1642

Votre Excellence a plu tout à fait ici... en rompant tout commerce avec le bailli de Valençay et le chevalier de Jars (1). *La lettre écrite par ce dernier au pauvre Monsieur de Thou a été pour une grande part la cause de sa perte, au grand regret de M. de Chavigny et de moi-même qui aimions le dit seigneur et qui aurions désiré le voir sorti d'un tel malheur. La grâce que nous avions obtenue pour lui, il y a deux ans, à Amiens, lorsque fut découverte son intelligence avec Madame de Chevreuse, aurait dû le rendre plus prudent et plus affectionné à M. le cardinal-duc, qui lui procura le pardon de Sa Majesté avec tant de bonté en l'assurant de son amitié...*

Je ne vais pas vous raconter l'exécution qui se fit hier de Monsieur le Grand (2) *et de Monsieur de Thou, car vous en verrez à Rome mille relations. Je vous dirai qu'ils sont morts avec une constance indicible, méprisant ce passage comme si ce fût une action indifférente. Ils n'ont pas eu besoin de plus de deux heures pour se mettre*

---

(1) Deux Français retirés à Rome, hostiles à Richelieu.
(2) Ainsi appelait-on le grand écuyer Cinq-Mars.

en règle avec Dieu, démontrant de si vifs sentiments de piété et de résignation à la volonté de Sa Divine Majesté qu'on ne doit point douter de leur salut.

M. de Thou priait Dieu avec ardeur de l'assister et de lui faire faire des bassesses et des lâchetés pour qu'il ne tirât point de vanité du peu de cas qu'il faisait de la mort. C'est pourquoi il baisa les pieds du bourreau et voulut être bandé, ce que M. le Grand refusa...

Lorsque M. de Laubardemont, rapporteur du procès, leur annonça l'arrêt de mort, ils se trouvaient alors ensemble dans une chapelle. M. de Thou dit à M. le Grand que son amitié lui coûtait cher mais qu'il mourait volontiers, dans l'espoir d'échanger la terre contre le ciel. Ils s'embrassèrent, confessant en même temps et publiquement leurs fautes et se consolant l'un l'autre.

M. de Thou pria M. le Grand de témoigner qu'il avait désapprouvé le traité d'Espagne sitôt qu'il en avait eu connaissance; et M. le Grand répondant qu'il était vrai et qu'il (1) *avait toujours montré aversion audit traité, M. de Thou répartit qu'il se consolait puisque chacun connaîtrait cette vérité et qu'au moins parmi ses crimes on ne trouverait pas que le nom de de Thou aît été espagnol.*

Le duc de Bouillon remet la ville et le château de Sedan à Sa Majesté. Le Prince d'Orange et Madame la Landgrave (2) *ayant fait de grandes instances en sa faveur, Sa Majesté lui accorde sa grâce pour en jouir dès que la garnison du Roi sera entrée dans la place. Je m'avance en diligence vers cette destination, avec tous les ordres nécessaires pour l'exécution de l'affaire, tel étant le commandement de Sa Majesté, qui m'avait déjà ordonné d'entendre les propositions du duc de Bouillon à ce sujet et d'en conduire la négociation.*

---

(1) Lui, de Thou.
(2) De Hesse.

Je ne crois pas toutefois que mon voyage doive durer longtemps et j'espère être de retour à Paris en même temps que M. le cardinal-duc, qui est parti d'ici avec des forces nouvelles et l'espoir de retrouver bientôt son état de santé antérieur...

Bibl. Mazarine, ms. 2217, f°s 111-115 : copie de Nicoletti.

LA MORT DE RICHELIEU

A M. le prince Maurice de Savoie

Saint-Germain, 13 décembre 1642

Je suis tellement abattu de la perte que j'ai faite par la mort de M. le cardinal-duc (Dieu veuille avoir son âme!) que je ne puis exprimer ma douleur ni entreprendre de consoler Votre Altesse à qui cet accident doit être bien sensible à cause de l'affection sincère et du vif désir qu'avait Son Éminence de faire obtenir sans cesse à Votre Altesse de nouvelles faveurs de Sa Majesté. Oui, je le dis hautement, j'ai tout perdu; je n'aurai pas grand'peine à le persuader : elles sont bien connues les grandes obligations que j'avais à Son Éminence qui, en mourant, a voulu encore me témoigner son affection en priant le Roi de m'accorder une de ses meilleures abbayes et a représenté à Sa Majesté que, outre ma fidélité et le zèle que j'avais pour son service, je n'étais pas incapable de la servir. Aussi, quand je croyais avoir la permission de m'en retourner à Rome, je reçus l'ordre de rester ici et je fus appelé au Conseil; mais comme je ne suis pas assez fort pour porter un aussi grand fardeau, j'espère que Sa Majesté voudra bien m'employer ailleurs. Je ne cesserai de l'en prier.

Je ne m'arrêterai pas à informer Votre Altesse de tout ce qui se passe dans cette Cour et de la résolution qu'a prise le Roi de diriger lui-même ses affaires, ni de tous mes efforts pour servir Votre Altesse... Elle aura bien des raisons de se convaincre de plus en plus qu'elle n'a pas de serviteur plus dévoué et plus affectionné que moi...

Lettres du cardinal Mazarin pendant son ministère, t. I, pp. 1-3.

Cette lettre, traduite comme les précédentes de l'italien, ouvre la monumentale publication par Chéruel des Lettres du cardinal Mazarin pendant son ministère. *L'objet du présent ouvrage étant d'éclairer d'un jour nouveau la jeunesse de l'homme d'État, nous ne retiendrons ici, à part cette lettre qui clôt l'histoire de son apprentissage auprès de Richelieu, aucune de celles qu'a publiées (en 9 gros volumes in-4°) le grand érudit du siècle dernier. Toutefois, pour illustrer notre conclusion, nous donnerons encore trois lettres italiennes, ignorées par Chéruel, adressées peu avant sa mort par Mazarin à ses sœurs et à ses plus anciens amis de Rome.*

ADIEUX A ROME ET A LA VIE

1

A M. le cardinal Sacchetti

Paris, 12 octobre 1660

Je ne sais pas d'où est né le bruit de mon voyage à Rome, n'y ayant jamais pensé et les affaires de cette Couronne ne pouvant me le permettre. Mais combien j'aurais aimé revoir Votre Éminence, l'embrasser et passer quelque moment avec elle pour lui vider mon cœur et lui confier tous mes secrets. Je vous assure que ç'aurait été pour moi une des plus grandes consolations que j'aurais pu recevoir en ce monde, et rien que d'y penser présentement m'a rempli de joie. Faisons toutefois en esprit ce qui ne peut se faire en personne et que Votre Éminence soit certaine qu'elle n'a pas de serviteur qui plus que moi l'aime, la révère et lui soit dévoué.

A. E., Mém. et Doc., *France* 285, f° 312 v° : copie de Nicoletti.

2

A Madame Margarita Mazarini Martinozzi

Au Bois de Vincennes, 6 mars 1661

Je ne veux pas laisser partir M. Tursi sans le charger de vous porter mille saluts très chers, comme aussi à Sœur Anna-Maria. Il vous dira à toutes deux l'état de ma santé. Je voudrais pour votre consolation qu'elle soit comme vous le désireriez, mais je suis si grand pêcheur que Dieu juge mieux pour moi d'exaucer vos prières pour le salut de mon âme plutôt que celles pour le salut de mon corps. Aussi l'ai-je déjà remise volontiers entre les mains de Sa Divine Majesté. Je suis très résigné à sa volonté et s'il lui plaît de m'appeler à lui, comme je l'espère de son infinie miséricorde, je ne manquerai pas de vous laisser toutes deux dans l'aisance (accommodate).

En attendant, je vous avise que j'ai marié Hortense à ma satisfaction et à la sienne, comme vous l'apprendrez plus longuement du cardinal Mancini. Marianne restera sous la garde et protection de la Reine et Philippe sous celle du Roi qui aura la bonté de les marier selon la condition en laquelle je les laisserai et qui sera très considérable (1).

Ainsi, Dieu m'aura fait la grâce de me faire mourir après la paix et de me donner une longue maladie en pénitence de mes péchés et afin que je puisse disposer de mes affaires, régler celles de ma famille et, ce qui importe le plus, penser au salut de mon âme. Rendez-en grâces au Dieu Bénit et priez pour moi comme je prierai pour vous.

A. E., Mém. et Doc., *France* 285, f°s 392 v°-393 : copie de Nicoletti.

3

A M. le cardinal Antoine Barberini, à Rome

Au Bois de Vincennes, 6 mars 1661

Tursi s'en retourne vers Votre Éminence et je voudrais pouvoir vous dire qu'il vous portera de bonnes nouvelles de votre véritable et très partial serviteur; mais j'ai contracté une longue et grave indisposition du fait de continuelles fatigues et agitations du corps et de l'esprit; elles ont tellement affaibli ma complexion et mes entrailles et abattu en moi le sursaut de la nature que je me trouve en état de vous dire le dernier adieu. Je remercie pourtant, en toute soumission, la Divine Providence qui a daigné prolonger ma vie jusqu'à la conclusion de la paix, après laquelle je meurs content, ayant satisfait mon intention de faire jouir ces peuples des fruits de la tranquillité.

---

(1) Il s'agit, bien entendu, des plus jeunes neveu et nièces Mancini de Mazarin.

Je me confie donc en la miséricorde de Dieu qui voudra bien se contenter d'un cœur humble et contrit, en me donnant encore cette paix que lui seul peut donner.

Je voudrais, en mes derniers jours, vous offrir quelque marque de mon dévouement et de cette vraie et cordiale amitié que je vous ai toujours professée; mais toute démonstration étant au-dessous de ce que je vous dois, je m'attache volontiers à ce dont je me souviens en ce moment; bien que ce soit une bagatelle (1), *je sais néanmoins que vous la recevrez avec une satisfaction digne de votre générosité. J'en ai parlé à Tursi et je lui ai confié une lettre qu'il doit rendre à M. Paolo Macarani qui, je le sais, exécutera ponctuellement ma volonté; elle restera, je vous le confirme, très cordiale à votre égard en quelque état que je me trouve. Et me recommandant à vos prières, je finis en vous baisant très humblement les mains.*

A. E., Mém. et Doc., *France* 285, f°s 393 v°-394 : copie de Nicoletti.

(1) Il s'agit d'une somme de 25 000 écus que Mazarin fit remettre au cardinal Antoine par Macarani.

SOURCES

Les sources de cet ouvrage sont avant tout d'ordre archivistique. Ce sont les papiers de Mazarin (originaux, minutes ou copies de ses lettres et de celles de ses correspondants) conservés pour la plupart aux Archives du ministère des Affaires étrangères, à Paris. Ils y sont dispersés entre plusieurs séries, selon les pays dont il proviennent : Correspondance politique, Rome (vol. 41 à 143, abrégé CPR), Sardaigne (anciennement Savoie, vol. 9 à 36, abrégé CPS), Angleterre (vol. 45 à 49, abrégé CPA), Espagne (vol. 18 et 19, abrégé CPE), Allemagne (vol. 7, abrégé CPAll.), Mémoires et documents, France (vol. 252 à 289, 820 à 848, abrégé MDF).

La Bibliothèque nationale conserve, parmi d'autres manuscrits intéressant notre étude (en particulier ceux des carnets), un précieux inventaire qui répertorie, selon l'ordre alphabétique, tous les correspondants du cardinal (ms. français 4314). De son côté, la Bibliothèque Mazarine garde, dans les mss 2214 et 2217, des copies des lettres italiennes et françaises écrites par Mazarin en 1642 (abrégé BM).

Nous n'avons pu rechercher qu'assez peu de documents dans les dépôts italiens. Les lettres de Mazarin au cardinal Barberin ont été utilisées par Cousin et surtout par Bazzoni (voir plus bas) : elles se trouvent en original à la Bibliothèque Vaticane où nous avons pu consulter les correspondances inédites adressées par Mazarin au cardinal Antoine (Barberini 194). Aux archives du Vatican, nous avons dépouillé les dépêches des nonces à Paris et à Londres (abrégé A Vat.).

Les livres originaux sur la jeunesse de Mazarin ne sont pas nombreux. Ceux qui ont nourri cette étude sont les suivants :

Victor Cousin, *La jeunesse de Mazarin*, Paris, 1865 (abrégé par la suite Cousin). Concerne les années 1629 à 1631.

Augusto Bazzoni, *Un nunzio straordinario alla Corte di Francia nel secolo XVII*, Florence, 1882 (abrégé Bazzoni). Précieux par les longs extraits qu'il donne de la correspondance de M. avec le cardinal Barberin de 1634 à 1636.

Umberto Silvagni, *Il cardinale Mazzarino*, Rome, 1928 (abrégé Silvagni). A découvert certains documents romains sur la famille et la carrière de Mazarin.

Pierre Adolphe Chéruel, *Histoire de France pendant la minorité de Louis XIV* (Paris, 1878-1880) et *Histoire de France sous le ministère de Mazarin* (Paris, 1882) (abrégé Chéruel). 7 volumes qui constituent l'étude encore la plus complète et la plus sérieuse sur le ministère de Mazarin.

Mazarin, ouvrage collectif sous la direction de Georges Mongrédien. Paris, 1959, coll. Génies et Réalités (abrégé *Mazarin*). A signaler en particulier les chapitres dus à M. Mongrédien sur le testament politique de Mazarin, à M. Pierre du Colombier sur « Mazarin et les arts », au président Maurice Schumann sur « Mazarin européen »... Nous avons publié dans ce recueil la première version de l'article suivant :

Georges Dethan, « Mazarin avant le ministère », dans *Revue Historique* 1962, pp. 33-66 (abrégé Dethan).

Mazarin homme d'État et collectionneur — 1602-1661. Exposition organisée pour le troisième centenaire de sa mort. Paris, Bibliothèque nationale, 1961 (abrégé *Exposition Mazarin*). Précieux catalogue des sources documentaires et artistiques concernant le cardinal, dû à deux éminents spécialistes, M. Armand Weigert et Mme Laurain-Portemer.

Il nous faut aussi signaler dès maintenant trois ouvrages particulièrement utiles à la compréhension des milieux où vécut le jeune Mazarin. La thèse du Professeur René Pintard, *Le libertinage érudit dans la première moitié du XVIIe siècle* (Paris, 1943) décrit de façon magistrale l'atmosphère intellectuelle de la Rome baroque. La publication par le Père Pierre Blet, S.-J., de la *Correspondance du nonce en France Ranuccio Scotti, 1639-1641.* (Rome et Paris, 1965) confirme la malveillance du cardinal Francesco Barberini envers Mazarin et les efforts réels et couronnés de succès que fit toutefois ce dernier, dès son retour à Paris, en 1640, pour réconcilier la France et le Saint Siège. Enfin l'étude de M. Orest Ranum, professeur à l'Université de Columbia, sur *Les créatures de Richelieu* (trad. Guenée, Paris, Pedone, 1966) éclaire les méthodes de travail du premier ministre de Louis XIII et ses rapports personnels avec des collaborateurs tels que Bullion, Sublet de Noyers et les deux Bouthillier.

Nous indiquerons sommairement en tête de chaque chapitre les ouvrages spécialisés et les principaux manuscrits consultés. Pour les spécialistes qui voudraient retrouver l'original de certaines citations, nous avons déposé le manuscrit de notre annotation complète (plus de 800 renvois) aux Archives du ministère des Affaires étrangères, où il pourra être consulté par les chercheurs. L'auteur est trop conscient de sa dette envers ceux qui l'ont précédé et des lacunes de son travail pour ne pas vouloir favoriser de nouvelles études. Il remercie ses amis dix-septiémistes des renseignements qu'ils lui ont fournis et de leurs encouragements, comme ses éditeurs de leur confiance à son égard et de leurs conseils éclairés. Il voudrait dire enfin ce qu'il doit à la discrète collaboration d'une secrétaire attentive, sa femme.

NOTES

CHAPITRE I

LA « CASA »

Sources manuscrites : CPR 32, 44, 45, 54, 58, 66, 69, 71 à 76, 79 à 87, 89 à 91, 93, 102, 108, 112 à 114, 123 à 137; MDF 259; BM 2214, 2217.

Exposition Mazarin, Silvagni, Dethan, ouv. cités.

Mémoires de l'abbé Arnauld, de Marie Mancini, d'Hortense Mancini, du cardinal de Retz.

Souvenirs sur la jeunesse de Mazarin par Benedetti (*Raccolta di diverse Mémorie...* Lyon, s. d.) et recueillis et traduits par C. Moreau (*Histoire anecdotique de la jeunesse de Mazarin*, Paris, 1863).

Lettres du cardinal Mazarin pendant son ministère, édit. Chéruel (Paris, 1872-1896, 9 vol. Abrégé : *Lettres de M.*); Carlo Morbio, *Epistolario inedito di Mazzarino*, Milan, 1842.

Gabriel de Mun, « Un frère de Mazarin, le cardinal de Sainte-Cécile » in *Revue d'Histoire Diplomatique*, 1904; Georges Mongrédien, *Une aventurière au Grand siècle* (Hortense Mancini), Paris, 1952.

(1) Voici comment on peut établir l'ordre des enfants de Pietro et Hortensia Mazarini. Entre Giulio, l'aîné, né le 14 juillet 1602, et son frère Michel, né en 1607, s'intercalent deux filles, Margarita et Anna-Maria, cette dernière (qui deviendra religieuse) étant probablement l'aînée des deux puisque, dès 1610, elle était envoyée au couvent de Citta di Castello. Girolama (dite aussi Géronima) naquit le 14 janvier 1608 et Cleria, qui semble bien avoir été le dernier enfant des époux Mazarini, le 10 avril 1609.

(2) Vincenzo Martinozzi, d'une noble famille de Fano (Marches) avait vécu à la cour du dernier duc d'Urbin avant de devenir majordome du cardinal Antoine Barberini. Giulio l'appelait alors (juillet 1634) « l'héritier de mes pensées » et le savait dévoué à Richelieu et à la France.

(3) Hortensia Bufalini, épouse Mazarini, née le 6 mars 1575, avait 69 ans à sa mort. Enterrée d'abord en l'église de la Minerve, elle fut transportée par la suite dans la chapelle funéraire des Bufalini en l'église des Franciscains de Santa Maria in Aracoeli à Rome, que son époux Pietro avait rachetée en avril 1646.

(4) C'est en 1625 que le capitaine Giulio Mazarini, alors âgé de 23 ans, se trouvait en garnison à Lorette.

(5) Les deux sœurs s'embarquèrent à Palo, le 21 juin 1653, accompagnées de trois filles, Laura Martinozzi, Maria et Hortensia Mancini. Arrivées à Marseille le 3 juillet et à Aix le 4, elles restèrent en cette ville jusqu'au début de 1654, date à laquelle elles se rendirent à Paris. Girolama devait y mourir en décembre 1656. Margarita avait quitté la capitale française en mai 1655 pour accompagner en Italie sa fille Laura, fiancée au fils du duc de Modène. Elle s'établit à Rome et ne mourut qu'en 1685, après sa sœur aînée, Anna-Maria, la religieuse, décédée en 1669. A la fin de juillet 1655, les derniers enfants Mancini, Alfonso et Anna-Maria étaient partis pour la cour de France.

L'histoire des neveux et nièces de Mazarin est assez bien connue. Citons, outre Silvagni, l'ouvrage ancien (1840) d'Amédée Renée, les livres de Lucien Perey sur Marie Mancini (1896) et de Georges Mongrédien sur Hortense (1952). En réalité, bien des incertitudes demeurent, en particulier sur l'ordre de leurs naissances et la date de celles-ci. Voici les résultats auxquels nous ont mené nos recherches : Chez les Martinozzi, Laura, l'aînée, est sans doute du tout début de 1636 (son grand-père écrit, le 2 mars 1648, qu'elle a 12 ans et quelques mois) ; Anna Maria, la cadette, serait de 1637 selon le dictionnaire de Moreri, qui lui donne 35 ans à sa mort, et cette date nous semble acceptable (Rappelons-nous que leur père est mort en septembre 1639). Pour les aînés Mancini, nous ne pouvons donner que des dates approximatives : Vittoria, dite en France Laure, est probablement la première et de 1636 (elle mourut en février 1657, en sa 21e année, selon Moreri) ; Paolo serait de 1637 (il avait tout juste 15 ans à sa mort, le 18 juillet 1652) ; Olympe était du même âge que Louis XIV, donc de 1638 (elle mourut en octobre 1708, âgée de 70 ans).
Une lettre d'Anna-Maria Mazarini permet de fixer la date de naissance de Marie Mancini au 28 août 1639, tandis qu'un mot de Vincenzo Martinozzi signale celle de Philippe, le 26 mai 1641, et une lettre de Lorenzo Mancini, du 6 juin 1644, celle d'un fils, qui est sans doute Alphonse (mort le 5 janvier 1658 dans sa 14e année). Hortense est du 6 juin 1646. En 1647, naît une petite fille qui meurt à 2 ans, en juin 1649. Anne-Marie, la benjamine, doit donc être de 1648 ou 1649 : son père est mort en 1650 et elle-même a été mariée en avril 1662 (elle devait avoir au moins 13 ou 14 ans).
Notons enfin que Mazarin a fait entrer ses nièces dans les familles de ses anciens protecteurs ou amis : Marie Mancini épousant un Colonna, Olympe le fils de Thomas de Savoie, Hortense un parent de Richelieu et Marianne entrant dans la famille du maréchal de Turenne, avec qui Mazarin fut lié avant même la mort de Richelieu. Laura Martinozzi avait manqué épouser un Barberini avant de se marier avec le duc de Modène. Quant à Laura Mancini et Anna-Maria Martinozzi, elles furent unies à des princes du sang de France, un Vendôme (le duc de Mercœur) et un Bourbon (le prince de Conti).

(6) En sens contraire, voir le témoignage de Retz qui prétend que la mort de Pietro ne fit pas à Rome « le moindre bruit », et celui de l'abbé Arnauld qui habita Rome en 1646-1648 : « Le signor Pietro n'y apparaissait que comme un simple gentilhomme romain... ». Ces deux auteurs, également hostiles à Mazarin, n'étaient que sommairement informés. Reconnaissons toutefois que Pietro ne voulut pas forcer son talent et que son fils respecta sa modestie.

CHAPITRE II

LES « PADRONI »

Sources manuscrites : CPR 41 à 47, 54 à 76, 79, 80, 123; MDF 259, 822, 827 : B. M. ms 2217; Bibl. Nat., ms. fs. 18036 (notices sur Antoine Barberini); Bibl. Vat., Barberini 194.
Cousin, Bazzoni, Silvagni, Chéruel.
Mémoires de Retz, Benedetti, *Lettres de M.*, *Corr. de Scotti* ouv. cités.

L. Von Pastor, *Storia dei Papi*, vol. XIII (Rome, 1943).
Romain Rolland, *Histoire de l'opéra en Europe avant Lulli et Scarlatti.*
Henri Prunières, *L'opéra italien en France avant Lulli* (Paris, 1913).
Pio Pecchiai, *I Barberini* (Rome, 1959).
Henry Coville, *Étude sur Mazarin et ses démêlés avec le pape Innocent X* (Paris, 1914).
Dictionnaire de Moreri, art. Colonna.
Dizionario biografico degli Italiani, t. 6 (Rome, 1964) art. *Barberini*, par A. Merola et art. *Baroni (Leonora)*, par L. Pannella (excellentes notices).
G. Sacchetti, « Il cardinale Giulio Sacchetti » in *Studi Romani*, 1959.
A. Cametti, « Musicisti celebri del seicento à Roma, Marc-Antonio Pasqualini » in *Musica d'oggi*, mars-avril 1921.

(1) Arthur Koestler, *Les somnambules* (Paris, 1960), p. 514.

(2) H. Prunières a pourtant supposé que Giulio fut l'amant de Léonora et qu'il « dut à l'intervention de la chanteuse ses premières charges à la cour d'Urbain VIII ». Nous savons qu'il n'en est rien : la famille Baroni ne s'est établie à Rome qu'en 1633, date à laquelle Mazarin était déjà pourvu d'un certain nombre de prébendes. Léonora fut d'autre part très liée avec la sœur religieuse de Giulio, Anna-Maria, qui, dans une lettre de 1653, en parle à son frère comme « très attachée à notre famille ».

(3) Pasqualini, né en 1614, avait alors (septembre 1641) 27 ans, ce qui n'empêche pas Bichi (45 ans) de le traiter de *ragazzo* (jeune garçon).

(4) Remarquons que cette saison trouble du cardinal Antoine fut relativement brève (1640-1642) et postérieure de plus de six ans à la nomination de Mazarin à la nonciature extraordinaire de France, charge que, selon Retz (*Mémoires*, éd. Mongredien, p. I, p. 88), il aurait eu « par la faveur du cardinal Antoine qui ne s'acquérait pas, dans ces temps-là, par de bons moyens ». En réalité, « ces temps-là » (1633-1634) étaient ceux de la passion du cardinal neveu pour Léonora Baroni.

CHAPITRE III

LES AMIS DE ROME

Sources manuscrites : CPR 42, 46, 58 à 66, 69 à 76, 79 à 83, 86, 103, 125 à 128, 132, 133; CPS 21; MDF 259, 795 *bis*, 822, 827; B. M. ms. 2217; Bibl. Vat., Barberini 194.
Cousin, Bazzoni, Moreau, Pastor, Moreri (art. *Bagni*), ouv. cités.
Gallia Christiana, t. I, p. 443 (Ondedei), 847 (Bagni), 913 (Bichi).
Lettres de Richelieu, éd. par Avenel. *Lettres de M.*, éd. Chéruel.
René Pintard, *Le libertinage érudit dans la première moitié du XVII*[e] *siècle* (Paris, 1943) : ouvrage fondamental (sur Bagni, pp. 207-208, 265-268, etc.).
Auguste Leman, *Recueil des instructions générales aux nonces ordinaires de France de 1624 à 1634* (Paris, 1920) : Bagni, pp. 77, 80.
Dictionnaire de biographie française, t. 6. (Paris, 1954) p. 398, art. *Bichi (Alessandro)*, par Roman d'Amat.

(1) Pourtant, au début de sa mission à Paris, Giulio, qui agissait pour le compte du duc de Savoie, se méfiait de Bichi et traita sans lui en parler la question de Pignerol, pendante entre la France et la Savoie.

(2) Le texte qui nous rapporte cet événement est une lettre en italien d'Ondedei à Scarlatti, secrétaire de Bichi, du 26 janvier 1650 : « M. le Cardinal Mazarin, mon patron, désirant l'attestation de sa première tonsure, supplie S. E. (Bichi) de bien vouloir la lui envoyer, puisque c'est de sa main qu'il la reçut, à S. Meneue (*sic*) si je ne me trompe » (C. Morbio, *Epistolario inedito di Mazzarino*, Milan, 1842, p. 22).

(3) Le 20 mai 1642, Lionne écrivait, de Rome, à Mazarin : « J'ai découvert que le sieur Naudé n'estait pas fort satisffait du traitement qu'il recevait de Vostre Éminence. » Les années aplanirent ces légers dissentiments et Mazarin resta reconnaissant à Naudé d'avoir, pendant la Fronde, sauvé l'essentiel de sa bibliothèque et réfuté les Mazarinades dans son *Jugement de tout ce qui a été imprimé contre le cardinal Mazarin...*

(4) Il laissa à sa mort la somme considérable de 200 000 écus (il possédait alors les abbayes de Montmajour, de Saint-Mihiel et de Saint-Pierre de Chalon). En décembre 1642, il avait auprès de lui à Carpentras trois excellents musiciens qu'il se proposait de mener avec lui à Paris afin de faire jouir le roi des charmes de la « comédie en musique ».

(5) Mazarin écrivait alors de Nicolas Bagni : « Je n'ai pas eu de plus grand ami que le cardinal, son frère » (*Lettres de M.*, VII, 84).

(6) A Bagni, 15 août 1640. On trouve des copies de lettres de Mazarin à Ferragalli et des nouvelles des missions de ce dernier dans CPR 58, 71, 72 et 73. Mme Laurain-Portemer, ayant découvert en Italie les originaux de la correspondance Mazarin-Ferragalli, en prépare une édition critique. Ferragalli était secrétaire du chiffre.

(7) En fait, Benedetti ne reçut l'abbaye d'Aumale qu'en juin 1661 et n'en obtint jamais les bulles, ce qui ne l'empêcha pas d'en toucher les revenus.

(8) « Cousin de Mazarin », d'après Chéruel (*Lettres de M.* I, 316), Ondedei semble plutôt avoir été apparenté aux Martinozzi, dont il est souvent question dans ses lettres. Comme la leur, sa famille était des Marches (il était né lui-même à Pesaro).

(9) Sur le cardinal Marco Ginetti (1585-1671) et sa légation à Cologne, voir P. Konrad, « Die Hauptinstruktion Ginettis für den Kölner Kongress (1636) » in *Quellen und Forshungen aus italienische Archiven und Bibliotheken*, vol. 34 (1954), pp. 250-281.

CHAPITRE IV

RICHELIEU ET SES CRÉATURES

Sources manuscrites : CPR 47, 54 à 67, 69, 70, 73, 76; CPS 21, 23, 25, 26, 28, 33; CP All. 7; MDF 252, 253, 259, 263, 288, 820 à 828, 846; B. M. 2217; Bibl. Vat., Barberini 194; Arch. Vat., *Nunziatura Francia* 82.

Cousin, Bazzoni, Dethan, Chéruel, ouv. cités.

Lettres de Richelieu, *Historiettes* de Tallemant des Réaux,

Mémoires de Goulas et de Louis-Henri de Brienne, *Œuvres* de Segrais (édit. 1755, t. II, p. 135). *Correspondance du nonce en France Ranuccio Scotti* publ. par le P. Blet, S. J. (Rome, 1965).

Père Griffet, *Histoire du règne de Louis XIII* (Paris, 1758), en part. t. III.

Gabriel Hanotaux et duc de La Force, *Histoire du cardinal de Richelieu*, t. IV à VI, Paris, 1935-1947.

Louis Vaunois, *Vie de Louis XIII* (Paris, 1943).

Georges Pagès, *La guerre de Trente Ans* (Paris, 1949).

Victor L. Tapié, *La France de Louis XIII et de Richelieu* (Paris, 1967).

Georges Dethan, *Gaston d'Orléans* (Paris, 1959).

Orest Ranum, *Les créatures de Richelieu*, trad. Guenée (Paris, 1966).

G. Baguenault de Puchesse, « Comment Mazarin est devenu cardinal », in *Revue des Questions historiques*, 1874, pp. 209-217.

P. Blet, « Richelieu et les débuts de Mazarin », in *Revue d'Histoire moderne et contemporaine*, 1959, pp. 241-268.

Sur le père Joseph :

Gustave Fagniez, *Le Père Joseph et Richelieu* (Paris, 1894).

Louis Dedouvres, *Le Père Joseph de Paris* (Angers, 1933).

Aldous Huxley, *L'Éminence Grise*, trad. Castier (Paris, 1945).

P. Mauvaize, O. F. M., « La promotion cardinalice du Père Joseph de Paris et l'affaire des custodes » in *Études franciscaines*, 1966, pp. 48-79.

Sur la naturalisation de Mazarin :

Chéruel, *Minorité de Louis XIV*, t. I, pp. 361-366.

Léonce Celier, « Mazarin a-t-il été naturalisé Français ? » in *Le correspondant*, 25 septembre 1923, pp. 1063-1068.

Jacques Boizet, *Les lettres de naturalité sous l'Ancien Régime*, Paris, 1943.

(1) Sur cette mission, voir, outre Bazzoni, l'important article d'Édouard Rott, « Richelieu et l'annexion projetée de Genève » in *Revue historique*, 1913.

(2) Cette abbaye avait été conférée à Mazarin par le pape en mai 1634.

(3) Au cardinal Barberin, 16 février 1635. Un tel passage montre bien que c'est la faveur de Richelieu qui valut à Mazarin l'amitié de Chavigny. *Cf.* au rebours Retz : « Il (Mazarin) avait plu à Chavigny par des contes libertins d'Italie et par Chavigny à Richelieu » (*Mémoires*, éd. Mongrédien, t. I, p. 88).

(4) « L'abbé Charles », écrit M. Antoine Adam dans sa savante édition des *Historiettes* de Tallemant des Réaux (Paris, 1960, t. I, p. 1234); peut être Nicolas Charles, fait notaire royal en Avignon par lettres patentes du 30 mai 1636 dont on trouve une copie, de la main de Charles, dans les papiers de Mazarin. On peut penser qu'après avoir procuré cette faveur à son protégé, Mazarin l'envoya à Paris, avant son départ d'Avignon (les premières lettres de Charles sont datées de Paris, début août 1636). Malgré son désir « de servir Dieu dans la solitude » (janvier 1638), Charles resta au service de Mazarin et lui écrivait encore au début de 1641.

(5) *Al galant'uomo ogni paese é patria* (A Montagu, 16 septembre 1637). *Cf.* Mme de Motteville : « ... ce qui me fit conclure avec le poète italien (?) *ch'a valent huomo ogni paese é patria* » (*Mémoires*, IV, 49).

(6) 5 janvier 1641. *Cf.* cette remarque d'Avenel, éditeur des *Lettres de Richelieu*, sur les rapports épistolaires Chavigny-Mazarin à cette

époque : « En dehors de la correspondance officielle sur les affaires de Savoie, Chavigny écrivait à Mazarin, dans des lettres secrètes, son propre avis parfois contraire à celui du cardinal... On trouverait facilement dans les confidences mutuelles des deux protégés du cardinal le sujet d'un chapitre d'histoire anecdotique assez curieux » (L. de R., t. VII, pp. 826-827).

(7) Voir *Acta Pacis Westphalicae-Instruktionen I...* (Munster, 1962), pp. 1-58 et particulièrement pp. 21-23 (« Conditions auxquelles le Roy veut consentir à la Paix... Paris, le 2 janvier 1642 ») et p. 31 (« Instruction donnée à M. le cardinal Mazarin et à M. Comte d'Avaux choisis par Sa Majesté pour estre ses Ambassadeurs plénipotentiaires en la négociation de la paix », décembre 1641). Voir aussi : Fritz Dickmann, *Der westfälische Frieden*, (Munster, 1959), p. 551.

(8) Jacques Juif, célèbre chirurgien, mort en 1658.

(9) « Signor Giulio » se permettait maintenant d'appeler Léon de Chavigny, devenu son égal, « Signor Leone » (Lettre de Tarascon, 20 juillet 1642).

CHAPITRE V

TROIS SOUVERAINES

Sources manuscrites : CPR 45, 49, 55, 57 à 65, 76, 80 à 82; CPS 16, 18, 20 à 28; CPA 46 à 49; CPE 18 et 19; MDF 252, 259, 795 *bis*, 796, 798, 820, 822, 823, 826 à 828, 843; B. M. 2217; Bibl. Nat., ms. fs. 17470 (Amours de Madame Chrestienne); Bibl. Vat., Barberini 194; Arch. Vat., Nunziatura d'Inghilterra 4 à 7.

Cousin, Bazzoni, Chéruel, Pastor t. XIII, pp. 827-844, Dethan, *Exposition Mazarin*, ouv. cités.

Lettres de M., *Lettres de Richelieu, Historiettes* de Tallemant des Réaux, *Mémoires* de Mme de Motteville, des deux Brienne, de Goulas, *Journal* d'Olivier Lefevre d'Ormesson, *Mémoires du comte de Gramont*, par Hamilton, *Journal de M. le Cardinal duc de Richelieu qu'il a fait durant le grand orage de la Court...* (réédité dans *Arch. curieuses de l'Histoire de France* 2e série, t. 5, Paris, 1838).

Lettres du cardinal Mazarin à la Reine... écrites pendant sa retraite hors de France en 1651 et 1652, publ. par Ravenel (Paris, 1836).

Mazarin et la Savoie :

Augusto Bazzoni, *La reggenza di Maria-Cristina...* (Turin, 1865).

G. Claretta, *Storia della reggenza di Cristina di Francia...* (Turin, 1868-1869).

A. M. Gallina, « Le vicende di un grande favorito » (Filippo d'Aglié) in *Bolletino storico-bibliografico subalpino*, 1919 et 1920.

S. Foa, *Vittorio-Amedeo I* (Turin, 1930).

Guido Quazza, « Giulio Mazzarini mediatore fra Vittorio-Amedeo I e il Richelieu » (1635-1636) in *Bolletino Storica bibliografico subalpino*, 1950.

Dizionario biografico degli Italiani, vol. I (Rome, 1960) art. *Aglié (Filippo d')*, par R. de Felice.

Gabriel de Mun, *Richelieu et la maison de Savoie* (Paris, 1907).

Jacques Humbert, *Le maréchal de Créquy* (Paris, 1962).

Mazarin et l'Angleterre :

Georges Ascoli, *La Grande-Bretagne devant l'opinion française au XVIIe siècle* (Paris, 1930).

William Drogo Montagu, Duke of Manchester, *Court and Society from Elizabeth to Anne*, (Londres, 1864), vol. II, pp. 1-20 (« The Story of Walter Montagu » : très incomplet, donne certains documents des archives Montagu à Kimbolton).

Dictionary of national biography, vol. 29 (Londres, 1892), art. *Jermyn (Henry)* et vol. 38 (1894), art. *Montagu (Walter)*, par Thompson Cooper.

Hermann Ferrero, *Lettres de Henriette-Marie de France, reine d'Angleterre, à sa sœur Christine, duchesse de Savoie* (Turin, 1881).

Mary-Anne Green, *Letters of queen Henrietta-Maria* (Londres, 1857).

Victor Cousin, *Madame de Chevreuse* (Paris, 1862).

Louis Battifol, *La duchesse de Chevreuse* (Paris, 1920).

Mazarin et l'Espagne :

H. Coville, « Documents sur le capitaine Mazarin » in *Mélanges d'archéologie et d'histoire publiés par l'École de Rome*, t. 34 (1914), pp. 201-234.

Auguste Leman, *Urbain VIII et la rivalité de la France et de la maison d'Autriche de 1631 à 1635* (Paris, 1928).

Auguste Leman, *Richelieu et Olivarès, leurs négociations secrètes de 1636 à 1642 pour le rétablissement de la paix* (Lille, 1938).

Anne-Marie Cabrini, *Mazarin, aventure et politique* (Paris, 1962).

(1) Sur les relations postérieures de Mazarin avec l'Allemagne, voir : Claude Badalo-Dulong, *Trente ans de diplomatie française en Allemagne — Louis XIV et l'électeur de Mayence (1648-1678)* (Paris, 1956). Voir aussi « Mazarin européen » du président Maurice Schumann dans *Mazarin*, ouv. cité.

(2) Les historiens piémontais du XIXe siècle (Bazzoni, Claretta, Foa) sont fort timides sur cette question. Mlle Gallina, biographe du « Comte Philippe », refusait encore (en 1919) de se prononcer « en une matière si intime et si délicate ». Il a fallu attendre l'article de R. de Felice (1960) pour que soit reconnue « une vraie relation amoureuse » entre la duchesse et le galant cavalier.

(3) Citons parmi eux, Thomas Carew, Kenelm Digby, Aurelian Townsend, Will Davenant, Thomas Killigrew...

(4) « Le spirituel Apollon lui demande s'il comprenait sa propre pastorale, car, s'il en était ainsi, il serait plus intelligent que personne », se moquait un contemporain, Suckling.

(5) Melchior de Chevrières, marquis de Saint-Chamond, était alors lieutenant général du roi en Languedoc, après avoir représenté Louis XIII à Londres.

(6) Tours, 30 novembre 1635 (CPA 45, f°s 501-502). Une autre relation de ces faits, due à Thomas Killigrew, l'un des compagnons de Montagu a été publiée dans l'*European Magazine*, t. 43, (année 1801), p. 102. Voir aussi : *Relation de la sortie du démon Balaam...* (Paris, 1635) BN Lb 363028 et *Correspondance du Père Joseph Surin*, pub. par Michel de Certeau (Paris, 1966), p. 294.

(7) Il eût été difficile au vieux lord de se montrer trop sévère; à plus de 80 ans, il songeait à se remarier, alléguant l'exemple de David et de Bethsabée.

(8) « Je viendrai à cet heure en vostre maison non pas comme en un logis, mais comme dans un temple... car la terre est sainte où ces pieds-là

ont esté », écrivait alors (2 juillet 1638) son ami Kenelm Digby à l'heureux Montagu.

(9) Dès janvier 1636, Mazarin offrait à Barberin de servir le Saint-Siège en Angleterre; en mai 1638, il écrivait à Chavigny que Cuneo le proposait comme son successeur à Londres et que la reine Henriette était favorable à cette nomination; en novembre, il demandait l'avis de Richelieu à ce sujet.

(10) Londres, 22 juillet 1637. Il est curieux de constater que Montagu suppose à Mazarin une grande influence sur le Bernin. Il est vrai que c'est sur l'insistance de Giulio que le grand artiste exécutera le buste de Richelieu.

(11) Pierre Imbourg, *Van Dyck* (Monaco, 1949). Sur ce buste de Charles 1er par le Bernin, voir : Rudolf Wittkower, *Gian Lorenzo Bernini* (Londres, 1966), pp. 14, 19, 205 (illustration), 207-208.

(12) Victor Cousin (*Madame de Chevreuse*, p. 167 et n. 1) accuse Richelieu d'avoir encouragé les débuts de la Révolution en Angleterre, étant inquiet des dispositions hispanophiles de la cour de Londres. Il cite à l'appui de ses dires les *Mémoires* de Brienne, le père Griffet (*Histoire de Louis XIII*, III, 158), les lettres du représentant français Montreuil, qui « montrent son entente avec Pym » et les parlementaires, et rappelle que, dès 1641, le cardinal avait fait publier dans la *Gazette* le manifeste des Écossais contre l'autorité royale. De son côté, Ascoli (ouv. cité, t. 1, p. 58), tout en reconnaissant que Richelieu « entretenait volontiers les mécontentements d'Angleterre », juge des plus suspectes la publication des *Lettres, Mémoires et Négociations de M. le Comte d'Estrades*, où se trouve le récit de tractations françaises avec les presbytériens d'Écosse.

(13) Les larmes de la jeune épouse du peintre, enceinte et anxieuse de revenir accoucher à Londres, furent « plus fortes que les raisons des hommes » (Montagu à Chavigny, Pontoise, 13, 14 et 15 novembre 1641). Van Dyck séjournait à la cour de France depuis le début de l'année, mais le retour de Poussin d'Italie détruisit son espoir d'une importante commande et sa mauvaise santé l'empêcha d'en accepter une de Mazarin. Il mourut à son retour à Londres, le 9 décembre 1641.

(14) Le recueil des *Lettres de Mazarin* pendant son ministère contient, à partir de 1652 (fin de la Fronde) de nombreuses lettres à Montagu, surtout en 1659-1660, au moment de la Restauration monarchique en Angleterre, au sujet de laquelle le cardinal donna ses avis à son ami anglais et se tint avec lui en étroit contact.

(15) Georges Mongrédien, dans son excellent ouvrage sur *La journée des Dupes* (Paris, 1961) assigne à cet événement la date du 10 novembre 1630. Nous croyons au contraire qu'il faut conserver la date traditionnelle de « la Saint-Martin », c'est-à-dire le 11 novembre, et appuyons notre opinion sur deux lettres contemporaines d'acteurs du drame, adressées l'un et l'autre à Bouthillier le jeune (futur Chavigny), alors en voyage en Italie, par deux collaborateurs de son père : Ardier, qui lui écrit de Paris, le 12 novembre 1630 : « l'orage que vous avez veu former à Lyon esclatta hier », et La Barde qui, dans une lettre du 8 mars 1631, parle de « la Saint-Martin, jour de la rupture d'entre la Reine et M. le cardinal ». Les lettres de La Barde à Léon Bouthillier, datées du 12 novembre 1630 au 8 mars 1631, permettent d'autre part de préciser la chronologie du *Journal* de Riche-

lieu et d'en vérifier les assertions; elles devraient servir à une édition critique de celui-ci; elles se trouvent dans MDF 795 *bis* et 798.

(16) A noter aussi qu'à son retour à la cour de France, en 1632, Mazarin était porteur d'une lettre du « comte Philippe » (d'Aglié) pour Mme de Chevreuse, ce qui permet de penser qu'il avait déjà rencontré la confidente d'Anne d'Autriche.

(17) « Il le parlait comme un naturel », témoigne le père Bissaro, qui l'assista à son lit de mort.

(18) « A demi espagnol par les années qu'il avait passées en Espagne » (*Mémoires*, I, 91). Or le jeune Giulio avait vécu à peine deux ans à Madrid et à Alcala. *Cf.* Anne-Marie Cabrini, ouv. cité : Mazarin « prit pour les choses d'Espagne un goût qui ne le quittera qu'avec la vie », ce séjour « a singulièrement compté dans sa vie et en a déterminé peut-être les grandes lignes », etc. Ces suppositions paraissent pour le moins hasardeuses.

(19) Emprisonné en décembre 1640 sur l'ordre d'Olivarès, Mello reviendra au service de l'Espagne dans les Flandres, où Montagu le vit, à Bruxelles, en mars 1643; en avril de la même année, il faisait proposer à Mazarin, par le nonce à Paris, une suspension d'armes. Ayant pris par la suite le parti du duc de Bragance, bientôt roi Jean IV de Portugal, il tomba dans sa disgrâce en 1650 et Mazarin dut intervenir à Lisbonne pour lui faire obtenir un traitement plus doux. Rentré en grâce, il mourut à Alcantara, en 1666. Voir sur lui : Edgar Prestage, *Life of don Francisco de Mello* (Oxford, 1922).

(20) *Ascrire* est un anglicisme, une traduction erronée du verbe anglais *ascribe* qui signifie attribuer.

(21) Voir G. Dethan, *Gaston d'Orléans*, ouv. cité, pp. 265, 267 à 271, 274. Michelet a imaginé que Mazarin avait eu part à cette révélation : « En 1642, il (Mazarin) devint maître de la reine *après le traité d'Espagne*, dit Tallemant, ce qui signifie, selon moi, quand il lui conseilla de révéler le traité pour obtenir de garder ses enfants. » Rappelons qu'Anne était alors à Saint-Germain en-Laye et Giulio en Provence.

(22) Mme de Motteville, II, 193,194. *Cf.* le témoignage de Philippe d'Aglié qui écrivait de Paris, le 18 juin 1643 : « M. de Chavigny est tombé mais si doucement que sa chute paraît volontaire... M. le cardinal Mazarin s'est efforcé de le soutenir, au moins en apparence ». Le 2 août, Bichi écrivait à Chavigny : « Vostre mérite et les soings de Mgr le cardinal Mazarin, qui vous est si affectionné, vous conserveront en vostre absence en l'estime qui vous est due. » Bichi croyait que Chavigny partait pour Munster. De son côté, Mazarin notait alors sur son carnet : « Chavigny pour la paix », c'est-à-dire peut-être : destiné au Congrès de la paix à Munster (renseignement fourni par Mme Laurain-Portemer).

(23) *Cf.* Jeune Brienne : « il était d'une belle taille, un peu au-dessus de la médiocre » (i. e. de la moyenne). Ce qui ne l'empêcha pas d'être, par la suite, dépassé « de toute la tête » par Louis XIV devenu adulte (Motteville, IV, 203-204).

(24) Sur la question : mariage ou pas? voir la brillante démonstration pour la négative de M. Philippe Erlanger (*Louis XIV* (Paris, 1966), pp. 43 etc.), dont nous ne pouvons cependant admettre tous les arguments.

CONCLUSION

UN DIPLOMATE DE L'AGE BAROQUE

Sources manuscrites : CPR 81, 133, 137, 143; CPS 22, 23, 33; CPA 48; CPE 18; MDF 285.

Benedetti, Moreau, *Mémoires* de Mme de Motteville, de Retz, du jeune Brienne; Chéruel, *Mazarin* (art. de Maurice Schumann et de Georges Mongrédien), ouv. cités.

Saint-Évremond, *Œuvres* (Éd. de 1753) IV, p. 211 et IX, pp. 96-108.

Michelet, *Richelieu et la Fronde* (éd. Lemerre 1887), pp. 156, 219, 267, 272.

Auguste Bailly, *Mazarin* (Paris, 1935).

Jean Vilain, *Mazarin homme d'argent* (Paris, 1956).

Pierre Goubert, *L'avènement du Roi-Soleil* (Paris, 1967), pp. 25 et 26.

Victor L. Tapié, *Le baroque* (Paris, 1963).

Dr Jules Sottas « La maladie et la mort du cardinal Mazarin » in *La Chronique médicale*, 1925.

Raymond Darricau et Madeleine Laurain, « La mort du cardinal Mazarin », in *Annuaire-Bulletin de la Société de l'Histoire de France*, 1960.

(1) Voir lettre du 22 octobre 1635 à Mgr Campeggi, publiée à l'Appendice.

(2) Hugues de Lyonne, neveu de Servien, que Mazarin avait connu et apprécié dès 1636 à Rome, servit, d'après Saint-Évremond, d'intermédiaire pour la rentrée en grâce de son oncle.

(3) Je pense en particulier à Sainte-Beuve qui a donné dans les *Causeries du Lundi* (II, 247-265) un portrait injuste du cardinal, « cet homme sans amitiés et sans haines » qui a « tant méprisé les autres hommes ».

(4) Francesco Mantovano à Mazarin, Rome, 3 décembre 1642.

(5) Le projet de mariage de Laura Martinozzi avec Maffeo, fils aîné de Taddeo Barberini, fut agité en 1648; il échoua par la mauvaise volonté du cardinal Francesco Barberini, oncle de Maffeo.

(6) Une lettre de Paris, du 13 janvier 1660, fait état des « mauvais bruitz que les esprits malings avoient fait courre dans Paris que le pape... estoit malade ».

(7) Voir les études citées plus haut, celle du Dr Sottas, selon qui Mazarin serait mort de diathèse goutteuse et toxémie (complications viscérales de la goutte) et surtout celle de M. Darricau et de Madame Laurain-Portemer. M. Darricau y présente la relation inédite de la mort du cardinal par son confesseur théatin le P. Bissaro et Mme Laurain-Portemer celle de M. Joly, curé de St-Nicolas des Champs. On peut comparer à ces écrits les souvenirs de Mme de Motteville, du jeune Brienne, du Père Rapin. L'espoir en la « miséricorde » divine revient comme un leit-motiv dans les derniers propos de Mazarin : « Je prie Dieu qu'il me fasse miséricorde... J'éprouve déjà sa miséricorde... Je dois craindre les jugements de Dieu, mais enfin il faut espérer en sa miséricorde ». Le témoignage le plus suggestif, sinon le plus authentique, le plus proche de la vérité du personnage, reste à notre avis celui du Père Rapin : « On courut pour avertir le curé que Son Éminence était à l'extrémité; il lui cria, approchant d'un fauteuil où on l'avait mis : « Monseigneur, l'heure est venue ». A quoi le cardinal

répondit : « L'heure de miséricorde, l'heure de miséricorde », et ce fut en disant ces paroles qu'il mourut ».

(8) Sur ce dernier souci du cardinal ministre, voir l'étude consacrée par M. Raymond Darricau à « Mazarin et l'Empire ottoman. L'expédition de Candie (1660) », publiée dans la *Revue d'Histoire diplomatique*, 1960, pp. 335-365.

(9) « Pourquoi les Européens n'ont-ils pas entrepris la conquête de l'Asie? », demande M. Roland Mousnier (*Histoire générale des civilisations*, t. IV, *Les XVI*e *et XVII*e *siècles*, 3e éd. (1961), p. 608), et il répond : « Ils étaient trop absorbés par leurs rivalités en Europe et sur toutes les mers ».

INDEX

Illustrations : pp. 22-23, 90, 111, 190, Bibliothèque Nationale, Cabinet des estampes.

Le tableau reproduit sur la couverture représente Anne d'Autriche recevant les Cardinaux Francesco et Antonio Barberini. Auteur inconnu, XVIIe *siècle, collection Princesse Henriette Barberini à Rome.*

Table des Matières

III LES AMIS DE ROME

IV RICHELIEU ET SES CRÉATURES

V TROIS SOUVERAINES

IMPRIMERIE BERGER-LEVRAULT, NANCY. — 118293-10-1968. — Dépôt légal : 4e trimestre 1968.